Une évidence

Du même auteur

Les Gens heureux lisent et boivent du café, 2013.
Entre mes mains, le bonheur se faufile, 2014.
La vie est facile ne t'inquiète pas, 2015.
Désolée, je suis attendue, 2016.
J'ai toujours cette musique dans la tête, 2017.
À la lumière du petit matin, 2018.

Agnès Martin-Lugand

Une évidence

118, avenue Achille-Peretti – CS 70024
92521 Neuilly-sur-Seine Cedex

www.michel-lafon.com

Pour Guillaume, Simon-Aderaw et Rémi-Tariku, toujours…

On finit toujours par devenir un personnage de sa propre histoire.

Jacques Lacan, *Écrits*, tome II.

Ses poumons autant que son cœur avaient besoin de respirer l'air du large.

Bernard Simiot, *Ces messieurs de Saint-Malo.*

– 1 –

Un 31 décembre comme les autres. Repère dans l'année. Dîner chic chez Paul. Ce serait parfait, de bon goût, drôle, dans la finesse, sans cotillons ni serpentins. Et ce serait surprenant, comme d'habitude. À part moi, Paul conviait toujours des personnes qui ne se connaissaient pas et que lui-même connaissait peu ; des relations qui ne passeraient qu'une seule soirée ensemble et qui ne se reverraient certainement jamais. Cela l'amusait, l'intéressait. Son côté bobo refoulé, le charriais-je régulièrement. L'avantage était qu'il n'y avait pas d'enjeu pour ces quelques heures, chacun venait avec ce qu'il était, ce qu'il voulait, sans a priori ni pression sociale inhérente à la vie bourgeoise de province. On faisait connaissance sans arrière-pensée, sans attente particulière puisque tout portait à croire que nous ne serions pas amenés à nous côtoyer de nouveau, au mieux se croiserait-on en ville par hasard pendant un samedi de shopping.

Le petit plus de ce soir, et j'en étais très heureuse, serait la présence de ma sœur aînée, Anna, et de Ludovic, son mari. Je leur avais présenté Paul peu de temps après notre rencontre et depuis tous les trois s'entendaient à merveille. Grande première pour eux, ils n'étaient pas partis passer le réveillon au soleil, contrairement à leur habitude, et nous honoraient de leur présence. Ce qui avait eu pour effet de beaucoup angoisser ma sœur, hyperactive, toujours proche du *burn out* domestique. Pourtant, elle en redemandait. Ludovic voulait des vacances pour « ne rien faire », il n'avait aucune envie de courir toutes les activités auxquelles elle les inscrivait au club. Il avait tapé du poing sur la table à l'automne dernier, il avait beau aimer ma sœur comme au premier jour, il n'en pouvait plus de la voir brasser de l'air, elle l'épuisait. À plus de cinquante ans et après vingt-cinq ans de mariage, il voulait un peu de paix. À mon grand étonnement, ma sœur était restée coite et n'avait pas cherché à parlementer.

Anna, totalement déstabilisée, avait dû trouver de quoi compenser. Les fêtes de Noël, cette année, avaient été le théâtre de situations tragi-comiques : elle avait investi ce qui était, jusque-là, la chasse gardée de maman, à savoir l'organisation du grand déjeuner familial du 25 décembre. Elles n'avaient pas tardé à se battre comme des chiffonnières, j'avais pour ma part pris bien garde à rester le plus éloignée possible. Cela dit, elle nous avait concocté des festivités dignes d'un film américain spécial Noël ! S'occuper à tout prix, tel était le credo d'Anna. Depuis, elle tournait en rond, leurs trois enfants – jeunes adultes –, sitôt la bûche avalée et les cadeaux déballés, avaient déguerpi pour ne pas avoir leur mère sur le dos. Je n'aurais pas été étonnée qu'elle ait investi la cuisine de Paul, il n'avait pas dû dire non, s'évitant par la même occasion de devoir embaucher quelqu'un pour le dîner. Paul adorait recevoir sans avoir à se préoccuper de l'intendance…

J'aurais dû me réjouir, être pleine d'entrain ; étrangement, c'était tout le contraire. Je n'étais pas loin d'avoir envie de me pelotonner en pyjama sur mon canapé et de m'y terrer pour la soirée, avec volupté. Dernièrement, je pensais souvent, très souvent même, au temps qui passe – trop vite –, à ce que j'avais raté et réussi dans ma vie. L'année de mes quarante ans s'achevait, l'année du bilan de mi-parcours. Ceci devait expliquer cela… Aussi, pour la première fois, ne respectai-je pas mes habitudes vestimentaires. Aux réveillons précédents, j'avais rivalisé d'originalité avec des robes colorées, tantôt bohème, tantôt vamp glamour des années cinquante, juste pour le plaisir de m'amuser. En jetant un dernier coup d'œil dans le miroir avant de partir, un mot me vint à l'esprit : *obscure*. J'étais habillée en noir des pieds à la tête, une Morticia auburn en pantalon.

Je réussis à trouver une place près du donjon Jeanne-d'Arc. Au moins, je n'aurais pas à traverser tout Rouen pour récupérer ma voiture. Paul habitait un dernier étage de cent cinquante mètres carrés refait à neuf en haut de la rue Jeanne-d'Arc. Il n'avait jamais franchi le pas de s'installer dans une maison, il cultivait son côté parisien ; vivre dans un immeuble à deux rues de la gare le rassurait ! Ce n'était qu'un principe, assez ridicule d'ailleurs, puisque quiconque le connaissait savait qu'il ne repartirait jamais vivre à Paris. Son appartement était somptueux, tout en étant d'une extrême sobriété. Paul avait un goût fortement développé pour les belles choses, les œuvres d'art et les meubles design, mais il ne collectionnait pas, n'en faisait jamais trop. À quelques exceptions près : les femmes, les voitures et le niveau de vin dans le verre de ses invités.

Le champagne – de qualité – coulait à flots, le dîner à table était raffiné et absolument exquis. La conquête de Paul pour la soirée était charmante, elle gloussait un peu trop, mais je l'excusais et puis de toute manière, personne ne la reverrait. Paul passerait quelques nuits avec elle, l'emmènerait à autant de dîners, et elle disparaîtrait pour laisser la place à une autre, quelques semaines ou, grand maximum, quelques mois plus tard. Paul se lassait très vite. Depuis près de dix-huit ans que je le connaissais, je l'avais vu passer d'une femme à une autre sans répit. À quarante-neuf ans, cela en devenait désespérant. Je le mettais régulièrement en garde sur le côté vieux beau qui le menaçait à grands pas, ce qui déclenchait invariablement la même réaction : un grand éclat de rire.

Seule ombre au tableau, mon voisin de table. Quand je l'avais découvert parmi la vingtaine d'invités, j'avais immédiatement fusillé ma sœur du regard, elle était forcément responsable de ce coup fumant. Sa mine faussement innocente avait confirmé mon intuition. Je m'étais retenue de lui sauter à la gorge. Elle n'avait pas hésité à utiliser son joker – la possibilité pour la garde rapprochée de Paul d'amener un invité surprise – que de mon côté, je n'avais jamais abattu. Anna ne s'en était pas privée, et c'était à mes dépens. Affligée par mon célibat, elle cherchait régulièrement à me présenter « des prétendants » comme elle disait. Celui-ci était un collègue de Ludovic, je ne le connaissais que trop. Le voyant régulièrement à des dîners chez eux, je l'avais toujours trouvé sympa, non dénué de charme. J'avais fini par céder à ses avances deux ans auparavant. Pour mon plus grand malheur ! Autant c'était un ami parfait, autant comme amant, il s'était révélé un authentique tocard. Un niveau de compétition hors catégorie, battant tout rival potentiel à plates coutures. Ma sœur n'avait pas compris pourquoi j'avais mis brutalement fin à cette relation. Je pouvais clairement voir à la tête de ce crétin qu'elle avait dû lui glisser que rien n'était perdu avec moi. Régulièrement, je croisais le regard circonspect de Paul qui avait dû remarquer mon air déconfit, je réussis à lui faire comprendre le pourquoi du comment d'un coup de tête discret en direction de mon voisin, il manqua de s'étouffer avec sa coquille saint-jacques. Fidèle à son rôle d'hôte parfait, il se reprit aussitôt, sans pour autant cesser de me surveiller du coin de l'œil.

Comme je l'avais prédit, Anna avait pris d'assaut la cuisine de Paul. Au changement de plat, elle me fit signe de l'y rejoindre. Je sautai sur l'occasion pour m'offrir une pause au rentre-dedans de cet imbécile, qui définitivement ne comprenait rien à rien…

– Alors, Reine… commença-t-elle d'une voix doucereuse.

Elle m'attrapa par le bras en dodelinant de la tête d'un air rêveur.

– Alors quoi ? grognai-je.

Je me dégageai pour me servir un verre de vin rouge. Au diable les mélanges, j'avais besoin d'un remontant !

– Que penses-tu de ma petite surprise ?

Je la gratifiai d'une œillade mauvaise en levant immédiatement une main défensive.

– Tu es contente de toi ?

Elle applaudit, convaincue que j'étais heureuse de sa combine.

– Il s'est décroché la mâchoire quand il t'a vue apparaître dans cette tenue. Je ne savais pas que tu avais un pantalon de cuir… C'est beau ! Au milieu de tout ce noir, on ne voit que ton regard vert…

J'écarquillai les yeux comme des billes.

– Espèce de peste ! Je t'arrête tout de suite ! Ne te fais pas de film ! Il ne se passera rien !

Son expression passa de l'excitation la plus joyeuse à l'ahurissement le plus total.

– Pourquoi ? Ça ne te fait pas plaisir de le voir ?

– À ton avis ? Je te rappelle que j'ai déjà donné ! Merci bien !

Vexée, elle se lança dans le dressage des assiettes en boudant.

– Ludovic m'avait prévenue que tu me répondrais un truc du genre !

J'éclatai de rire.

– J'adore mon beau-frère ! On peut passer à autre chose ?

Telle une gamine mécontente qu'on ne cède pas à son caprice, elle émit un profond soupir qu'elle appuya d'un haussement d'épaules.

– Sinon, tu as besoin d'aide ?

– Non, ronchonna ma sœur.

– Tu m'as donc demandé de venir dans la cuisine uniquement pour savoir si ton entreprise de marieuse fonctionnait ?

Elle abandonna sa posture de diva outragée et me gratifia d'un regard amusé qui me fit partir d'un nouvel éclat de rire. Elle était exceptionnelle.

– Je n'y crois pas !

Je regagnai ma place à table, touchée par la gentillesse de ma sœur qui faisait toujours tout pour que son petit monde soit heureux. Sa gaieté était si contagieuse que mon voisin eut même droit à mon plus beau sourire.

23 h 54. L'ambiance montait tranquillement sous l'effet conjugué des bulles et des conversations légères. Il n'était pas nécessairement utile de se connaître pour fêter la fin de l'année ensemble et vivre un moment agréable. Paul réussissait toujours ce tour de force. J'avais fini par faire abstraction de mon voisinage décevant. Malgré la bonne humeur générale, je vérifiais compulsivement mon téléphone, me demandant si, malgré nos promesses respectives, j'allais

avoir de *ses* nouvelles. De mon côté, je m'étais promis de résister, ne voulant pas le déranger. Je sursautai lorsqu'un bouchon de champagne sauta. Étrangement, je me sentais assez éloignée de cette euphorie, je les observais en spectatrice souriante, mais terriblement mélancolique. Cela ne me ressemblait pas.

10. 9. 8. 7. 6. 5. 4. 3. 2. 1… Tout le monde se leva de table. Les couples s'embrassèrent. Et mon voisin, qui décidément ne comprenait pas vite, se rapprocha davantage de moi. Je réussis à dissimuler mon soupir exaspéré et lui décochai un pauvre sourire dépité.

– Bonne année, Reine.

Il se pencha vers moi et me fit une bise en commençant à m'enlacer grossièrement la taille. Je sentis la vibration de mon portable dans ma main et me dégageai vivement.

– Excuse-moi, je dois répondre.

Je ne lui laissai pas le temps de prononcer un mot et m'éloignai pour décrocher. C'était lui. Il avait pensé à moi, il ne m'oubliait pas. On s'était pourtant dit qu'il serait inutile d'essayer de se joindre cette nuit. J'avais bien conscience qu'il avait autre chose à faire que m'appeler durant la soirée. Il fallait croire qu'il avait encore besoin de moi et, au fond de mon cœur réchauffé, je m'en réjouissais.

– Bonne année, mon trésor.

Je n'entendis rien de sa réponse, trop de bruit autour de moi et de l'autre côté du fil, des hurlements euphoriques. Je bravai le froid hivernal et sortis sur le balcon.

– Tu m'entends ? lui demandai-je en bouchant mon oreille.

– Maman ?

– Oui, Noé, je suis là.

– Bonne année, maman.

Je battis des cils pour empêcher mes larmes de joie de couler.

– Merci… Tu passes une bonne soirée ?

– Ouais ! Géniale !

Derrière lui me parvenait l'écho de ses copains qui chantaient, se chambraient et l'appelaient.

– File, on se parle demain. Tu fais attention à toi ?

– Promis !

Je l'imaginai lever les yeux au ciel, avec son irrésistible sourire de charmeur saoulé par sa mère.

– Bisous, maman.

– Je t'aime, mon…

Il avait déjà raccroché. J'extirpai mon paquet de cigarettes de la poche de ma veste. J'en allumai une et pris tout mon temps pour la fumer. L'avoir entendu ne serait-ce que deux petites minutes me comblait de bonheur ; à présent, j'allais pouvoir profiter pleinement de la soirée.

– Bonne année, me souffla Paul à l'oreille.

Il passa un bras autour de mes épaules et embrassa mes cheveux.

– À toi aussi, lui répondis-je.

Quelques minutes passèrent sans qu'on esquisse le moindre geste, perdus dans la contemplation de la ville à nos pieds ; les lumières, les klaxons, les pétards, les cris des fêtards qui montaient jusqu'à nous.

– Tu n'es pas avec nous, ce soir… remarqua-t-il. À quoi penses-tu ?

– À plein de choses et rien à la fois…

Je ne pouvais pas dire mieux. Dernièrement, certaines de mes décisions et surtout leurs conséquences remontaient à la surface – toujours ce fichu temps qui passe – et me comprimaient la poitrine. Il y avait des moments où c'était pire, où ma respiration se coupait. Paul le savait, Paul le sentait. Mais ce n'était pas le lieu, encore moins le moment d'en parler. Anna nous rejoignit, ils échangèrent un regard complice. En guise de vœux, elle se contenta de déposer un baiser sur ma joue, je fis de même.

– Tu m'en payes une ? me demanda-t-elle en me donnant un léger coup de coude.

– La seule de l'année ? rétorquai-je, malicieuse.

– Ne fais pas ta rabat-joie !

On rit et elle se servit dans mon paquet. Les rôles s'étaient inversés ; adolescente, je piochais dans les siens, aujourd'hui, elle piquait dans celui de sa cadette. Contrairement à moi, elle avait fini par écouter notre père qui nous enjoignait d'arrêter, comme lui. J'étais la résistante de la famille, malgré ses « Pense à ton fils, ma petite fille ».

– Tu as eu Noé ? me demanda Paul.

Mon immense sourire leur servit de réponse.

– Il va bien ? s'inquiéta Anna en bonne tante protectrice.

Tout comme moi, Paul refréna un rire moqueur.

– Noé a dix-sept ans et il fait la fête avec ses potes. À ton avis, comment il va ?

– Oh, arrêtez de vous foutre de moi, je n'y peux rien, ça me retourne toujours le bide quand ils sortent.

Et à moi, ça ne me fait rien peut-être ?

– C'est comme ça qu'on t'aime ! la rassurai-je.

– Bon, vous avez fini de faire bande à part ? nous coupa Ludovic qui venait de faire son apparition.

Je me détachai des bras de Paul et du câlin de ma sœur et filai vers mon beau-frère avec qui j'échangeai une accolade de bonne année.

– Bon, Reine, tu es au courant que la seule résolution de ta sœur cette année est de te trouver quelqu'un ?

Elle pouffa dans notre dos, Paul n'était pas en reste.

– On n'est pas sorti de l'auberge ! Elle s'y prend très mal !

– Je l'avais prévenue, mais tu la connais quand elle a un truc en tête !

Je ris à mon tour et j'enchaînai.

– Elle m'a déjà forcée à m'inscrire au sport, c'est bien suffisant !

– C'est vrai que c'est un exploit, renchérit Paul en nous rejoignant.

– Et l'arrêt de tes dîners de con, c'est pour quand ? le taquinai-je.

On regagna le séjour en riant et la soirée reprit son cours.

Je retrouvai ma petite maison de briques sur les hauteurs de Rouen à plus de 3 heures du matin. Quand Noé était entré au collège, pour grandir moi aussi, je m'étais lancée dans la grande aventure de l'achat immobilier. J'avais craqué pour ces quatre murs dont Noé et moi avions fait notre nid. Cela nous ressemblait, un peu de bazar, un peu atypique, pas très grand, mais nous y étions bien, c'était chez nous.

J'étais exténuée, j'avais les pieds en compote et un début de mal de crâne dont seul le sommeil viendrait à bout. Pour autant, avant de m'écrouler sur mon lit, je ne pus m'empêcher de faire un détour par le chaos de la chambre de Noé. J'avais fait ma fière devant ma sœur un peu plus tôt, mais au fond, je ne valais pas mieux qu'elle. Je n'aimais pas qu'il découche, je n'aimais pas le savoir loin de moi, malgré ses dix-sept ans, malgré le fait qu'il me dépasse de presque deux têtes. Je n'aimais pas quand la maison était vide de lui, de ses bruits, de sa porte qui claque, du son de sa guitare. Et pourtant, cela arrivait de plus en plus souvent. Normal. Logique. Noé grandissait, allait passer son bac et son permis dans quelques mois. Je me souvenais de moi à son âge ; je n'avais qu'une idée en tête, prendre mon envol, m'éloigner de mes parents – que pourtant j'adorais –, passer du temps avec mes copains, me sentir libre. Noé était à cette étape-là de sa vie et je m'efforçais de le laisser faire, c'était mon rôle, malgré le vide que cela générait chez moi. C'était ça, être parent… Je m'étais toujours refusée à être une mère poule envahissante, pourtant élever seule mon fils aurait excusé une telle attitude, mais Noé, lui, aurait pu ne pas le supporter et étouffer par ma faute. À la place, j'avais choisi de lui offrir la liberté, la confiance et, surtout, je m'estimais chanceuse. Notre complicité nous permettait de rester proches malgré les années qui filaient inexorablement.

Le lendemain matin, je me réveillai bien trop tôt. C'était systématique ; il m'était impossible de profiter d'une quelconque grasse matinée, mes sens étaient aux aguets quand il désertait la maison. Je me moquai de moi-même en avalant un Doliprane et en me préparant un café. Après avoir grignoté un semblant de petit déjeuner, je passai le traditionnel coup de fil de bonne année à mes parents. Pendant que je leur racontais la soirée de la veille, je reçus un message de Noé qui me demandait de venir le chercher.

À peine avais-je garé ma voiture devant la maison où il avait passé la soirée qu'un troupeau de quatre ados pas très frais franchit la porte d'entrée. Ils avaient dû à peine fermer l'œil et exhalaient encore des relents de bière – sans compter les mélanges dont je ne voulais pas connaître la teneur – et de sueur à plein nez. J'eus le droit à un concert de « bonne année » et une série de bisous parfumés de tous ses copains. J'avais un certain succès auprès d'eux, ils n'étaient pas dérangés par ma présence sur leur territoire, me voyant comme une mère plus cool que les leurs sous prétexte que j'avais dix ans de moins.

– Maman, ça t'embête de ramener…

– Pas de problème, mais avant de partir, vous pouvez m'assurer que vous avez tout remis en état chez Bastien ?

Je n'osais imaginer le carnage. Pour rien au monde, je ne leur aurais confié mon chez-moi. Ils échangèrent un regard entendu signifiant qu'ils avaient fait ce qu'il fallait pour réparer les dégâts et, surtout, qu'il faudrait s'en contenter. Sympa, les gars ! Je levai les yeux au ciel, amusée.

J'en eus pour une heure à jouer les taxis aux quatre coins de la ville, avant de réussir à rentrer chez nous.

– Tu as faim ? demandai-je une fois arrivée à un Noé verdâtre.

– Pas tellement.

Je dissimulai avec difficulté mon envie de rire et abrégeai ses souffrances.

– Va prendre une douche, lave-toi les dents et fais une sieste, je crois que c'est tout ce dont tu es capable pour le moment.

Il n'cssaya même pas de donner le change.

– Désolé.

J'ébouriffai ses cheveux poisseux.

– Pour aujourd'hui, je te fiche la paix, mais débrouille-toi pour être en forme quand tu redescendras.

Il me colla un baiser sur la joue avant de grimper l'escalier.

– Maman ? On s'occupe du théâtre, ce soir ?

Mon sourire lui suffit. Avant qu'il s'écroule de sommeil, je l'entendis téléphoner à ses grands-parents et à Paul, avec qui, comme toujours, cela s'éternisa.

Lorsqu'il quitta sa tanière en début de soirée pour me rejoindre dans le canapé, tout était prêt pour notre rituel. Quand il était petit, j'avais fabriqué un grand panneau, baptisé le *Théâtre de Noé & maman*, qui évoluait en même temps que lui. Il trônait sur le manteau de la cheminée. Chaque 31 décembre et, depuis qu'il sortait pour le réveillon, chaque jour de l'an, tout en mangeant des crêpes, nous choisissions des photos, des souvenirs avec des billets de concert, de train ou d'avion, des tickets de courses, une appréciation d'un prof, toutes les petites et grandes choses qui avaient fait les douze derniers mois, et je composais un collage avec le tout. Cette année, notre choix se porta sur le billet de concert du Collectif Fauve, pour lequel j'avais embarqué Noé et quatre de ses copains à Paris : je m'étais dévouée, pour mon plus grand plaisir. Légèrement en retrait, je les avais regardés se jeter dans la fosse et cela avait été parfait. Vinrent ensuite des photos de nos dernières vacances d'été en Crète dont une d'un *road trip* d'une semaine en tête à tête, l'autre d'un séjour en club durant lequel il avait fait un stage de planche à voile et des connaissances… huit jours pendant lesquels nous nous étions à peine croisés. On découpa également l'appréciation de sa première dissertation de philo, un magnifique hors sujet qui lui avait valu un 4/20, une engueulade magistrale de ma part, ainsi que les félicitations de son prof pour sa réflexion originale et prometteuse.

Chaque année, je prenais de plus en plus conscience, si besoin en était, de la chance inouïe que j'avais d'avoir mon fils dans ma vie. Ces instants m'étaient si précieux ;

ils me permettaient d'oublier les tracas du quotidien, de mettre de côté mes erreurs, mais aussi mes zones d'ombre.

Quand notre choix fut arrêté et collé, Noé, fier comme un paon, se chargea de le raccrocher au mur. Depuis qu'il était en âge de le porter seul, sans mon aide, c'était son rôle et il le prenait à cœur.

– Tu viens voir, maman ?

– J'arrive.

Bien sûr, nous pouvions être fiers de notre travail, mais ce qui m'émouvait le plus, c'était de voir Noé qui ne le quittait pas des yeux. Pourtant, ma gorge se serra un peu plus que d'habitude. J'eus l'impression d'être projetée dans le passé. Plus mon fils grandissait, plus il devenait un homme, plus la ressemblance avec son père était indéniable. Mon émotion ne lui échappa pas.

– Maman, y'a un problème ?

Nous ne parlions jamais de lui. Depuis environ deux ans, Noé refusait d'aborder le sujet, sans réelles explications, convaincu qu'il avait réglé ce problème. J'en avais pris mon parti, ne voulant surtout pas remuer le couteau dans la plaie.

– Tu fais une drôle de tête, insista-t-il.

– Je n'ai pas fait de sieste, moi !

Il ricana, moqueur.

– Trop vieille pour faire la fête ?

– Un peu de respect tout de même ! lui rétorquai-je en riant. Je vais aller me coucher.

– Je reste regarder la télé.

Je m'approchai de lui et le pris dans mes bras pour le serrer contre moi. Il se laissa faire, j'en profitai encore un peu.

– Je t'aime, mon Noé, pour toujours, ne l'oublie jamais.

– Moi aussi, je t'aime, maman.

– Bonne nuit.

Je le lâchai, lui fis un grand sourire et pris la direction de ma chambre. Je ne pus m'empêcher de lui jeter un dernier regard, il s'était écroulé dans le canapé, télécommande en main. Le voir ainsi me revigora.

– 2 –

Comme chaque lundi, je déposais Noé au lycée, c'était le seul moment de la semaine où il m'autorisait à stationner en warning devant Corneille. Le fait que nos horaires coïncident m'arrangeait bien.

– Bonne journée, me dit-il, la main sur la poignée de la porte, prêt à s'extirper de la voiture.

– Ça va aller, cette rentrée ?

– Bah, ouais, j'ai bossé pendant les vacances.

Quelle chance j'avais d'avoir un fils sérieux ! Il avait toujours aimé l'école et avait toujours travaillé sans que cela ne lui pose de problème, à moi non plus d'ailleurs – jamais de crise pour les devoirs. En revanche, Noé était incapable de se projeter dans un avenir quelconque pour l'année prochaine, il ne devait pas être le seul. Puisqu'il n'y avait aucune raison qu'il n'ait pas son bac, il visait la fac. « N'importe laquelle, maman, je verrai après. » J'étais assez désarçonnée par cette non-décision. Il l'avait anticipé et s'en était ouvert à Paul avant de m'en parler. Paul était celui auprès de qui il cherchait des conseils avisés, il savait qu'avec lui, il pouvait tout envisager sans filtre et sans risquer de réactions paniquées ou extrêmes, sachant pertinemment que Paul se ferait son porte-parole auprès de moi ou l'aiderait à y voir plus clair.

Visiblement impatient de retrouver ses copains, il me fixait à travers la satanée mèche de cheveux qui lui tombait sur le visage.

– Je peux y aller ?

– Attends !

J'avais soudainement peur de le laisser partir. Il m'échappait. De plus en plus.

– Tu as guitare, ce soir ?

– Comme tous les lundis ! Y'a un problème, maman ?

Je n'avais pas oublié son cours particulier, simplement je voulais le retenir encore. Je devenais trop sentimentale, ce n'était bon ni pour lui ni pour moi.

– Non, non. Tout va bien. Allez, file !

Je voyais bien qu'il s'inquiétait, il cherchait à me le faire comprendre sans oser me le dire franchement. Je lui souris autant que je pus pour le rassurer, je devais me reprendre à tout prix. J'allais devoir m'occuper l'esprit… À mesure que Noé grandissait, je comprenais davantage l'hyperactivité de ma sœur, dont l'intensité s'était accrue quand ses enfants avaient quitté le nid.

– Salut !

Il claqua la portière. Dans le rétroviseur, je le vis ouvrir le coffre, y récupérer son sac à dos et la housse de son instrument. Il savait que je l'observais, il me fit un grand sourire, traversa pour rejoindre sa bande. Avec son casque Marshall autour du cou, son allure nonchalante et dégingandée d'ado, Noé était un vrai de vrai. Je restai le temps de le voir dire bonjour à ses potes dans un langage connu d'eux seuls, rire, échanger des bises avec les filles. D'ailleurs, j'en repérai une à l'air timide. Noé ne s'en rendait pas compte, mais celle-là en pinçait pour lui. Mon fils était populaire sans l'être, il ne faisait pas partie du groupe de ceux qu'on entend fanfaronner, ni de ceux qui recherchent la célébrité au sein du lycée et essaient de se mettre en avant. Il ne revendiquait aucun statut particulier, il voulait juste être bien. Mais il était de ceux qu'on connaît, avec qui on est fier d'échanger deux mots ou d'être vu. Gorge serrée, je ne pouvais le quitter des yeux, il était à sa place, dans son monde, bien dans ses baskets. Instinctivement, il dut sentir que j'étais toujours là, car il se retourna et me lança un signe, d'un air de dire « Maman, fiche le camp ! ». J'obéis à mon fils.

Comme chaque lundi, j'arrivai la première au bureau, encore sous le coup du cafard de la rentrée et du temps qui passe. Heureusement, j'adorais mon travail dans cette agence de communication, qui à l'origine n'était qu'un studio photo. J'y étais entrée par la petite porte sans trop savoir où cela allait me mener, mais déterminée à gagner ma vie.

Au milieu de ma grossesse, j'avais abandonné mes études d'arts appliqués à Paris pour revenir vivre à Rouen chez mes parents. À force de persuasion et de crises, la famille m'avait fait réintégrer la maison. Ma mère avait pleuré, hurlé au téléphone, mon père m'avait menacée de punitions comme lorsque j'étais petite, Anna avait débarqué pour faire mes valises, secondée par Ludovic – déjà son mari et le père de ses enfants – au volant de leur break. Retrouver ma chambre de petite fille avec mon gros ventre m'était insupportable. Être un poids pour mes parents encore plus. La dépendance, elle, était invivable. Aussi m'étais-je mise immédiatement en quête d'un travail. Obsédée par le besoin de gagner un minimum d'argent, pour louer ne serait-ce qu'un cagibi, j'épluchais les petites annonces, postulais à n'importe quel job alimentaire. Mais chaque entretien se soldait par un refus. On n'embauche pas une fille de vingt-trois ans, enceinte jusqu'au cou, pas très loquace ni très en forme. Mes parents n'arrêtaient pas de me dire que rien ne pressait, que je pouvais rester à la maison aussi longtemps que je le souhaitais, aussi longtemps que nécessaire pour m'installer dans de bonnes conditions. Ils me répétaient à longueur de journée que je devais prendre soin de moi, de *nous*, ce que je ne faisais absolument pas. Je me contrefichais de ma santé et surtout de *la sienne*. Je me renfermais à vue d'œil, j'avais perdu toute sociabilité – j'étais une extraterrestre pour mes anciennes amies du lycée. Elles sortaient, s'amusaient, avaient la vie devant elles et des projets plein la tête. À côté, j'étais un boulet sans avenir, en parfait décalage. De temps en temps, je sortais de la maison, je prenais l'air pour fuir le regard inquiet de ma famille, même si, à la place, j'étais confrontée à d'autres regards, ceux du jugement. De ceux qui disent « Pauvre gamine, elle s'est fait avoir par le premier venu ». J'étais devenue la fille-mère du quartier, qui plus est d'un quartier bourgeois de province. Parfois, j'avais envie de leur hurler dessus en leur demandant à quelle époque ils vivaient. Mais je me taisais, je baissais les yeux, je ravalais la provocation. Je ne voulais pas créer plus de problèmes, mes parents avaient déjà à subir des remarques autrement plus violentes – « Comment m'avaient-ils élevée pour que je couche avec n'importe quel type, qui m'avait mise enceinte et s'était envolé juste après ? » –, ils étaient passés du statut de personnes hautement fréquentables à celui d'irresponsables à mauvaise influence, dont on craignait qu'elle soit contagieuse.

Un jour, à la boulangerie, pour échapper aux messes basses et coups d'œil en coin des autres clients, je m'étais extirpée de la file d'attente pour contempler le panneau des petites annonces ; au milieu des recherches de baby-sitter et de chat perdu, une avait retenu mon attention, j'avais arraché le bout de papier et j'étais ressortie sans le pain. Mes mains tremblaient tellement que j'avais dû m'y prendre à plusieurs reprises pour être certaine de lire correctement : *photographe cherche un(e) assistant(e) pour création de décors.* Enfin, quelqu'un qui veillait sur moi. Sans perdre une minute de plus ni prévenir mes parents, j'avais pris la direction de l'adresse où se présenter.

Une demi-heure plus tard, je m'étais retrouvée devant un immeuble assez vétuste sur les quais, derrière la Halle aux Toiles. L'espace d'un instant, je m'étais dit que j'allais tomber dans un guet-apens, j'avais pensé à mon père et Ludovic qui, s'ils avaient su dans quoi j'étais en train de me fourrer, m'auraient ramenée par la peau des fesses à la maison. J'avais fait taire mes craintes et mes suspicions. Avant de me jeter dans la gueule du loup, je m'étais regardée ; mal fagotée avec une vieille veste de jardin de mon père dans laquelle je flottais, déformée par ce bébé qui grandissait dans mon corps. Je refusais qu'il me gâche davantage la vie, j'étais déjà bien assez rongée par la colère et l'amertume. Sans me soucier de me faire mal, j'avais tenté de camoufler au maximum mon ventre en resserrant au dernier cran la ceinture qui retenait le pantalon de grossesse que ma sœur me forçait à porter, j'avais rabattu par-dessus mon tee-shirt informe. La porte du studio s'était ouverte sur un type d'une bonne trentaine d'années, cheveux bruns légèrement grisonnants, visage ravagé de celui qui ne venait pas de boire de l'eau. Bien malgré moi, j'étais restée quelques secondes stoïque à le détailler sous toutes les coutures, j'avais deviné les traces d'un corps athlétique sous son jean tombant sur les hanches et sa chemise blanche mal boutonnée. Il avait beau être dans un sale état, son charisme m'avait impressionnée. J'aurais dû partir en courant, mais son regard direct m'avait fait franchir le seuil de la porte et lui expliquer les raisons de ma présence. Sans chercher à en savoir davantage, il m'avait demandé si j'avais du temps devant moi pour faire un essai, j'avais dit oui. Il m'avait fait entrer dans une grande pièce. Grâce aux nombreuses fenêtres, elle était baignée de lumière, ce qui contrastait avec la noirceur de l'atmosphère. Car tout le reste n'était qu'amas d'objets, de matériel photo, de projecteurs, de réflecteurs, de vêtements, de paperasses. Vestiges d'une vie abandonnés. La pièce était à l'image de son propriétaire. Délabrée.

– Tu vois cette lampe ? m'avait-il demandé.

J'avais effectivement repéré une petite lampe au milieu du foutoir géant.

– Débrouille-toi pour la mettre en valeur.

– Très bien.

– Par contre, je dois avoir la photo ce soir, je n'ai pas de temps à perdre.

Pendant l'heure qui avait suivi, j'avais déplacé des meubles, essayé de créer une ambiance chaleureuse en fouillant dans tout ce qui était à ma disposition. J'étais partie du principe que je pouvais me servir. Tout ce temps, j'avais senti le regard de ce type sur moi, il allait et venait en traînant ses pieds nus dans son studio. À mesure que ma scénographie prenait forme, il avait testé ses lumières, fait certains essais, sans prononcer le moindre mot. Quand je lui avais annoncé que c'était prêt, il m'avait demandé de rester à proximité pour des retouches. Pendant qu'il travaillait, j'avais scruté autour de moi, découvert son travail négligemment abandonné aux quatre coins de la pièce, j'avais été épatée, tout en me demandant d'où il venait et comment il avait atterri à Rouen. Il avait dû se tromper de gare et descendre au mauvais endroit. À plusieurs reprises, il m'avait demandé de bouger certains éléments, je prenais mon temps pour m'assurer de conserver l'harmonie de la scène. Il ne faisait aucun commentaire. Plus l'après-midi avançait, plus je sentais la fatigue me gagner, mon ventre tirer et le bébé s'agiter. Je faisais bien attention à me mettre de dos dès que je devais poser la main dessus pour essayer de le calmer et apaiser la gêne.

– Je l'ai ! avait-il explosé brusquement.

Il m'avait souri de toutes ses dents. Ce n'était plus le même homme que quelques heures plus tôt. D'un seul coup, il avait repris des couleurs et retrouvé sa belle trentaine. J'avais eu une confirmation ; les femmes devaient se retourner sur lui, mais j'avais été aussi marquée par son sourire d'une gaieté communicative.

– Merci, Reine, tu m'as sauvé. Reviens demain matin à 10 heures, on fera les papiers pour ton contrat de travail.

La surprise m'avait rendue muette.

– Si ça te dit toujours de bosser pour moi ? s'était-il inquiété.

– Bien sûr !

– Génial ! Rentre chez toi, maintenant.

– À demain… euh…

– Paul, je m'appelle Paul.

J'avais récupéré mon sac dans un coin de la pièce et pris la direction de la sortie, n'osant croire que j'avais un travail, un travail qui, je le sentais, allait me plaire. En réalité, le travail de mes rêves.

– Attends deux petites minutes.

Je m'étais dit que c'était trop beau pour être vrai. Je lui avais fait face. Il était soudain redevenu extrêmement sérieux. Il avait posé un doigt hésitant d'abord sur sa bouche, puis gêné, l'avait pointé vers mon ventre. J'avais fusillé du regard le petit envahisseur.

– C'est pour quand ?

J'avais soupiré comme la gamine que j'étais encore.

– Tu as peut-être tout fait pour me le cacher, mais j'ai deux enfants, je sais reconnaître une femme enceinte. Alors ?

– J'en suis au septième mois.

Un voile d'inquiétude avait traversé son visage.

– Tu n'es pas bien épaisse… Où vis-tu ? Tu as tout ce qu'il te faut ?

Il m'avait avoué plus tard qu'il avait pensé l'espace d'un instant que je vivais à la rue, il faut dire que je me laissais totalement aller. J'étais cadavérique, maigre à faire peur, mis à part ce que j'appelais à l'époque la protubérance.

– J'ai juste besoin d'un travail ! Vous ne voulez plus m'embaucher, du coup ?

– Ce n'est pas la question… Il faut que je sache si tu reprendras le boulot après la naissance ou si tu vas me planter.

– Évidemment ! Et je veux bosser jusqu'au bout.

Il avait arboré un charmant petit sourire en coin, sans moquerie, mais véritablement amusé.

– Essaye quand même de ne pas accoucher ici.

Je lui avais rendu son sourire.

– Promis !

Deux mois plus tard, Paul échappait de peu au rôle de sage-femme, j'avais perdu les eaux au studio en pleine séance photo. C'était lui qui m'avait conduit à la clinique du Belvédère et qui avait prévenu mes parents.

Dix-huit ans avaient passé, j'étais devenue son associée. Son double. Je connaissais tous ses secrets et lui connaissait les miens. Paul avait eu le vent en poupe. À vingt ans, c'était un petit génie de la photo, au talent inné, il avait travaillé pour les plus grosses agences parisiennes spécialisées en décoration, d'où son goût prononcé pour les œuvres d'art et le design. Il était capable de prendre en photo un fauteuil Starck en pleine jungle ! Il avait gagné de l'argent, beaucoup d'argent, voyagé un peu partout dans le monde. Sur un coup de tête de jeunesse, il s'était marié avec une femme plus âgée que lui et lui avait fait des enfants, sans changer de mode de vie. Tout lui réussissait. Et puis, sans qu'il voie le coup venir, elle avait demandé le divorce en utilisant l'argument de sa vie dissolue pour obtenir la garde quasi exclusive des enfants. Paul avait alors plongé dans une grave dépression et perdu toute créativité. Pour tenter de sortir de la spirale infernale dans laquelle il était tombé, il avait souhaité prendre le large, avoir son propre studio. À trente-deux ans, il avait fait le grand écart, passant de la réussite absolue à la déconvenue la plus totale. Il avait choisi Rouen pour le coût ridicule des loyers et la proximité avec Paris, convaincu qu'avec ses tarifs plus bas que ceux de ses collègues parisiens, il récolterait de gros clients. C'était un constat d'échec, il cherchait depuis plus de trois mois un assistant et ne trouvait pas la perle rare. Habitué à l'excellence, ses exigences envers lui-même et les autres étaient ahurissantes, voire délirantes, personne n'était à la hauteur. Certes, on lui passait encore quelques commandes, mais seul, perdu et avec son mal-être permanent, il lui était difficile de les honorer. Il avait pour habitude de dire que, si je n'étais pas arrivée, il ne savait pas ce qu'il serait devenu.

Aujourd'hui, nous étions lui et moi très loin de cette époque sombre. Durant les trois ans qui avaient suivi mon embauche, tout en étant toujours accompagnée de Noé, j'avais pris en charge tous les décors, j'étais l'assistante, la décoratrice, le couteau suisse de Paul. Mon fils avait passé les premières années de sa vie dans un studio photo, il y avait fait ses premiers pas, sa première dent, il y avait prononcé son premier mot, et il m'avait dit son premier « maman ». Il avait mené Paul par le bout du nez, s'accrochant à ses jambes pendant qu'il travaillait, fouillant dans son matériel, sans jamais se faire disputer.

Paul s'était métamorphosé sous mes yeux, redevenant certainement un peu l'homme qu'il avait été avant, avec en prime la belle dureté de ceux qui ont été abîmés par les épreuves. Il s'était repris en main, s'était remis au sport, avait grandement diminué sa consommation d'alcool. Mais il avait surtout travaillé d'arrache-pied pour créer son agence de communication. Il avait compris qu'au-delà de mettre en valeur des produits à travers son appareil photo, il devait mettre en lumière ceux qui les faisaient exister. Pendant ses folles années, il avait vu du pays et surtout vu beaucoup de vieilles entreprises tombées en décrépitude, alors qu'elles avaient tellement à partager et à transmettre. L'idée s'était imposée ; il devait avant tout raconter l'histoire de ces hommes pour leur permettre de continuer à vivre de leur savoir-faire. Quand Noé était entré à l'école, pour me faire penser à autre chose qu'à mon fils qui me manquait, il m'avait embarquée dans son projet, alors que je ne connaissais strictement rien à la communication. Il n'avait jamais craint de me faire confiance. Mais surtout il n'avait pas peur de se lancer, de parier, de miser, de prendre des risques. L'artiste qui vivait en lui et l'homme d'affaires redoutable qu'il devenait se complétaient à merveille.

J'avais appris sur le tas et pris très vite goût à cette adrénaline, à cette nouvelle forme de création, à promouvoir les idées et la qualité du travail de Paul. Il avait étendu sa recherche de clients au-delà de la région et était parti à l'assaut du territoire français. Il pistait les entreprises en bout de course et se présentait comme leur dernière chance, une dernière carte à jouer avant le dépôt de bilan. Quand il réussissait, nous allions à la rencontre des créateurs d'entreprise ou des repreneurs, Paul aimait par-dessus tout ceux qui détenaient d'anciens savoir-faire, les marques oubliées qui résonnaient inconsciemment en chacun de nous, il admirait les artisans qui voulaient redonner vie aux objets disparus. Nous faisions connaissance avec les salariés, les corps de métiers qui pouvaient intervenir, nous les écoutions, les faisions parler de leur passion. Avec toutes les informations que nous enregistrions, nous cherchions à insuffler une âme, créer une mémoire, à raconter une histoire pour les relancer.

Au bout de quelques années, Paul avait franchi une étape supplémentaire en me proposant de m'associer à lui. Cela avait été une évidence pour lui, la proposition venait du cœur, mais c'était aussi une forme de remerciement pour mon investissement « sans faille ». Il voulait mettre en avant mes compétences qui, il en était certain, lui avaient « permis d'en arriver là ». J'avais dit oui, entraînée par son enthousiasme et sa confiance en moi. Ayant été plus fourmi que cigale depuis mon embauche et la naissance de Noé – la peur du lendemain m'avait rendue économe –, j'avais pu parier à mon tour, à ses côtés, et investir dans notre agence. Ensemble, main dans la main, nous avions fait des étincelles, travaillant comme des fous, toujours avec un plaisir sans nom. Le studio avait quadruplé de volume, nous avions déménagé trois ans plus tôt sur les quais rive gauche, près des hangars qui se réhabilitaient les uns après les autres. Nous occupions un étage entier d'un bâtiment avec vue sur la Seine et les docks. D'un côté, le studio photo, de l'autre, son bureau, le mien, et l'*open space* qui avait tout d'une ruche à idées. Avec les années, Paul avait constitué autour de lui toute une équipe qu'il enrichissait régulièrement ; un rédacteur, un graphiste, un webmaster, un chef de projet, une assistante et un autre photographe. Il réservait son art pour nos plus gros clients – ou ceux dont le secteur d'activité l'intéressait particulièrement. Dès qu'il était question de travail manuel, Paul était en première ligne, il aimait photographier les mains, les visages penchés sur l'établi, les corps dans l'effort qui racontent des histoires. Sinon, il était entièrement accaparé par le développement du « Hangar ». Il avait pris goût au réseautage ; « avantage de patron » me disait-il, se découvrant un talent insoupçonné pour les mondanités. Paul avait très peu de soirées libres, ayant toujours un dîner, une réunion, un cocktail. Il s'était même inscrit à un club d'œnologie : il se moquait de distinguer un bordeaux d'un bourgogne, mais il y rencontrait du monde, distribuait des sourires séducteurs et des cartes de visite. De mon côté, j'intervenais après en œuvrant dans l'ombre pour mieux ferrer les clients.

La clientèle s'était plus qu'étoffée avec les années. Nous prenions certes toujours en charge des entreprises en difficulté, mais aussi des boîtes qui tournaient bien tout en manquant clairement d'âme et d'histoire. Nous nous étions forgé une solide réputation, on nous réclamait, quels que soient les délais d'attente. Et comme l'avait prédit mon associé, nos tarifs plus bas que ceux des grandes agences parisiennes, notre vision très personnelle de la communication, ainsi que notre immense studio où nous pouvions accueillir à peu près n'importe quoi (même des animaux : jamais je n'oublierai la séance où Paul avait fait venir deux kangourous du zoo de Clères) nous permettaient de pêcher de gros poissons.

Ce matin-là, je m'étais postée devant les immenses baies vitrées qui faisaient office de murs pour boire mon café. Abîmée dans la contemplation de la Seine grise et du ciel si bas qu'il donnait l'impression qu'il pouvait nous manger, je m'accordais un dernier quart d'heure avant d'attaquer la journée.

– Salut, Reine !

Paul venait d'arriver à son tour. Il farfouilla dans la cuisine pour se préparer son immonde café soluble auquel il ajoutait un nuage de lait et qu'il essayait régulièrement de me faire ingurgiter. Il trouvait sa mixture originale, limite chic, ce à quoi je lui rétorquais qu'elle était le comble du snobisme. Moins de deux minutes plus tard, il me rejoignit à mon poste d'observation, son mug à la main. Spontanément, j'abandonnai mon visage contre son épaule, il enveloppa ma taille de son bras libre.

J'aimais Paul. Tout comme lui m'aimait. Nous nous le disions d'ailleurs régulièrement, sans la moindre ambivalence, les choses étaient limpides. Pour les autres, c'était un drôle d'amour, assez indéfinissable. Pour nous, il était normal, naturel, c'était à la vie à la mort, nous étions inséparables. Nous parlions de tout, sans tabou, sans réserve, nous étions le soutien, le confident, le partenaire, la moitié l'un de l'autre, en quelque sorte. Je le désespérais avec mes histoires de cœur pitoyables ou proches du néant, il me faisait rire avec les siennes – ô combien plus rocambolesques. Quand il avait une femme en ligne de mire, il alternait subtilement entre indifférence et intérêt, un chat avec une souris. Il utilisait savamment son allure de dandy décontracté, en assumant sa petite cinquantaine sportive, ses cheveux poivre et sel, jouant – abusant même – de ses yeux toujours marqués par la mélancolie. Avec ses airs de séducteur nonchalant et cultivé, Paul remportait un franc succès auprès de la gent féminine. Je crois qu'il ne s'était jamais complètement remis de son divorce. Sa façon de papillonner d'une femme à l'autre, sans jamais s'engager, sans jamais plus prendre le risque de souffrir et de se perdre à nouveau en était la conséquence la plus marquante.

– Ça ne va pas, toi ? chuchota-t-il à mon oreille.

– Si, si, tout va très bien.

– À d'autres ! Si tu crois que je vais me contenter de cette réponse à la noix ! Déjà au réveillon, tu n'étais pas toi-même. Tu semblais triste, ailleurs… Et là, ce n'est pas mieux. Clairement, quand tu fumes le matin, c'est que tu es contrariée, et ne nie pas, tu empestes le tabac à plein nez.

J'étouffai un léger rire pour masquer à quel point j'étais touchée par sa sollicitude et son sens de l'observation.

– J'ai un petit coup de cafard, rien de plus…

Je me détachai de lui, me sentant particulièrement ridicule avec cette tristesse persistante à l'idée que Noé prenne son envol.

– Reine ! gronda-t-il gentiment.

– Je vais bosser, chantonnai-je en prenant la direction de mon bureau.

– L'année va être compliquée pour toi, je te connais. Tu as du mal à traverser les grandes étapes de la vie de Noé, et franchement, vous allez les cumuler les prochains mois. Tu entends un tic-tac dans ta tête. Avoue…

Je m'arrêtai net. Paul mettait des mots sur tout.

C'est un euphémisme. Ses dix-huit ans. Son bac. Son permis de conduire. Ses premières vacances entre copains. Mes premières vacances seule.

Je lui fis face et lui souris doucement, sans chercher à masquer mes yeux embués.

– Je vais y arriver.

– Bien sûr que tu vas y arriver. Tu sais que je suis là ?

– Bien sûr que je le sais. En attendant, si tu tombes sur un gros dossier, je suis partante.

Il me fixa d'un air sérieux, marmonna dans sa barbe avant de rire étrangement. Je ne comprenais pas ce qui lui arrivait, je le sentais presque en colère, énervé et bizarrement soucieux.

– Je vais voir ce que je peux faire.

Je n'attendis pas que Paul trouve de quoi me changer les idées pour me ressaisir. Le coup de cafard de la rentrée se dissipa dans le quotidien et le plaisir que je prenais à faire mon boulot. Les dossiers s'accumulaient ; tout comme Paul, j'étais concentrée sur le développement permanent du Hangar, même si aujourd'hui nous pouvions nous offrir le luxe de refuser des clients. Je répartissais les missions entre les uns et les autres, je jonglais d'un chef d'entreprise à l'autre, faisant le lien entre tout ce petit monde pour leur faire comprendre les enjeux propres à chaque dossier.

Pour autant, Paul m'avait prise au mot. Un mois plus tard, il arriva guilleret dans mon bureau et me tendit une tasse de son immonde breuvage.

– Tu voulais de l'action ? Tu vas être servie ! me lança-t-il de but en blanc.

Je décrochai avec difficulté de l'écran, ne comprenant absolument pas son enthousiasme inattendu.

– De quoi parles-tu ?

– J'ai de quoi t'occuper ces prochaines semaines, voire tout le semestre. Abandonne tout le reste.

Où voulait-il en venir ? C'était quoi, cette histoire ?

– À ce point-là ?

Il hocha la tête, visiblement fier de lui et se lança dans sa présentation. L'année dernière, il avait été contacté par un type qui tenait à Saint-Malo une boîte d'import/export de thé et de café baptisée Des Quatre Coins du monde. Comme nous étions débordés à l'époque, il n'avait pas véritablement répondu à sa demande de renseignements. Mon coup de blues tracassait Paul. Nous veillions en permanence l'un sur l'autre : il n'aimait pas que son binôme aille mal, l'inverse était valable aussi. Comme il voulait que je retrouve le sourire et l'entrain, il avait repris le dossier et flairé le beau contrat.

– Écoute, le gus est certainement doué pour son job, mais pour le reste, il fait pitié. Franchement, tu as l'impression qu'il a gagné son site Internet à une kermesse des années quatre-vingt-dix.

J'éclatai de rire. Paul et ses formules improbables.

– Si je comprends bien, tout est à faire ?

– Absolument tout ! Le potentiel est énorme !

– Il est prêt à se remettre en question ?

– Très nettement, oui ! Il est curieux de découvrir ce qu'on peut lui proposer, il a été piqué au vif… Tu me connais, je n'y suis pas allé de main morte.

En effet, pour Paul, les fautes de bon goût étaient impardonnables, si bien qu'il ne se rendait pas toujours compte de l'impact des mots qu'il employait. Il se faisait un devoir de réconcilier les gens avec l'esthétique.

– La boîte marche bien ou pas ?

– Très bien ! C'est ça, le pire ! Je lui ai dit la vérité : il pourrait être encore plus fort avec une image et une com' dignes de ce nom ! Ce type est motivé, le seul problème, c'est son associé, qui considère que notre job est inutile. Il m'a fait comprendre qu'il n'y aurait que la promesse de chiffres pour le faire flancher.

C'était fréquent que cela castagne entre patrons, ce qui n'était pas pour me déplaire. J'adorais les mettre face à leurs contradictions.

– C'est quoi, la prochaine étape ?

– Tu le rencontres la semaine prochaine, je t'ai calé deux séances de boulot avec lui. On fait comme d'habitude, tu ne te renseignes pas sur cette boîte, mis à part un coup d'œil à leur site, et tu ne te fais aucune idée avant de les voir. Tu feras connaissance avec le plus investi. Je te connais, tu trouveras la faille pour convaincre le frileux – que tu verras peut-être, d'ailleurs, mais rien n'est sûr. Ce sera toi le chef de projet pour ce dossier, tu as besoin de te remettre les mains dans le cambouis, ça va t'occuper !

Depuis combien de temps n'avais-je pas mené un projet de A à Z ? Trop longtemps. C'était la contrepartie au rôle d'associé. Je regardais les autres faire ce que j'adorais avant…

– Et l'air marin te fera le plus grand bien.

Il avait raison, me remettre dans la création au bord de la mer me distrairait de mes affres de maman. Paul me connaissait. J'aimais quand l'accompagnement était lourd, nous avions tout à créer avec cette boîte, et entre nos mains la possibilité de les soutenir pour aller très haut. J'étais ravie du défi qu'il venait de me lancer. Je sentais mes yeux pétiller d'excitation, il le voyait lui aussi.

– Merci.

Il esquissa un sourire triste que je ne compris pas et se leva.

– Au fait, ajouta-t-il au moment de franchir la porte, je me suis débrouillé pour que le soir où tu seras absente, ce soit notre soirée escalade avec Noé.

Paul avait initié Noé à l'escalade plusieurs années auparavant. Depuis, mon fils était mordu. Certes, il aimait se retrouver encordé, mais je crois qu'il adorait pardessus tout ces moments en tête à tête avec Paul. Chaque semaine, ils avaient leur soirée, qu'ils n'auraient ratée pour rien au monde. Au fond de moi, je m'amusais de leur *soirée mecs*.

Paul s'était toujours beaucoup investi auprès de Noé. Il aurait pu prendre la place d'un père, mais il s'y était toujours refusé, pour plusieurs raisons.

L'éloignement avec ses enfants ne s'était jamais véritablement amélioré ; ils étaient grands aujourd'hui, vingt-trois et vingt-cinq ans. Malgré tout ce que Paul avait tenté pour maintenir un semblant de relation, ils ne daignaient voir leur père qu'en deux occasions : la semaine à Courchevel tous frais payés et si Paul se déplaçait à Paris pour un dîner rapide, à la condition qu'il soit vraiment rapide et pas trop contraignant. Il s'exécutait, il banquait pour ne pas rompre totalement avec eux. Il en souffrait atrocement, cela me rendait dingue, pour ne pas dire folle de rage. J'avais des envies de meurtre envers son ex-femme, j'aurais pu la frapper, elle qui l'avait brisé par le passé et qui, d'une certaine manière, continuait à le faire en attisant la rancune et la distance entre ses enfants et lui. Combien de fois avais-je vu Paul revenir de ces rencontres abattu, fermé, sombre ! Je m'en voulais terriblement de ne pas pouvoir l'aider. Il m'était arrivé une fois de l'accompagner à un de ces dîners, j'avais été effarée, outrée par le comportement de ces enfants mal élevés qui n'avaient aucun respect pour leur père. Si le regard furibond de Paul ne m'avait intimé l'ordre de me taire, j'aurais explosé et remis ces sales gosses à leur place. Sur la route du retour, il s'était justifié de son indulgence ; c'était le seul moyen à sa disposition pour conserver une toute petite place dans leurs vies. Il m'avait supplié de l'accepter, de respecter sa décision. Depuis, quand il les voyait, je l'attendais patiemment, ravalant ma colère pour le protéger et ne pas enfoncer le clou, prête à l'écouter ou être simplement à ses côtés, une présence bienveillante et silencieuse.

Paul ne voulait pas reporter ses sentiments paternels sur Noé, il trouvait cela malsain. Et il connaissait toute son histoire. Les conflits intérieurs auraient été trop forts, trop violents. Je ne pouvais pas le lui reprocher. Noé et lui avaient trouvé l'équilibre dans leur lien. Souvent, je les observais ensemble sans qu'ils me voient, j'aimais les voir parler, rire, se défier, se comprendre d'un regard. Paul l'avait presque élevé avec moi, sans jamais être intrusif. Pour lui, j'étais la seule décisionnaire dans son éducation. D'une certaine manière, on pouvait dire que Paul faisait office de parrain attentif, présent, pas étouffant ni moralisateur. Noé avait une confiance aveugle en lui : avec les années il avait appris à apprécier cette attitude. À la différence de la famille. Famille proche, peut-être trop proche parfois pour mon fils. Non pas qu'il ait jamais eu un statut réellement différent de celui de ses cousins et cousines, il n'était pas plus couvé que les autres. À ceci près que tout le monde, en voulant bien faire, en voulant m'épauler, avait la fâcheuse tendance à mettre son grain de sel dans notre façon de vivre ou dans son éducation. En grandissant, Noé avait de plus en plus souvent envie de les envoyer promener, il les aimait trop pour le faire, mais il avait besoin d'air et d'espace.

Le soir même, j'annonçai à Noé que je m'absenterais la semaine suivante. J'avais pris l'habitude depuis un an de le laisser seul à la maison lorsque je devais partir pour un projet. Plus besoin de le confier aux parents d'un copain, à Anna ou à Paul. Il était assez grand et responsable pour s'en sortir vingt-quatre heures sans moi.

Et il adorait ça ! Quelle ne fut donc pas ma surprise en le voyant se renfrogner.

– Je peux savoir ce qui te pose problème ?

– Tu abuses, maman !

En soupirant outrageusement, il quitta la table et balança plus qu'il ne rangea son assiette dans le lave-vaisselle. Que lui prenait-il ?

– Franchement, ça fait des mois que je te supplie qu'on aille passer un week-end à Saint-Malo et toi, tu y vas, tranquille, pour le boulot en me plantant à Rouen !

Je ne pus m'empêcher de rire. Petit garçon, comme beaucoup d'autres que lui, il avait eu sa période pirates et corsaires. Je me souvenais encore de m'être saignée aux quatre veines pour lui offrir l'énorme bateau pirate Playmobil à Noël. Les Playmobils étaient loin, mais cette passion ne lui était jamais totalement passée. Elle avait certes évolué, se faisant plus discrète, « la honte devant les copains », cela ne m'avait pas empêché d'avoir eu droit en long, en large et en travers, en boucle aussi, aux aventures de Jack Sparrow. Dernièrement, l'été dernier pour être précise, il avait gagné en subtilité et en complexité. Je lui avais demandé de se trouver quelques livres à emporter pour nos vacances et l'avais laissé faire ses recherches et son choix. Après tout, du moment qu'il lisait, c'était le principal. Il m'avait épatée en revenant de la librairie avec deux pavés de sept cents pages chacun. Je n'avais pas eu besoin de lire la totalité du résumé, deux mots avaient suffi à me faire comprendre les raisons de son achat : corsaire et Saint-Malo.

Durant nos deux semaines de vacances, Noé, dès qu'il le pouvait, se jetait sur son bouquin. Il avait dévoré ce roman historique, en savourant chaque mot, chaque phrase, chaque page. Et quand il levait le nez de sa lecture, il semblait loin, très loin. Il voyageait grâce à *Ces messieurs de*

Saint-Malo[1]. C'est à la suite de cela que je lui avais promis que nous irions y passer un week-end, mais le temps avait filé et, à vrai dire, cela m'était sorti de la tête.

– Noé, regarde-moi.

– Quoi ?

– Je te rappelle que j'y vais pour travailler.

Il haussa les épaules, blasé.

– Si tout se passe bien la semaine prochaine, je devrais probablement y retourner régulièrement.

Il esquissa un petit sourire en coin, satisfait.

– C'est vrai ?

– Oui… et je pourrais même essayer d'organiser un déplacement là-bas pendant les vacances.

– Dans ce cas, tu as intérêt à tout déchirer, maman ! s'enflamma-t-il, des étoiles plein les yeux.

Je ris, attendrie par le soutien intéressé de mon fils. Il m'avait bien coincée ! Je n'avais d'autre choix que de remporter le contrat pour l'emmener en week-end à Saint-Malo.

Le dimanche suivant, on respecta la tradition du déjeuner chez mes parents. Environ tous les deux mois, la famille se réunissait au grand complet dans leur maison. Papa et maman y tenaient et, en toute sincérité, personne ne se forçait. C'était loin d'être une corvée, pas même pour les petits-enfants qui grandissaient. Pour les enfants d'Anna et Ludovic, respecter cette habitude était certes plus compliqué depuis qu'ils avaient quitté Rouen pour leurs études et leurs premiers jobs, mais ils faisaient de leur mieux à chaque fois. On pouvait faire confiance à ma sœur pour user de tout son pouvoir de persuasion

1. *Ces messieurs de Saint-Malo*, Bernard Simiot, Le Livre de poche, 1987.

quand il s'agissait de les faire rentrer au nid. En réalité, ils n'avaient pas de quoi se plaindre, tant elle profitait de leur présence pour les chouchouter, quitte à s'occuper aussi des petites copines et petits copains qui intégraient progressivement le giron familial.

Pendant le déjeuner, les conversations allaient bon train, c'était à qui parlerait le plus fort. Chacun prenait des nouvelles des uns et des autres, même si nous étions déjà au courant de tout. Sans trop savoir pourquoi, je racontai que je serais en déplacement professionnel la semaine suivante et leur annonçai que je n'excluais pas d'emmener Noé une prochaine fois. Je n'avais pas anticipé que je lui créerais des problèmes.

– Combien de temps pars-tu ? s'enquit immédiatement Anna. Noé, tu viens chez nous ?

Mon fils se figea, paniqué. Anna voyait en lui le jeune lycéen, pas tout à fait autonome, qui pouvait lui permettre de patienter avant de devenir grand-mère.

– Euh… bah… en fait…

Je volai immédiatement à son secours, le pauvre, lui qui profitait de plus en plus d'avoir la maison pour lui tout seul n'avait aucune envie de se retrouver chez ma sœur :

– Non, ce n'est pas la peine, je te remercie. Noé reste chez nous et Paul jettera un œil sur lui.

À la mine de ma sœur, j'eus l'impression de lui avoir annoncé la fin du monde.

– Tu es sûre ?

– Oui, je te promets.

Noé soupira de soulagement.

– Je compte sur toi pour m'appeler si tu as un problème, insista-t-elle.

– Promis, Anna.

– Bon, nous interrompit Ludovic que nos problèmes d'intendance laissaient de marbre. Qui vient faire un tour de vélo ?

Il nous faisait le même coup à chaque fois, comme si sa proposition était révolutionnaire. Tous les hommes de la famille se levèrent d'un bond, mon fils en tête. En moins de cinq minutes, ils désertèrent la table, le couvert à débarrasser, la vaisselle à faire et disparurent dans le garage. Ils nous reviendraient dans deux heures, tout boueux, tout crottés, tout fiers d'eux. Ma mère, inquiète, effleura tendrement ma main.

– N'en fais pas trop tout de même pour ton travail, ma chérie.

– Je suis ravie, je te jure. Et franchement, ce contrat va être génial ! Entre nous, je ne vais pas me plaindre de pouvoir aller au bord de la mer plusieurs fois ces prochaines semaines, surtout si je peux embarquer Noé avec moi ! J'aurais tort de ne pas en profiter.

– Oh, tu as raison, s'emporta Anna. Profite de ton fils, car quand il aura sa vie, tu ne le verras plus !

Merci, grande sœur, de me remonter le moral.

– 3 –

Le matin de mon départ, je rongeais mon frein. Sous prétexte que nous n'étions pas lundi, Noé avait refusé que je l'emmène au lycée, il ne voyait pas pourquoi je pointerais le bout de mon nez devant ses copains. Visiblement, il ne partageait pas mon pincement au cœur à l'idée de ne pas être ensemble ce soir. Je lui fis mes dernières recommandations dans l'entrée en lui caressant la joue, je poussai même jusqu'à passer ma main dans ses cheveux.

– Arrête, me dit-il mi-gêné, mi-amusé. On se revoit demain ! Ce sera quoi, quand je vais partir cet été ?

Je ne veux même pas y penser !

– Tu m'appelles ce soir ?

– Promis.

Il embrassa ma joue et je ne pus m'empêcher de le retenir dans mes bras.

– Tu me caches quelque chose ! Y'a un truc pas net, affirma-t-il.

Je battis des paupières pour ne pas pleurer avant de me résoudre à le lâcher.

– Ce n'est rien, Noé ! Tu grandis, c'est tout.

Il ouvrit de grands yeux, sidéré par mes propos. Embarrassé, aussi…

– À demain, maman.

Il picora ma joue d'un dernier baiser et dévala l'escalier du jardin.

– Je t'aime, mon Noé, murmurai-je.

Il était trop loin pour m'entendre, pourtant il s'arrêta et se retourna vers moi avec son si beau sourire. Il me fixa de longues secondes. Un dernier signe de la main et il disparut.

La matinée au bureau avait été chargée et je passai les trois heures de route au téléphone, à traiter les urgences qui ne pouvaient pas attendre le lendemain. Mon absence ne changeait rien, les affaires continuaient. J'arrivai aux abords de Saint-Malo vers 16 heures et suivis le GPS sans me poser de questions. Noé – en spécialiste – m'avait expliqué que je ne tomberais pas directement sur la ville fortifiée, puisque Saint-Malo s'étendait bien au-delà des remparts. En revanche, il avait oublié de me prévenir que je me retrouverais coincée au beau milieu d'un rond-point, avec un stupide panneau clignotant qui me disait « pont fermé ». Comment aurais-je pu imaginer qu'il faille passer des écluses ? D'un côté un bassin, de l'autre la mer, au milieu des bateaux qui passaient tranquillement. Autour de moi, des locaux qui devaient, eux, connaître les passages secrets, puisque j'étais la seule pauvre idiote à rester sagement derrière la barrière. En face de moi, de l'autre côté de cette pagaille : la cité corsaire et donc mon hôtel. Paul et son goût prononcé pour le luxe m'y avaient réservé une chambre dans un quatre-étoiles. Mais à cet instant précis, concentrée sur le travail, fatiguée par la route, j'aurais préféré un hôtel de VRP en périphérie. Je n'avais aucun intérêt pour le pittoresque, encore moins de temps, ma mission était claire : décrocher ce nouveau contrat. J'étais d'une mauvaise foi absolue… Comment en vouloir à Paul de me bichonner ! Je n'étais pas au bout de mes peines, une fois le pont et la route accessibles, mon GPS, qui devait vraiment m'en vouloir, me demanda de rentrer dans la ville fortifiée.

– Et puis quoi, encore ? braillai-je à son intention.

Je m'imaginais déjà coincée dans des culs-de-sac, des rues trop petites. J'allais finir à pied.

En sortant de ma voiture, je pris une grande bouffée d'air. Un peu trop, tout de même ! Une rafale de vent me cingla le visage, le ciel était chargé de gros nuages troués à certains endroits par un discret rayon de soleil. Les goélands criaient, les mâts des bateaux cliquetaient dans le port. Noé aurait été aux anges. Armée de mon sac de voyage, je fus impressionnée par ce que je découvrais. Comme écrasée par la ville fortifiée, je passai sous la porte Saint-Vincent, principale entrée de la cité, dont m'avait tant parlé mon fils. Tout en avançant vers l'hôtel, je me laissai happer par l'atmosphère un brin mystérieuse des ruelles, j'aurais eu envie de m'y perdre. Déjà, mon arrivée chaotique me paraissait très loin. Derrière les remparts, on se sentait à la fois enfermé et protégé. Étrange. Paradoxal. Je n'avais jamais ressenti cela auparavant. Et alors même qu'il faisait sombre, le ciel, bien que chargé, laissait percer la lumière du jour. Le fait que nous soyons encore en plein hiver devait ajouter au charme et au pouvoir d'envoûtement certain des lieux. J'imaginais combien l'atmosphère devait se faire oppressante l'été, avec la foule des vacanciers. Mais en cette fin février, seuls quelques promeneurs bravaient le vent et, à ma grande surprise, des lycéens sortaient de cours. Noé serait sacrément jaloux d'eux lorsque je lui apprendrais qu'il y avait un lycée dans la cité. Pour être honnête, je ne boudais pas mon plaisir de découvrir cet endroit seule, épargnée du flot de paroles dont mon fils m'aurait abreuvée.

À 17 h 25, je longeai un bassin où différents siècles se côtoyaient avec les chalutiers et deux vieux gréements, *Le Renard* et *L'Étoile du Roy*. De quelle époque pouvaient-ils dater ? Je n'aurais qu'à demander à mon fils. Petit, Noé n'aurait pas hésité à faire un caprice pour aller les visiter. Du haut de ses dix-sept ans, il en serait encore capable aujourd'hui. En moins de trois minutes, je me garai devant Des Quatre Coins du monde, sur le quai Duguay-Trouin. Comme une imbécile, j'avais repris ma voiture dont j'aurais vraiment pu me passer puisque c'était tout près. Dix minutes de marche m'auraient fait le plus grand bien. Je le saurais pour la prochaine fois !

Je pris quelques instants pour observer l'environnement. Je me glissai dans la peau d'une personne n'ayant aucune idée de l'activité de l'entreprise. Pousserais-je la porte ? Oserais-je aller découvrir ce que dissimulait cette enseigne battue par le soleil et le vent ? Même s'il ne payait pas de mine au premier abord, le bâtiment, un vieil entrepôt de type industriel coincé entre deux immeubles, était beau. D'un autre temps. Impossible de savoir ce qui se cachait derrière ses portes. Les tonneaux de bois de chaque côté de l'entrée pouvaient tout aussi bien indiquer que nous étions devant une taverne ou un lieu de contrebande. Comme me l'avait dit Paul, le potentiel du site était énorme.

Franchir le seuil revenait à être projeté dans une faille spatio-temporelle. Les odeurs, pour commencer. Un tour du monde olfactif instantané ; des parfums de cannelle, de poivre, de café, mêlés les uns aux autres, provoquaient une explosion sensorielle. La superficie était impressionnante ; jamais, de l'extérieur, je n'aurais pu deviner que c'était si vaste. Je pensai immédiatement à un lieu secret, une cave mystérieuse et remplie de trésors. Partout, des palettes recouvertes d'immenses sacs en carton, en papier, de sacs en toile de jute aux calligraphies plus exotiques les unes que les autres, des caisses en bois scellées que je devinais odorantes. On pouvait apercevoir remisés dans un angle d'autres tonneaux, en plastique cette fois-ci – certainement pour la conservation. Tout au fond de cet espace de plain-pied, je remarquai une machine gigantesque, qui semblait avoir traversé les âges, surmontée d'une sorte de cheminée. À quoi pouvait-elle servir ? La torréfaction, peut-être. Tout semblait articulé autour d'un grand escalier central en bois et métal. En m'avançant, je distinguai dans un coin un comptoir où s'affairait une petite jeune. Je me dirigeai vers elle pour me présenter. Lorsqu'elle entendit le mot « Hangar », avant même que je puisse lui dire comment je m'appelais, elle me fuit du regard, paniquée.

– Il y a un problème ?

– Non… Enfin, si ! Vous êtes en avance ?

– Pas vraiment… Je suis à l'heure. Pourquoi ?

– Pacôme va être en retard, me dit-elle en baissant les yeux.

Cette histoire commençait mal.

– En retard, comment ?

– Très en retard. Au moins une heure. Il vient de m'appeler pour que je puisse vous avertir.

Faudrait peut-être le remercier !

– Et il n'y a pas quelqu'un d'autre pour me recevoir ?

– Euh… non… L'autre patron est absent aujourd'hui.

Je ne masquai pas mon énervement. L'espace d'un instant, je songeai à prendre mes cliques et mes claques et, par la même occasion, laisser tomber. Paul et ses faux plans.

Mais je n'avais pas le courage de refaire la route pour rentrer à Rouen.

– Je peux m'installer quelque part pour travailler ?

– Bien sûr ! Suivez-moi.

Elle m'entraîna au milieu des différents produits et m'indiqua un petit salon aménagé sous l'escalier central. Découragée, je balançai mon sac à main sur un fauteuil en cuir craquelé.

– Je suis désolée, me dit la jeune femme.

– Vous n'y êtes pour rien.

– Je peux vous proposer un café ? Un thé ?

– Je crois que ça ne manque pas ici.

Elle rit de bon cœur, visiblement soulagée que je ne lui saute pas à la gorge pour me venger du retard de son patron.

L'heure… et demie suivante, je travaillai mes dossiers sur mon ordinateur, tout en laissant traîner mes oreilles et mes yeux. L'entrepôt fourmillait d'activité ; des allées et venues presque incessantes, des palettes passaient, repassaient, entraient, sortaient, entraînant dans leur sillage des arômes tous plus puissants les uns que les autres. Cet entrepôt se révélait aussi un lieu de vie. Un authentique comptoir tout droit surgi du passé. Des hommes, des femmes passaient cinq, dix minutes, le temps d'un café, d'un thé et repartaient après avoir taillé le bout de gras. Les voix diminuèrent progressivement, pour finir par disparaître totalement. Vers 19 heures, mon hôtesse d'accueil vint me dire au revoir, elle était déjà restée plus longtemps que prévu et devait à tout prix partir. Elle me confia « les clés de la boutique » en me précisant que le fameux Pacôme venait de lui envoyer un message pour la prévenir qu'il serait là dans quinze minutes maximum. Ça ne semblait pas le déranger de laisser une inconnue dans ses bureaux. J'allais tomber sur un total irresponsable doublé d'un mal élevé. Je ravalai mon sarcasme, à bout de nerfs. Par respect pour cette fille qui n'y était pour rien, je ne voulais pas craquer.

Une fois livrée à moi-même, j'attrapai mon paquet de cigarettes dans mon sac et pris la direction de la sortie. Avant de mettre le nez dehors, je vérifiai toutefois la porte, histoire de ne pas me retrouver enfermée à l'extérieur. Il n'aurait plus manqué que ça ! La nuit était largement tombée, le vent soufflait toujours autant. Le froid s'infiltra sous mon pull, je grelottai. Tout en fumant, j'échangeai quelques textos avec Noé. Paul venait de passer le prendre pour l'escalade. Il s'inquiéta de ma réunion, c'était bien la première fois que cela le préoccupait. Je me contentai d'un « génial ! ». Et pourtant… Qu'étais-je venue faire là ? Seule dans un entrepôt, pas franchement rassurée, à attendre un rendez-vous qui en toute logique n'aurait pas lieu ce soir.

J'entendis une voiture arriver en trombe sur le parking en face de moi. Une portière claqua violemment, une ombre traversa la route n'importe comment. Mon rendez-vous, je présumais. L'homme que j'attendais depuis près de deux heures se statufia devant moi.

– C'est vous, l'agence de com' ? me demanda-t-il sans préambule.

Il me détailla des pieds à la tête. Je refrénai difficilement mon envie de le gifler.

– « Bonsoir, désolé pour le retard » serait une meilleure entrée en matière !

Il sembla brusquement redescendre sur terre et s'ébroua comme un chien pris en faute.

– Je suis vraiment confus. Pour tout, le retard, mon manque de savoir-vivre… Pour ma défense, je m'attendais à me retrouver face à un homme.

Quel est le rapport ?

De plus en plus exaspérée, je levai les yeux au ciel, tout en maudissant Paul qui avait visiblement oublié de préciser qui, de lui ou moi, assurerait le rendez-vous.

– Vous avez eu mon associé au téléphone, bêtement vous avez pensé que c'est lui qui viendrait. Lui ou moi, c'est du pareil au même ! Si cela vous pose problème, dites-le tout de suite et arrêtez de me faire perdre mon temps !

– Bien sûr que non ! Je me suis mal exprimé.

Une rafale de vent me fit de nouveau frissonner, ce qui ne passa pas inaperçu.

– Que faites-vous dehors ? OK, je manque de ponctualité…

Il se moque de moi, là…

– … mais ça m'étonnerait qu'on vous ait mise à la porte.

Je levai mon mégot à hauteur de ses yeux, avant de le balancer dans le cendrier d'extérieur. D'un air amusé, il ouvrit la porte de l'entrepôt et s'effaça pour me laisser passer. Une fois de retour au chaud, je décidai d'expédier l'affaire.

– Écoutez, je ne sais pas pourquoi je vous ai attendu, parce que de toute évidence, il est trop tard pour qu'on parle travail. Je vais rentrer à l'hôtel et on se retrouve demain matin à 9 heures. J'ose espérer que vous serez à l'heure, cette fois.

– Très bien, je comprends, vous avez raison. Mais dans ce cas, laissez-moi au moins vous inviter à dîner.

Je n'avais pas la moindre envie de faire des mondanités avec ce type ; je secouai la tête, fatiguée.

– Si notre rendez-vous avait eu lieu, je vous aurais invitée à dîner, de toute manière, insista-t-il. C'est la moindre des choses, vous faites trois cents kilomètres pour nous rencontrer, vous prenez une chambre d'hôtel, etc., etc. On entretient une relation de travail. C'est ce que font les gens civilisés, non ?

– Les gens civilisés, comme vous dites, arrivent à l'heure, lui rétorquai-je, ironique.

– Touché.

Il emprisonna mon regard, le sien était gris, comme les nuages. Je m'efforçais de ne pas détailler son visage, son teint tanné par les éléments, ses traits taillés à la serpe, son sourire boudeur qu'il me faisait découvrir. Échec cuisant.

– Dîner ensemble nous aidera peut-être à repartir sur de meilleures bases.

Je devais accepter, il avait raison. Si nous ne reprenions pas les choses à zéro, je risquais d'être d'une humeur de chien et de lui en vouloir encore le lendemain.

– D'accord…

Son sourire passa de boudeur à très clairement satisfait.

– Je vous laisse récupérer vos affaires, je monte deux minutes à mon bureau et je suis tout à vous.

Il tourna les talons et monta quatre à quatre l'escalier. À mon tour d'essayer de redescendre sur terre ; il me troublait, constat pour le moins étrange pour moi qui venais de passer les deux dernières heures à m'imaginer les tortures dont il paierait son retard, et je n'étais pas franchement le genre de femme attirée par les types grossiers.

– Juste une chose, m'interpella-t-il depuis la mezzanine. Si on travaille ensemble, le prénom est en option ?

Je lui souris.

– Reine, je m'appelle Reine. Et vous, c'est Pacôme ?

– Exactement.

En l'attendant, je téléphonai rapidement à Noé, il décrocha depuis son mur d'escalade, en pleine forme. Il le fut encore plus lorsque je lui annonçai que je partais dîner avec mon rendez-vous de boulot, il transmit l'info à Paul que j'entendis me féliciter de loin. S'il savait… En me promettant de bien fermer la maison à clé, mon fils me demanda de ne pas m'inquiéter pour lui, on se parlerait plus longuement le lendemain matin avant qu'il aille en cours.

Pacôme vint me chercher quelques minutes plus tard et me trouva prête à partir, manteau sur le dos. Je lui emboîtai le pas en slalomant au milieu des marchandises. Il ne pouvait pas s'empêcher de plonger les mains dans les sacs de café et de thé au passage. Il attrapa même un grain torréfié, qu'il frotta entre ses doigts avant de le porter à son nez. Je crus entendre un grognement de plaisir qui m'arracha un sourire de midinette.

– Je vous véhicule, m'annonça-t-il sur le parking.

Il ouvrit la portière passager de sa voiture, je n'avais clairement pas le choix.

Quelques minutes plus tard, il se gara à la va-vite sur un trottoir et me fit signe de sortir. Sans dire un mot, je le suivis. Il releva le col de son caban et je cachai mon nez dans mon écharpe pour lutter contre le froid saisissant. J'entendais le grondement de la mer, le puissant parfum de l'iode m'enivra. On arriva sur une digue. L'étendue de sable était impressionnante, elle partait des remparts éclairés pour la nuit et s'étirait de l'autre côté, à perte de vue, dans la pénombre.

– Vous connaissez Saint-Malo ?

Son regard était perdu au loin.

– Absolument pas.

– C'est la plage du Sillon. Cette bande de sable reliait la ville à la terre, avant. J'ai pensé que voir la mer aiderait peut-être les esprits à s'apaiser.

– Bonne idée…

Instinctivement, comme aimantée, j'avançai et m'approchai du bord. La mer était haute, très haute, elle frappait le granit avec fracas, envoyant des gerbes d'eau à l'endroit même où nous nous trouvions. J'inspirai à plein poumons, les yeux clos, enivrée par le bruit, les odeurs, le déchaînement des éléments, les embruns qui me fouettaient le visage. Je sentais mes cheveux voltiger dans les airs. Noé et le plaisir qu'il aurait à être à ma place me traversèrent l'esprit. J'étais grisée par le vent, ce qui me fit sourire.

– Reine, reculez-vous, m'ordonna Pacôme. Je n'ai aucune envie de me mettre à l'eau pour vous récupérer.

Je repris ma respiration, me rendant brusquement compte du risque que je prenais. Il me parut tout relatif lorsque je sentis Pacôme dans mon dos prêt à me retenir si je perdais l'équilibre.

– C'est magnifique, lui dis-je après m'être éloignée de lui. Merci beaucoup de m'avoir amenée ici.

– Je vous en prie, j'en avais besoin aussi. J'imagine que votre hôtel est à Intra.

Il me fallut deux secondes pour comprendre qu'Intra signifiait Intra-Muros, donc tout ce qui se trouvait derrière les remparts. J'acquiesçai.

– Parfait, on dîne là-bas aussi.

Pacôme, en bon Malouin, y entra avec sa voiture et dégota une place en moins de temps qu'il ne fallait pour le dire. Il me proposa de marcher pour me faire découvrir la ville, j'acceptai avec grand plaisir, heureuse de me dégourdir les jambes. Après avoir longé les remparts, je m'apprêtai à emprunter la rue principale découverte plus tôt dans l'après-midi. Pacôme, d'un mouvement de tête, me fit comprendre que nous ne passerions pas par là. Il me fit traverser la place du Château construit par les ducs de Bretagne, elle était bordée de grandes brasseries aux terrasses chauffées où je me serais bien arrêtée prendre un verre. Ce n'était pas au programme de mon guide. Il m'entraîna dans une petite rue déserte dont les pavés irréguliers mirent à mal mon équilibre sur mes talons. Nous longions des bars cachés, aux devantures sombres, dont les portes, lorsqu'elles s'ouvraient, laissaient échapper des effluves de bière et de vieux parquet. J'avais l'impression de m'enfoncer dans les entrailles de la cité, qui se refermait autour de nous. Au coin d'un détour, nichée dans un creux, il me montra la demeure de la duchesse Anne, je fus stupéfaite de découvrir qu'il restait encore des bâtiments de cette époque. J'avais l'impression d'être inculte. Jamais je n'aurais imaginé que cette ville recelait tant d'Histoire. Un peu plus loin, tout en écoutant sans les interrompre les explications de Pacôme, je pensai à Noé en passant devant le fameux lycée vieux de plusieurs siècles dont j'avais aperçu les élèves plus tôt dans l'après-midi. Par intervalle, mon guide arrêtait de parler, peut-être pour me laisser le temps de m'imprégner de l'endroit, nous avancions côte à côte dans ces lieux qui semblaient abandonnés en cette soirée de plein hiver. Je me sentais bien, mais lui, impossible de savoir ce qu'il pensait, et je finis par me demander s'il ne le faisait pas contraint et forcé. Alors que nous étions arrêtés devant l'imposante cathédrale, je l'interpellai :

– Pacôme, merci beaucoup pour la visite. Vous avez certainement mieux à faire que de jouer les guides touristiques et de dîner avec moi. Tout ira bien demain, je ne piquerai pas de scandale à cause de votre retard.

Il me dévisagea de longues secondes, comme s'il avait oublié ma présence. Il finit par se rapprocher un peu plus près, je levai la tête, ne pouvant m'empêcher de garder le contact avec son regard gris.

– Si je suis avec vous, c'est que j'en ai envie.

Il reprit de la distance et me fit signe de le suivre. Ce moment était nimbé d'une aura de mystère. Le vent, l'austérité des lieux, le froid, la nuit, le silence, la conscience de frôler régulièrement le bras de cet homme inconnu qui m'attirait indéniablement… Cette soirée n'était définitivement pas une soirée comme les autres. Comme si j'entrais dans une dimension parallèle dans laquelle je me sentais étrangement bien, étrangement à l'aise. Plus les minutes défilaient, plus j'avais l'impression que mes responsabilités se volatilisaient les unes après les autres. Je n'en avais pas franchement l'habitude.

La balade se finit dans une crêperie toute simple, avec ses chaises et ses tables en bois, à l'ambiance chaleureuse et cosy.

– Vous êtes d'ici ? lui demandai-je en attendant qu'on nous serve.

– Pas du tout ! Figurez-vous que j'ai grandi à Paris.

– Difficile à croire, on a l'impression que vous êtes né sur les remparts.

Il rit un peu, mais je remarquai qu'il était agréablement touché par mes propos. Avais-je mis le doigt sur un point sensible ?

– Racontez-moi. Parlez-moi de Saint-Malo.

– Je ne vais pas vous fatiguer avec mes histoires, parce que je suis intarissable sur le sujet, je vous préviens. Et pourquoi ne parleriez-vous pas de vous, Reine ?

– La différence entre nous deux, c'est que moi, j'ai besoin d'apprendre des choses sur vous pour mon travail. Vous, ma vie ne changera rien à votre job ! Je vous écoute !

– En réalité, vous me menez en bateau, on bosse ce soir ?

J'avalai une gorgée de vin.

– On mélange les deux, travail et plaisir… de vous écouter parler.

Difficile à croire que c'était moi qui venais de prononcer ces mots. Il marqua un temps d'arrêt, me regarda droit dans les yeux, pour demander une confirmation, je lui souris, me sentant particulièrement légère. Mon inconscient avait vraiment besoin de s'accorder une récréation. Il continua à me dévisager quelques instants, son regard s'attarda sur mes lèvres, mon cou, descendit vers mon décolleté, et les battements de mon cœur s'accélérèrent. Il eut un léger mouvement de tête, comme pour se reprendre.

– C'est vous qui l'aurez voulu.

– J'assume.

Je l'écoutai me raconter *sa* ville. Il m'expliqua qu'il passait toutes ses vacances chez ses grands-parents qui habitaient « dans les murs ». Ses parents, n'en pouvant plus de l'entendre réclamer à cor et à cri Saint-Malo, avaient fini par céder et l'inscrire à l'internat du lycée d'Intra-Muros. En remplissant régulièrement nos verres de vin, il parla de lieux mythiques : le cap Horn, Bonne-Espérance. Il évoqua les grands explorateurs et corsaires : Duguay-Trouin, Jacques Cartier, Surcouf. Des noms qui faisaient écho à des souvenirs d'Histoire, des souvenirs d'enfance – la mienne et celle de Noé.

– Enfin, Pacôme, l'interrompis-je en riant. Pirates, corsaires, c'est du même acabit ! Des types pas fréquentables qui pillaient et violaient !

Son regard s'assombrit, je crus l'entendre gronder. Je déglutis, ennuyée de l'avoir vexé.

– Je crois que j'ai dit une bêtise, chuchotai-je. Désolée.

Il me laissa mariner un temps qui me sembla une éternité. Son air désespérément ombrageux finit par se transformer en sourire insolent.

– Vous êtes pardonnée, pour cette fois.

On rit quelques secondes en se cherchant du regard. J'appris donc que les corsaires avaient le droit d'attaquer les navires ennemis et de monter à l'abordage grâce à une lettre de marque délivrée par le roi. Ces *charmants* messieurs – contrairement aux pirates qui, eux, étaient des flibustiers – respectaient les lois de guerre et naviguaient sur de plus petits bateaux pour être plus rapides et protéger les plus gros bâtiments ou les navires marchands en temps de guerre. J'étais captivée. Grâce à sa voix grave et douce à la fois, presque enivrante, j'entendais au loin, dans ma tête, le bruit des canons, les cris des hommes qui montaient au combat, je voyais les pavillons flotter et claquer au vent, la mer déchaînée, l'écume bouillonnante. Pacôme avait un don, il savait raconter les histoires, il me faisait voyager dans le temps, l'expression de son visage changeait suivant le fait qu'il retraçait, son ton baissait parfois en intensité, jusqu'à donner l'impression d'être en train de comploter une tactique d'attaque secrète.

– Pour être tout à fait honnête, finit-il d'un air de conspirateur, je dois vous faire une confidence… La guerre de course permettait de revenir les cales pleines, en douce de l'Amirauté, bien évidemment, et les caves se remplissaient de piastres.

De quelle époque venait-il ? Pas de la mienne ! Je lui souris avec malice.

– Et contrairement aux pirates, les corsaires restaient des hommes éminemment respectables en qui on pouvait avoir toute confiance…

– Et bien voilà, vous avez tout compris !

Noé aurait bu ses paroles comme du petit-lait et donné cher pour être à ma place.

Après avoir avalé notre complète, il me proposa d'aller boire un verre pas très loin de mon hôtel. Je n'avais pas envie que la soirée s'arrête, je me sentais bien avec lui, gagnée par un sentiment nouveau et de plus en plus prégnant d'être libre. J'étais désarçonnée ; jusque-là, je n'avais jamais eu l'impression d'être enfermée, encore moins d'étouffer dans ma vie. Il fallait croire que je me trompais. Et même si Noé n'était jamais loin de mes pensées, j'étais déchargée de mon rôle de mère. C'était la première fois en dix-sept ans que cela m'arrivait, que j'étais capable de mettre mon fils un peu de côté et de penser véritablement à moi, à la femme que j'étais et uniquement à elle, ne seraient-ce que quelques heures. Alors oui, j'avais envie de profiter de cette sensation et de boire un dernier verre avec Pacôme.

Je ris en découvrant les tonneaux sur la petite terrasse chauffée du pub où il comptait s'installer.

– Pourquoi riez-vous ?

– Vous avez un problème avec les tonneaux ! Il y en a plein dans votre entrepôt et, là, vous me proposez de m'attabler dessus.

Il afficha un air canaille.

– L'esprit corsaire, que voulez-vous !

Brusquement, son regard se perdit dans le vague, comme s'il était ailleurs, plongé dans ses réflexions.

– Vous me laissez choisir pour vous ? J'ai envie de vous faire goûter quelque chose.

– Je vous fais confiance.

Il revint quelques minutes plus tard avec deux verres à la main et s'assit en face de moi.

– C'est un rhum mauricien, vous allez voir, il est délicat, parfumé, fruité.

On trinqua en se regardant dans les yeux. Sans cesser de me dévisager, il engloutit la moitié de son rhum. Je me contentai d'une petite gorgée, elle me fit fermer les yeux de plaisir. Le nectar, qui glissa dans ma gorge, était chaud, délicieusement chaud, chargé d'arôme de fruits exotiques et défendus, songeai-je.

– Je savais que vous aimeriez.

Je revins sur terre et croisai ses yeux gris sur moi.

– C'est divin.

Il lorgna mon paquet de cigarettes posé sur le tonneau.

– Servez-vous.

Il m'obéit et m'en tendit une par la même occasion. Il sortit comme par magie un briquet de sa poche et l'alluma sous mon nez.

– Vous êtes mystérieuse, Reine, me dit-il après quelques minutes de silence.

– Je vous retourne le compliment… J'écoute vos histoires et, à part me faire partager votre passion, vous ne dîtes pas grand-chose non plus.

Son œil pétillant m'indiquait sans ambiguïté son envie de jouer.

– Vous marquez un point…

On but encore sans cesser de se dévorer du regard. J'étais de plus en plus détendue, la bouteille de vin partagée au dîner et la première gorgée de rhum n'y étaient pas étrangères. Cet homme me donnait envie de séduire. De le séduire, lui. Je ne comprenais pas ce qui m'arrivait. Avait-il un quelconque pouvoir pour me transformer à ce point ? Je n'étais adepte ni du flirt ni d'une nuit avec un inconnu. Pourtant, avec lui, je me sentais autorisée à le faire, j'en avais même envie, je me glissais dans la peau d'une autre, une autre qui me ressemblait, avec qui j'étais en accord, mais dont je ne soupçonnais pas l'existence.

– Si nous restions des inconnus pour ce soir ? lui proposai-je.

Un sourire en coin se dessina sur son visage.

– Ça me plaît…

– Pourquoi ?

– J'adore me raconter des histoires pour m'endormir.

– Vous piquez ma curiosité…

– Croyez-moi, vous seriez surprise.

Il se retenait de rire, mais pas de me déshabiller du regard d'une manière de plus en plus flagrante.

– Attendez, si je mets deux-trois petites choses bout à bout… je dirais le corsaire qui sauve la passagère d'un navire en détresse.

Il finit son rhum, j'en fis autant.

– Vous y êtes presque… j'imaginais plutôt le rapt de la belle inconnue sur un bateau ennemi.

Un silence lourd, saturé de désir, se glissa à nouveau entre nous. La tension monta encore d'un cran. Il assumait ses paroles, j'étais séduite par ses mots. Nous ne nous quittions pas des yeux, conscients que tout pouvait basculer entre nous d'un instant à l'autre. Il attrapa mon verre que je tenais encore en main.

– Je vais chercher une dernière lampée, avant que le bar ferme.

Quand il revint, il fit le tour du tonneau pour s'asseoir à côté de moi. Je sentais la chaleur qui émanait de son corps. Il enclenchait la vitesse supérieure, il était encore temps pour moi d'arrêter ce nouveau jeu, auquel je prenais goût bien trop vite. Le souhaitais-je ? La réponse était sans appel : absolument pas. Depuis que je l'avais vu quelques heures plus tôt, il me troublait au-delà du raisonnable. Et lui ne cachait pas son attirance pour moi. Pourquoi ne pourrais-je pas, pour une fois, profiter du moment et me laisser porter ?

– Aux histoires qu'on se raconte pour s'endormir, lui dis-je, en le regardant à travers mes cils.

Je portai le verre à mes lèvres, il ne perdit aucun de mes gestes.

– On ne peut pas finir cette soirée sans faire un tour sur les remparts, me dit-il brusquement.

– Vraiment ?

– Vraiment… finissez votre verre.

Je m'exécutai, docilement.

– Suivez-moi.

En quelques minutes, on se retrouva au pied d'un escalier sombre, abrupt et qui me parut excessivement glissant.

– Donnez-moi la main, c'est plus prudent.

Ce premier contact de nos peaux me fit frémir. Pourtant, arrivée en haut, je le lâchai. La nuit noire me saisit, on devinait la lune derrière d'épais nuages, il me laissa avancer seule. Je fis quelques pas avec la conscience du poids de son regard sur moi, je lui lançai un coup d'œil par-dessus mon épaule pour qu'il me rejoigne. Il franchit la distance qui nous séparait.

– Merci pour cette magnifique soirée, Pacôme.

– On avance un peu ?

Il faisait durer le plaisir de l'avant, cette adrénaline où tout est permis, où tout est envisageable. Le passage étant étroit par moments, notre balade nocturne se fit épaule contre épaule. Il fit une halte au-dessus d'une plage presque entièrement recouverte par la marée, je devinais un plongeoir au loin. D'un même geste, on s'accouda au muret.

– C'est le Grand-Bé, m'apprit-il en me désignant une presqu'île toute proche. Chateaubriand est enterré là. Il faut le voir de jour. Je suis certain que vous aimeriez.

Je restai bête. Il avait la faculté déconcertante de jongler entre l'homme qui désire une femme et le Malouin accroché à son rocher, pour ne pas dire obsédé. Il jouait avec mes nerfs, ce n'était pas possible autrement.

– Je n'en doute pas.

– Il y a des siècles, nous n'aurions pas pu nous promener en pleine nuit.

Je lui lançai un coup d'œil perplexe.

– On lâchait des dogues affamés sur la grève pour protéger la cité des envahisseurs et personne ne pouvait sortir de chez soi, sous peine de finir au cachot.

– Vous vous moquez de moi !

Son regard se fit grave, malgré une petite pointe d'humour.

– Je suis on ne peut plus sérieux.

Il se pencha légèrement vers moi et plissa des yeux, sourire aux lèvres, prêt à m'ensorceler à nouveau avec ses histoires.

– On raconte, chuchota-t-il comme s'il s'apprêtait à me dévoiler un secret, que des amants se sont fait dévorer pour être restés trop longtemps chez leurs galantes et n'avoir pas entendu Noguette.

– Noguette ?

Envoûtée par son histoire, je parlais à peine plus fort que lui.

– La cloche qui indique le début du couvre-feu, l'heure où il faut rentrer chez soi.

J'étais captivée.

– Et là, elle a sonné il y a longtemps ?

– Très longtemps…

Il se rapprocha de moi et, sans que je m'y attende vraiment – enfin, en réalité, j'attendais un geste, sans savoir quand il franchirait le pas, alors qu'il était au beau milieu de son histoire –, sa main se leva vers mon visage. D'un mouvement sensuel, son pouce frôla ma bouche.

– J'ai une question à vous poser, murmura-t-il.

– Je vous écoute.

Ma respiration se faisait plus rapide, j'avançai pour ne pas rompre le contact de son doigt sur mes lèvres.

– J'ai très envie de vous embrasser, mais…

– Vous avez besoin de mon autorisation ?

– En quelque sorte…

– Un corsaire ne se poserait pas la question…

Il fallait croire que j'avais raison puisqu'il prit d'assaut ma bouche et me plaqua contre lui. L'ivresse, cette impression de liberté me permirent de m'abandonner totalement et d'oublier tout ce qui n'était pas lui. Et Pacôme maîtrisait la science du baiser. Ses lèvres, sa langue ravageaient les miennes et me faisaient perdre pied. Je me collai à lui, désirant plus, il comprit le message, ses mains ouvrirent mon manteau et se faufilèrent sous mon pull. Elles étaient froides et ma peau, très chaude, réagit à leur contact, je gémis de plaisir. Ce baiser n'avait pas de fin et me donnait le tournis. Il nous fallut pourtant reprendre notre respiration. Haletants, on se regarda droit dans les yeux. Il souffla doucement comme s'il cherchait à garder son calme, mais toujours avec cet air carnassier et déterminé.

– Je… je crois que je vais vous ramener jusqu'à votre hôtel.

Le retour nous prit beaucoup plus de temps que l'aller. Toutes les deux minutes, nous nous arrêtions pour nous embrasser furieusement, il m'entraînait dans des ruelles plus sombres si l'on venait à croiser un rare promeneur de la nuit. Après nous être composé une attitude digne pour traverser le hall de l'hôtel sous le regard amusé du veilleur de nuit, on se rua à nouveau l'un sur l'autre dans l'ascenseur. Il dévora mon cou, en soulevant ma cuisse contre sa hanche.

– La clé de votre chambre, dites-moi que vous savez où elle est, là tel que je suis, je n'ai aucune patience.

– Poche arrière de mon jean.

Il rit tout en empoignant mes fesses.

Cinq minutes plus tard, j'étais nue sur le lit, écrasée sous son poids, j'avais perdu toute notion de pudeur et je m'offrais à cet homme que je ne connaissais que depuis quelques heures. Nous engagions une lutte ensemble, une lutte contre une jouissance trop rapide. Nous voulions faire durer ce plaisir imprévu et incontrôlable le plus longtemps possible. Nos gestes, nos caresses, nos baisers, nos gémissements n'avaient qu'un seul but : faire monter le désir à son paroxysme. Lorsque l'orgasme eut raison de nos résistances, ma respiration se coupa et son regard se figea. Il s'écroula sur moi, je refermai mes bras autour de lui, mes mains courant sur son dos, il frissonnait encore.

– Excusez-moi, je dois être lourd.

– Non, tout va bien, je vous promets.

Il embrassa le creux de mon cou et se retira de mon corps pour s'allonger à côté de moi. Sans perdre une seconde, je me tournai vers lui. Il souriait, d'un sourire doux et apaisé. La tempête était passée. Il repoussa une mèche de cheveux qui tombait sur mon front. Je comblai la distance entre nous et déposai un baiser léger sur ses lèvres. Sans dire un mot, il me retint contre lui, je nichai mon visage contre son épaule et fermai les yeux. Ses caresses me bercèrent, je finis par m'endormir.

Je ne fus pas étonnée de découvrir le lit vide à mon réveil. Si mon corps n'avait pas gardé la mémoire de nos étreintes et que je n'avais pas trouvé sur l'oreiller un message écrit sur le bloc-notes de la chambre, j'aurais pu me dire que j'avais rêvé cette nuit avec Pacôme. Je me redressai péniblement et remontai la couette sur moi pour lire ses mots, la beauté de son écriture soignée me frappa.

Grâce à la belle inconnue, j'aurai beaucoup d'histoires à me raconter pour m'endormir.

Le corsaire.

Je souris au souvenir des heures passées avec lui, en m'écroulant à nouveau dans le lit. Je me sentais légère, heureuse, épanouie. Impossible de lutter contre la joie de le revoir dans peu de temps. Pourtant, j'avais bien conscience que désormais la distance professionnelle était de mise. Je n'étais pas complètement stupide, j'avais perdu mes rêves de prince charmant depuis bien longtemps, nous avions simplement passé une nuit ensemble. Cet homme sorti de nulle part m'avait fait du bien, j'aurais aimé que cela se reproduise, mais tout portait à croire que nous en resterions là. À présent, seul comptait le travail, le Hangar, même si la situation me dépassait totalement.

Je fis le chemin vers Des Quatre Coins du monde à pied, mon sac de voyage sur l'épaule. J'en profitai pour appeler Noé.

– Comment vas-tu, mon trésor ?

– Super ! Et toi, maman ?

– Je suis en route pour une nouvelle réunion.

– Alors, tu es contente ?

Je fermai les yeux pour me concentrer sur mon rendez-vous professionnel. Et uniquement professionnel.

– J'ai bon espoir…

– Cool ! On y va quand, à Saint-Malo ?

– Aucune idée, lui répondis-je en riant. Je t'envoie un message quand je prends la route.

En arrivant devant l'entrepôt, je déposai mes affaires dans ma voiture qui m'avait sagement attendue toute la nuit. Pas de trace de la sienne. Je fumai une dernière cigarette pour me calmer.

Reine, reste concentrée. Concentrée.

Plus facile à dire qu'à faire. Je fus accueillie par la même jeune femme que la veille, visiblement plus détendue.

– Il vous attend dans les bureaux. Venez, je vais vous y conduire.

Je la suivis dans l'escalier en luttant contre mes jambes peu assurées et en tentant de canaliser les battements erratiques de mon cœur. Elle frappa à la porte, qu'elle ouvrit sans attendre de réponse.

– Pacôme, ton rendez-vous est arrivé.

Elle se décala pour me laisser entrer. Il se leva et s'approcha, un sourire distant aux lèvres.

– Bonjour, Reine.

Il me tendit la main, que je serrai d'une manière toute professionnelle.

– Pacôme, bonjour.

– J'espère que vous avez passé une bonne soirée, hier.

Aucune pointe d'humour, aucune chaleur dans son ton. Le décor était planté.

– Plutôt oui.

– Tant mieux. C'est bon, tu peux nous laisser, dit-il sèchement à son assistante.

Elle lui lança un regard interloqué, j'en déduisis qu'il ne devait pas souvent se comporter de cette façon.

– À plus tard.

La mâchoire contractée, il regardait ostensiblement par-dessus mon épaule. La porte se referma dans mon dos.

– Mon associé va se joindre à nous.

Si j'avais le moindre doute sur sa capacité à faire abstraction de ce qui s'était passé entre nous, la situation était on ne peut plus claire. Soit, j'allais oublier la nuit dernière. Il soupira profondément, comme s'il était fatigué. Après ce qui me sembla une éternité, son regard dur se braqua sur moi. Plus blessée que je l'aurais pensé, j'avais une peine infinie à le soutenir, mais hors de question de le lui montrer.

– Pour ce premier rendez-vous de prise de contact, je vais vous présenter les activités et les compétences de notre agence, et ce que nous pourrions spécifiquement vous proposer. À la suite de ça, si vous êtes intéressés, Paul ou notre chef de projet prendra le relais pour l'ensemble du suivi. C'est préférable, je crois.

Autant couper court à ce malaise, inutile d'insister. J'avais fait une bêtise en me laissant aller avec lui, en me laissant séduire. Je me prendrais un sermon de Paul et le problème serait réglé. C'était bien la première et la dernière fois que je passais la nuit avec un client potentiel. Qu'est-ce qui m'avait pris ! Je venais de recevoir une bonne leçon. Intéressante, mais douloureuse.

– Putain de merde, marmonna-t-il avant de fondre sur moi.

Il me plaqua contre lui et m'embrassa comme la nuit dernière. Quand notre baiser prit fin, il me murmura à l'oreille :

– À partir de maintenant, je vais arrêter de vous toucher, tenter de me calmer et faire comme si de rien n'était. C'est le mieux qu'on puisse faire pour réussir à bosser ce matin. Je vous rappelle qu'on ne sera pas seuls.

Il ne manquait pas de culot. Qui avait invité son associé à se joindre à nous ? Qui venait de m'embrasser ? Lui. J'étais incapable de répondre quoi que ce soit. Difficile de savoir où j'en étais et encore moins ce qu'il avait à l'esprit. Il s'éloigna de moi en secouant la tête de dépit et m'indiqua un fauteuil.

– Je vous en prie, installez-vous.

Le quart d'heure suivant, notre tentative de parler travail se solda par un échec. Le silence finissait toujours par nous absorber, la tension était palpable, des images de la nuit m'assaillaient en rafales, j'aurais voulu y être encore. J'étais chavirée par le vent de liberté qu'il m'insufflait depuis la veille. Quant à savoir ce qu'il cherchait, c'était une autre histoire, Pacôme avait tout du séducteur volage, diablement intelligent. Après tout, n'était-ce pas ce qui m'avait séduite la veille et qui me séduisait encore ? S'il m'en donnait l'occasion, je succomberais à nouveau à son charme et me ferais avoir en beauté.

Pour meubler le temps et le silence, j'observai son environnement. Son bureau n'était pas très grand, mais il avait une particularité ; les fenêtres donnaient sur le bassin et les bateaux. Les murs étaient recouverts de cartes du monde, d'autres marines, certaines d'une autre époque. Cette pièce n'avait rien de celles que j'avais l'habitude de fréquenter. Mais je sentais que Pacôme n'était pas du genre à se glorifier de son titre ; contrairement aux patrons que je côtoyais généralement, il était sincère dans sa manière d'être. Le paraître n'existait pas pour lui, j'en étais convaincue. Des échantillons de café, de thé, de riz, des cartons éventrés où je distinguais des flacons traînaient un peu partout. J'entraperçus, au milieu du bazar de son bureau, son passeport corné, abîmé. Cette seule vision me révéla un homme qui, d'une minute à l'autre, pouvait sauter dans un avion, simplement pour le plaisir et l'excitation de découvrir une nouvelle épice. D'où venait-il véritablement ? Qu'avait-il fait pour se retrouver ici, à Saint-Malo, dans ce petit bureau tourné vers la mer ? Sa place était ailleurs, à l'autre bout du monde.

Pendant que j'observais autour de moi, je pouvais le sentir gigoter dans son fauteuil, se redresser, s'avachir. N'y tenant plus, il finit par se lever d'un bond, pour faire le tour de son bureau et s'y appuyer. Nos jambes se frôlaient, nous ne nous quittions pas des yeux. Le même désir que la veille, incontrôlable, puissant, prenait à nouveau possession de mon corps.

– Le retard est votre marque de fabrique, ici ! le taquinai-je pour tenter de nous ramener au travail et à l'objet de ma venue.

– Il a dû déposer ses enfants à l'école, il ne va pas tarder, me répondit-il, faussement détaché.

Il craqua et approcha sa main de mon visage. Il laissa courir un doigt sur mes lèvres, comme la nuit dernière, mes yeux se fermèrent sous le plaisir. À cet instant, quelqu'un frappa à la porte, on lâcha un soupir amusé et très frustré.

– Entre ! lança Pacôme en me faisant un clin d'œil. On t'attend.

On reprit une allure plus professionnelle. Tandis qu'il rétablissait de la distance entre nous, je me redressai en inspirant profondément pour me mettre en condition. Malgré notre difficulté à nous lâcher du regard, il finit par diriger son attention dans mon dos.

– Toutes mes excuses pour le retard, je suis vraiment navré, j'ai été retenu…

– 4 –

Il y a des moments où tout s'arrête, où l'on voit sa vie défiler en l'espace d'un quart de seconde. C'est effrayant, c'est déstabilisant, surtout qu'on ne peut pas lutter contre. Il y aurait un avant, un après. Un sentiment de solitude absolue m'envahit. Les sons étaient étouffés, déformés, distordus. Un froid insidieux me traversait. Une chaleur, aussi. Mon corps ne savait plus ce qu'il ressentait. Le sang pulsait violemment dans mes tempes. Où étais-je ? À quelle époque étais-je ? Quel âge avais-je ? Impossible. Inimaginable. Cette voix gaie… Non, celle que je venais d'entendre était plus grave, plus autoritaire. Pourtant, cette intonation m'était si familière, presque viscérale. Ce phrasé saccadé. Cette façon de ne pas se laisser le temps de respirer entre chaque mot. Comment était-ce possible ? Pourquoi mon imagination me jouait-elle ce tour-là, aujourd'hui ? Je n'aurais pas dû me souvenir de tous ces détails. C'était si loin, si douloureux. Si bon, en même temps. Certaines choses, certaines personnes laissent des traces indélébiles, qu'on croit pourtant avoir enfouies au plus profond de soi. Je m'étais battue avec acharnement pour faire disparaître les blessures laissées par ces souvenirs et je comprenais que, quoi que je fasse, ils resteraient en moi, j'étais marquée au fer rouge. Tatouée jusque dans les couches les plus profondes de ma peau. Voilà pourquoi mon esprit et mon corps réagissaient aussi vivement à une simple similitude, une microscopique ressemblance. Je devais revenir au présent, je n'avais pas le choix. Cette seconde de doute bouleversant, terrifiant, devait prendre fin. Immédiatement. Je devais me lever de ce fauteuil, je devais me retourner. Affronter ma pire crainte.

Mes mains prirent appui sur les accoudoirs, je me sentais plus lourde que du plomb, je fis appel à toutes mes forces intérieures pour affronter la réalité. Le temps était encore un peu suspendu, mais il reprenait ses droits progressivement.

J'étais à nouveau présente. Dans le présent.

J'étais surtout face à un homme que je n'aurais jamais dû revoir de toute ma vie.

Ses yeux resplendissaient toujours de douceur ; les miens, sans que je puisse lutter contre, se remplirent de larmes. L'émotion contenue depuis si longtemps déferla sur moi. Tant de souvenirs remontaient à la surface. Notre rencontre évidemment, mais surtout tout le reste. Les quatre merveilleuses années qui avaient suivi. Quand il venait assister à mes cours pour rester avec moi, quand il m'avait fait la surprise de m'emmener à la mer et que nous avions dormi dans un Formule 1 pourri. Quand je coupais les pointes de ses cheveux longs, *un tout petit peu, pas trop, je vais perdre ma personnalité*. Quand je le dessinais en douce pendant qu'il dormait. Il avait changé, bien sûr. Ses cheveux bruns étaient désormais courts, striés de quelques fils d'argent, il s'était légèrement empâté, mais cela ne lui allait pas si mal. Sa barbe, bien qu'elle soit rasée, laissait une ombre sur ses joues, alors que lorsque nous étions jeunes, il était presque imberbe. Aujourd'hui, il portait le costard cravate comme une seconde peau, avant c'étaient les treillis et les sweats déformés. Il était devenu un homme. Malgré toutes ces petites marques de maturité, c'était comme si je l'avais vu la veille. Il ne me quittait pas des yeux. Les siens me détaillaient doucement, sa bouche s'ouvrit comme s'il s'apprêtait à dire quelque chose, mais il la referma, esquissa un sourire timide et hésita encore à parler.

– Reine, murmura-t-il. Je dois rêver.

– Nicolas…

Jamais je n'aurais dû prononcer à nouveau son prénom, ma bouche avait mal de le dire. Ses épaules retombèrent et sans que je puisse anticiper ni même réagir, il m'attrapa dans ses bras. Malgré tous les changements, les épreuves que j'avais traversées et que j'allais traverser encore, me retrouver contre lui me donna le vague sentiment d'être à la maison. Oui, il m'avait marquée, il faisait encore partie de moi et je l'avais toujours su. Je m'abandonnai à son étreinte quelques secondes, mais j'eus très vite l'impression d'étouffer. Je venais de passer du paradis à l'enfer. Je me détachai fébrilement de lui, il se laissa faire et passa la main sur son visage pour dissimuler son embarras.

– Excuse-moi mais… c'est fou de te voir…

Je voulais être ailleurs. N'être jamais venue ici. Pourquoi ? Je n'avais jamais cru au hasard. Et pourtant, il venait de frapper à ma porte, verrouillée à triple tour.

– Je n'en reviens pas, finis-je par souffler.

– Ça fait si longtemps…

Le raclement de gorge de Pacôme dans mon dos me glaça le sang, ce ne fut rien en comparaison du gris de son regard qui avait viré à l'orage. Nicolas, lui aussi, sembla se souvenir que nous n'étions pas seuls. Il s'éloigna de moi pour rejoindre son associé. Ils se firent la bise, chaleureusement. Entre eux, ce n'était pas une simple association de travail. Je n'avais pas besoin de les voir plus longtemps côte à côte pour prendre la mesure de leur amitié.

Ils étaient liés à la vie, à la mort. C'était palpable. Partout. Ils étaient les deux parties d'un tout.

– Désolé, lui dit Nicolas. Je perds un peu les pédales.

Pacôme lui adressa un sourire indéchiffrable et balaya d'un revers de main ses excuses. Il prit de la distance, sans m'accorder la moindre attention, et alla ouvrir la fenêtre en grand. Je vis au mouvement ample de ses épaules qu'il respirait profondément. J'avais envie de le remercier d'avoir fait entrer l'air marin dans cette pièce, j'aurais voulu sauter par la fenêtre. Fuir. Fuir le plus loin possible.

– Il faut que je t'explique, enchaîna Nicolas, le visage radieux.

Il semblait être le seul à ne pas ressentir une profonde tension, il avait même l'air amusé.

– Reine, qui est ici avec nous… c'est complètement dingue de te voir ici… En fait, tu as déjà entendu parler de Reine, mais ça remonte à longtemps… notre rencontre en Inde.

L'Inde… Le départ de Nicolas en Inde qui avait scellé mon avenir. Pacôme plongea dans ses souvenirs et releva soudainement un visage stupéfait vers moi.

– Oh… c'est elle ?

– Oui ! Tu peux comprendre pourquoi je suis un peu chamboulé.

Pacôme ne me quittait pas des yeux. Tous les deux s'étaient donc rencontrés dans ce pays lointain, tant d'années plus tôt. Pacôme devait sans doute savoir que Nicolas était mon premier amour et que j'étais le sien. Je pris sur moi pour ne pas défaillir.

– Mais, Reine, m'interpella Nicolas, tu savais que tu allais tomber sur moi ?

Si j'avais su, nous ne nous serions jamais revus.

– Non ! me défendis-je d'une voix trop haut perchée. C'est Paul, mon partenaire, qui était en contact avec Pacôme…

– Vous n'allez pas nous faire croire que vous n'avez pas, de votre côté, cherché à vous renseigner sur nous ? m'interrompit ce dernier d'une voix tranchante. Ce n'est pas très professionnel.

Je puisai au fond de mes forces pour me justifier.

– Je le répète, Paul a organisé ce rendez-vous, lui rétorquai-je sèchement. Vous le savez, Pacôme, et il n'a d'ailleurs parlé qu'à vous. C'est notre manière de faire, je me renseigne très peu, pour ne pas arriver chargée d'a priori, je dois me faire ma propre idée sur le terrain. J'ai simplement décortiqué votre site Internet pour préparer notre rencontre. Et comme il ne mentionne pas vos noms, qu'il n'y a pas non plus de photos de vous, ce qui, soit dit en passant, est une grossière erreur, je n'ai pas pu faire le rapprochement. C'est le pur hasard qui nous réunit aujourd'hui.

Nicolas lui envoya une bourrade dans le dos en riant.

– Pacôme ! Vas-y mollo, je ne t'autorise pas à agresser Reine !

Pacôme secoua la tête, comme s'il capitulait face à l'évidence :

– Je vous prie de m'excuser.

Il me fit un petit signe de tête sibyllin.

– En attendant, je vais jouer le rabat-joie, et casser l'ambiance de vos retrouvailles, mais on a du boulot. Je me trompe ?

– Oui, il faut qu'on s'y mette, acquiesçai-je.

J'étais pressée d'en finir et de partir, vite, le plus loin possible.

– Je crois que tout le monde a besoin d'un café, enchaîna-t-il. Je reviens.

Déjà, il avait disparu, j'eus l'impression qu'il voulait fuir. Je me serais bien enfuie avec lui. Sauf que je me retrouvais bras ballants face à Nicolas qui n'arrêtait pas de me sourire en me décortiquant de la tête aux pieds. Je n'aurais même pas dû penser à une telle chose, pourtant c'était plus fort que moi. Que pouvait-il penser de celle qu'il avait sous les yeux ? J'avais tellement changé. Il ne devait y avoir que mes yeux verts qu'il retrouvait. Lorsqu'il m'avait connue, j'étais maigrichonne, la maternité m'avait offert des formes. Il m'avait connue jeune étudiante introvertie au look beatnik école d'art, il retrouvait une femme de quarante ans, assumant pleinement sa féminité dans des vêtements sombres et seyants, sûre d'elle. Il fit deux pas vers moi, je me retins de reculer.

– Tu ne peux pas imaginer comme je suis heureux de te retrouver… On a tellement de choses à se raconter.

Je ne veux rien te raconter. Rien. Pas un mot.

– C'est certain… Excuse-moi, mais j'aurais besoin de me rafraîchir un peu.

– Bien sûr, je vais te montrer.

Je le suivis hors du bureau. Nicolas semblait fier de son domaine, son petit univers, il transpirait la réussite assumée. Il me parlait sans discontinuer, je ne l'écoutais pas, je ne l'entendais pas, me sentant de plus en plus mal et happée par l'autre côté de la mezzanine où, dos à nous, Pacôme frappait avec acharnement le percolateur contre une poubelle. Nicolas dut remarquer mon manque d'intérêt pour lui et mon intérêt pour son ami.

– Je ne sais pas ce qu'il a. Il est de mauvaise humeur, aujourd'hui. D'habitude, c'est plutôt lui monsieur l'enthousiaste et, moi, le trouble-fête. Ne t'en préoccupe pas, il va se calmer.

Je me barricadai dans les toilettes et tournai en rond dans les trois mètres carrés dont je disposais. Ma respiration s'affolait, je n'arrivais plus à la maîtriser. La crise d'angoisse enflait. J'avais envie de hurler, je ne pouvais le faire qu'en silence. Tout m'échappait, la vie que je m'étais construite depuis des années. Comment faire pour partir ? M'éloigner de Nicolas ? Effacer ces retrouvailles ? Je n'avais aucune échappatoire. Je massai mes tempes avec un peu d'eau froide en inspirant profondément. Je me regardai ; exténuée, paniquée, perdue, seule. J'avais déjà connu cet état. Déjà à cause de lui. J'allais me composer un visage serein, professionnel, performant et affronter les prochaines heures, je n'avais pas d'autre choix.

Lorsque je revins dans le bureau, ils m'attendaient tous les deux, installés côte à côte et parlant à voix basse. Ils cessèrent immédiatement leur conversation dès qu'ils remarquèrent ma présence. Agréable… J'allais me retrouver coincée en face d'eux, sous le feu croisé de leurs regards. J'enclenchai le pilote automatique et cessai de penser au reste.

Je me comportai comme avec n'importe quelle entreprise démarchée, tout en restant polie et respectueuse, je ne mâchai pas mes mots – j'avais été à l'école de Paul. Le chantier était colossal, mais passionnant. Je leur présentai sur l'écran de mon ordinateur l'identité des images de marque que nous avions pu retravailler et mettre en valeur, sans oublier un échantillon de photos prises par Paul, me doutant qu'il se chargerait en personne de ce dossier. J'étais si absorbée par mon exposé que je respirais un peu mieux, oubliant même brièvement à qui je m'adressais.

– Attends deux minutes, m'interrompit sèchement Nicolas, si je te comprends bien, vous êtes en train de me dire, ton associé et toi, que tout ce que nous avons fait jusque-là n'a pas de sens.

Il avait toujours été susceptible, à première vue il n'avait pas changé.

– Pas exactement, mais… vous vous êtes clairement contentés du minimum…

Il arbora un rictus suffisant.

– Excuse-moi, mais les chiffres sont là, on tourne à plein régime.

– Je me suis mal exprimée. Je t'accorde que les chiffres sont là, mais votre marque n'a rien de sexy, la façon dont vous présentez vos produits haut de gamme ne fait pas rêver. Désolée, messieurs, mais au risque de vous faire de la peine, vous faites vieillots, poussiéreux. Alors, oui, vous avez le mérite d'être là. Pour combien de temps, c'est la question que vous devez vous poser. Vous n'êtes plus les seuls sur le marché. Vous pourriez très vite être dépassés par des petits jeunes pêchus qui n'auront peur de rien. Pourquoi ne pas faire mieux ? Pourquoi ne pas viser plus haut ?

Pacôme semblait percuter à mes propos ; malgré sa concentration flagrante – comme s'il avait, lui aussi, oublié le reste –, il paraissait même amusé par les vérités que j'assenais. Nicolas, de son côté, était vexé que je puisse mettre en doute ses compétences. Ils entretenaient une conversation silencieuse dont j'étais totalement exclue et dont je ne pouvais comprendre les tenants et les aboutissants. Mais mes arguments semblaient avoir fait mouche, Nicolas céda au bout d'un moment.

– Bon, commença Pacôme, en partant du principe que nous sommes intéressés, que devons-nous faire ?

– Être disponibles et nous donner toutes les infos et le maximum de matériel pour créer un univers autour Des Quatre Coins du monde.

– Par quoi faut-il commencer ?

– Racontez-moi l'histoire de votre boîte, puisqu'elle ne figure pas sur votre site…

– Tu veux la version longue ou la version courte ? lança Nicolas, moqueur.

Il avait repris de sa superbe. Je fronçai les sourcils, perplexe.

– Si c'est Pacôme qui s'en charge, on en a pour des heures.

Je ne pus empêcher mon regard de dévier vers le conteur d'histoires, qui avait retrouvé son air boudeur de la veille.

– Je peux faire un petit effort pour ne pas trop fatiguer Reine.

Je réussis à rire pour la première fois depuis que Nicolas avait refait irruption dans ma vie.

– Je suis tout ouïe.

Pacôme était en Inde depuis déjà un an, lorsque Nicolas avait débarqué à son tour. Ils étaient animés des mêmes idéaux, des mêmes envies. Une volonté farouche de découvrir le monde, de le dévorer, de faire des affaires, de réussir en respectant toujours les autres. L'un était rêveur, ingérable – Pacôme –, l'autre avait la tête sur les épaules, les pieds sur terre – Nicolas. De leurs différences, ils avaient fait leur force et étaient devenus inséparables. Tout en continuant de parler, Pacôme se leva et me fit signe d'approcher. Je lui obéis. Il me guida jusqu'à une immense carte marine, une vieille carte totalement obsolète, mais où la route des Indes était indiquée. Des épingles étaient accrochées aux quatre coins du monde, je devinais que c'étaient tous les endroits où ils étaient allés ensemble. Il m'expliqua qu'ils avaient fini par lâcher leurs boulots respectifs et entamé un tour de l'Asie du Sud-Est. Ils avaient bossé comme des forçats dans des plantations de thé et de café pour apprendre, pour comprendre les enjeux, les gens qui y travaillaient, qui y mouraient d'efforts. Au cours de leurs pérégrinations, ils avaient découvert une variété de richesses agricoles et leur constat avait été vite fait ; nous, pauvres petits Occidentaux étriqués ne voyant pas plus loin que les grandes surfaces, n'avions aucune idée que nous pouvions consommer des produits d'une telle qualité. Pacôme me raconta les odeurs, le parfum des épices, il me les faisait ressentir, j'avais le goût sur la langue, mon nez les respirait, il m'expliqua le souffle du vent dans les théiers – qui aurait fait virevolter mes cheveux, la sensualité des tissus chatoyants – qui auraient glissé sur ma peau, le goût du café, « le vrai, vous n'imaginez pas l'effet que cela fait quand vous en goûtez pour la première fois ». J'en avalais presque une gorgée en l'écoutant.

Alors, ils s'étaient dit qu'il y avait un marché à prendre, avec l'idée de tout mettre en œuvre pour faire du commerce équitable, tout du moins s'en approcher le plus possible. Les années suivantes, ils avaient continué à voyager, ils avaient séjourné et travaillé en Amérique du Sud, en Afrique, surtout Pacôme d'après ce que je comprenais. Ils avaient tissé de nombreux contacts et posé les bases de leur business en conservant leur port d'attache en Inde. Leurs affaires avaient très vite décollé, à tel point qu'ils avaient eu l'impression de gagner à la loterie. Ils avaient redoublé d'efforts, main dans la main, y jetant leurs tripes, leur sueur, leur cœur. Il m'expliquait leur folle ascension avec enthousiasme et fierté, il me faisait sourire et partir loin. Aujourd'hui, ils étaient à la tête d'une entreprise d'une douzaine de salariés, avaient des parts dans certaines des exploitations qui les fournissaient. Ils avaient pour clients des épiceries fines, des grands restaurants et des hôtels prestigieux de la France entière, avec qui ils se battaient avec acharnement pour payer les cultivateurs à la hauteur de leur travail. Ils ne se cantonnaient plus aux seuls thé et café, ils importaient et exportaient désormais des épices, du riz et, depuis peu, du rhum. Comme un clin d'œil, il m'expliqua être allé à l'île Maurice pour en dénicher un très particulier ; celui qu'il m'avait fait goûter la nuit dernière, sans se vanter de sa trouvaille.

– Pourquoi avoir quitté l'Inde ? l'interrompis-je.

Il lança un regard accusateur à Nicolas, que j'avais presque oublié. Pacôme me permettait de respirer.

– C'est à lui qu'il faut le demander.

Je me tournai vers Nicolas.

– Envie de retour au pays. Et puis, en toute honnêteté, une forme de lassitude de vivre là-bas, ici c'est plus simple pour la vie de famille.

– Je comprends, réussis-je à lui répondre alors que la réalité me tombait dessus de plein fouet.

– C'est Pacôme le voyageur, pas moi, me précisa-t-il.

J'avais saisi… et il semblait que Nicolas avait imposé sa volonté.

– Pourquoi Saint-Malo ? me sentis-je obligée de demander.

Pacôme accrocha mon regard.

– Saint-Malo… c'est le voyage, c'est la Compagnie des Indes, c'est la mer.

Ce sont les corsaires…

Je lui souris. J'avais envie qu'il continue à parler, à raconter, à partager, à m'emmener loin d'ici.

– Alors qu'en dis-tu ? voulut savoir Nicolas.

Je redescendis de mon nuage – totalement factice – et m'éloignai à regret de mon nouvel oxygène. Nicolas s'était levé à son tour, je compris qu'il était un peu plus nerveux en retrouvant ce tic que je lui connaissais – quand il était contrarié, il grattait mécaniquement une peau sur son pouce.

– Il y a de la matière, beaucoup de matière, leur annonçai-je. On peut vraiment faire quelque chose d'intéressant et d'esthétique, surtout avec le travail de Paul. J'ai déjà plein d'idées.

– Quand seras-tu en mesure de nous faire des propositions ?

– Je me mets au travail dès mon retour.

Dans quel pétrin étais-je en train de me fourrer ? Il fallait que je parte à tout prix. Vite. Tout de suite. Disparaître. M'éloigner. Hystérique dans ma tête, maladroite dans mes gestes, je rangeai mes affaires dans mon sac à main.

– Je vais vous laisser, je dois reprendre la route.

J'étais prête à leur dire au revoir, tirer ma révérence, hurler dans le huis clos de ma voiture.

– Où comptes-tu aller ? Il est midi et demi, on déjeune ensemble, imposa Nicolas d'un ton péremptoire. Pacôme ?

– C'est bon pour moi.

Vingt minutes plus tard, nous étions attablés dans un restaurant avec vue sur la plage du Sillon. Je découvrais en plein jour ce que Pacôme m'avait montré de nuit. Même si la beauté de la mer, sa puissance me frappaient davantage aujourd'hui, j'étais nostalgique de ma balade sur la digue avec lui. Mon insouciance de la veille, ce sentiment furtif de légèreté me manquaient déjà affreusement. Pourrais-je jamais retrouver cette sensation ? J'en doutais. Être coincée à nouveau face à eux deux n'arrangeait pas mes affaires et ne risquait pas de m'aider. La simplicité du dîner à la crêperie me manqua aussi, comparé au restaurant guindé où Nicolas avait tenu à aller. J'avais la très nette impression qu'il cherchait à m'en mettre plein les yeux. Il se fatiguait inutilement, non seulement j'étais hermétique à toute forme d'étalage, mais j'étais aussi incapable d'avaler quoi que ce soit tant mon estomac et ma gorge étaient noués.

– Je n'en reviens pas que tu tiennes une agence de com', toi l'étudiante en arts roots, je t'imaginais plutôt intermittente du spectacle.

Je ravalai une réplique bien sentie. Mon calme apparent face à son ton railleur m'étonna moi-même.

– Que veux-tu ! La vie en a décidé autrement… Paul m'a embauchée comme créatrice de décors à un moment où je n'allais pas très fort et, depuis, nous ne nous sommes plus quittés.

Il pencha la tête, visiblement curieux. J'en avais trop dit, j'allais devoir surveiller chaque mot prononcé, chaque information que je fournirais.

– On a aimé bosser ensemble, je me suis prise au jeu, j'ai créé le poste de mes rêves et, de fil en aiguille, j'ai pris des parts.

– Et Rouen ! Alors là, je crois que c'est le pire ! Excuse-moi, mais j'ai plutôt souvenir que tu n'étais pas fan de ta Normandie natale.

Peut-être, mais tu ne me connais plus…

– Pareil, répondis-je avec un demi-sourire, la vie en a décidé autrement.

Du coin de l'œil, je voyais Pacôme qui nous observait, avec une expression neutre, certainement travaillée. Une forme de curiosité malsaine, masochiste même, m'incita à poser *la* question, et puis il fallait que Nicolas cesse de m'en poser. Entre la peste et le choléra…

– J'ai cru comprendre que tu avais fondé une famille.

Son visage s'illumina de fierté. Mon regard se dirigea vers sa main gauche, une belle alliance ornait son annulaire. Je n'avais pas eu l'idée de vérifier plus tôt. Une phrase de Pacôme avant l'arrivée de Nicolas dans son bureau me revint en mémoire, « école, enfants ».

– Tu as des enfants ?

– Trois.

Je reçus un coup de poing dans le ventre.

– Quel âge ont-ils ?

– Salomé a dix ans, Adam six et notre petite dernière, Inès, en a quatre.

L'amour qu'il leur portait l'irradiait de bonheur. Je l'imaginais sans peine roulant en Espace, avec un gros labrador l'accueillant à son retour dans son pavillon cossu et ses trois beaux enfants sautillant autour de lui.

– Une jolie famille…

– Merci, et…

– Ta femme, le coupai-je, elle travaille avec vous ?

– Pas du tout, Héloïse est infirmière libérale.

– Ils se sont rencontrés en Inde, tous les deux, précisa Pacôme. Elle faisait de l'humanitaire et nous a suivis dans tous nos voyages.

Nicolas lui lança un regard noir. Intérieurement, je remerciai Pacôme. Grâce à lui, je savais pour qui Nicolas avait mis un terme à notre histoire. Au moins, ce n'était pas une aventure sans lendemain.

– Bon, assez parlé de l'Inde ! s'énerva légèrement Nicolas. Toi, Reine, raconte-moi…

Je ne veux pas…

Cette peur au fond du ventre. Cette chose qui me bouffait depuis si longtemps.

– Reine est mystérieuse, souffla Pacôme d'un ton amusé, comme pour lui-même ou pour me rappeler la soirée de la veille.

À quoi jouait-il ? Nicolas ne releva pas sa remarque et poursuivit à mon grand désespoir dans sa logique :

– Tu es mariée ? Tu as des enfants ?

Le visage de Noé, mon Noé, traversa mon esprit et me serra le cœur à en hurler.

– Un garçon.

– Quel âge a-t-il ?

Pour dissimuler mon malaise, je me tournai vers la mer. L'instinct de survie prit le pouvoir sur la raison. Ce n'était pas la première fois que cela m'arrivait.

– Noé a dix ans.

Les mots sortirent tout seuls, sans que je puisse les maîtriser, ni eux ni moi. Et ils me blessaient la bouche, le cœur, le corps.

– Incroyable, on a des enfants du même âge !

Oui… tellement incroyable que c'est faux.

– Le hasard, une fois de plus…

– Tu as quelqu'un dans ta vie ?

J'aurais dû m'y attendre. Pacôme haussa un sourcil, intéressé.

– Non…

Je devais aller jusqu'au bout. Coller au plus près de la vérité. Pas le choix.

– Tu ne vis pas avec le père de ton fils ?

Pas de filtre…

– Non, je l'élève seule.

Je m'enfonçais inexorablement, en ayant de plus en plus mal. J'avais l'impression de me déliter de l'intérieur. Comme si je sentais des petits morceaux de moi s'effriter, fondre et disparaître.

– Reine, je suis… désolé pour toi.

Je voyais bien qu'il crevait d'envie d'en savoir plus, au-delà d'une certaine forme d'inquiétude, je pouvais percevoir de la pitié. *Pauvre Reine, qui élève seule son fils, alors que lui a réussi à construire une merveilleuse famille.* Je n'en avais pas le droit, c'était parfaitement injuste, il ne pouvait pas savoir, pourtant j'aurais eu envie de lui dire de se la boucler, d'arrêter d'étaler sa vie parfaite, sa famille parfaite, son évidente réussite. Et puis, brusquement, je me redressai sur ma chaise. Je n'avais aucune raison de me sentir comme une moins que rien face à lui. Moi aussi, ma vie était parfaite. Jusque-là…

– Tu n'as pas de raison de l'être. On va très bien, Noé et moi.

Je me donnais envie de vomir. La honte avait un goût de bile. J'étais traversée par la haine, le dégoût de moi-même. Les retrouvailles avec Nicolas me faisaient perdre pied. Avec les années, à part ces derniers temps, mais pour d'autres raisons, j'avais réussi à réapprendre à me regarder à nouveau dans une glace. C'était désormais du passé… Je n'y arriverais plus.

– J'ai hâte que tu me le présentes, glissa Nicolas.

– Qui ?

– Ton fils.

Jamais !

Nicolas tint bien évidemment à m'inviter. Je n'attendis pas qu'il ait payé la note pour sortir, je suffoquais. Au diable, la politesse. Je devais respirer à tout prix pour m'éviter de craquer, je devais tenir le coup encore quelques minutes, avant de crier, d'évacuer l'horreur des dernières heures. Pacôme me suivit. Je sortis une cigarette de mon paquet, il décocha son briquet avant moi et l'alluma sous mon nez. La raison me dictait de rester éloignée de lui, il était proche, bien trop proche de Nicolas. Pourtant, je me perdis dans ses iris gris, dévorée par l'envie qu'il me fasse voyager comme la veille.

– Notre affaire se complique, me dit-il. L'avantage, c'est que j'en ai appris un peu sur vous… même si vous restez une énigme.

– Et vous ? Pas d'enfants ? Pas de femme ? Pas d'attache ?

– Libre comme l'air… avec tout ce que cela implique…

Était-ce une mise en garde contre lui ?

– Que cherchez-vous à me dire ?

– Rien… Simplement que j'ai très envie de vous toucher une dernière fois, mais je ne veux pas que Nicolas s'en rende compte, il me connaît par cœur.

Il s'approcha, se pencha et m'embrassa la joue en me tenant discrètement par la taille, il la serra plus fort l'espace d'une seconde et s'éloigna sans que je puisse réagir.

– Au revoir, Reine…

Il partait déjà vers la mer.

– Pacôme ! l'appela Nicolas qui venait d'arriver à son tour. Qu'est-ce que tu fous ?

– À plus tard ! lui répondit-il avec un signe distrait de la main.

– Et voilà, Pacôme l'imprévisible !

On aurait dit un maître d'école grondant un élève dissipé.

– Vous vous complétez, lui fis-je remarquer.

Je poussai un profond soupir qui ne lui échappa pas.

– Qu'y a-t-il ?

– Rien, j'ai un peu la flemme du trajet, c'est tout.

En réalité, la disparition soudaine de Pacôme me mettait à mal, il n'était plus là pour jouer la diversion entre Nicolas et moi. Sans compter qu'il venait à sa façon de mettre un terme à cette brève aventure entre nous.

– Je te raccompagne à ta voiture.

Les cinq minutes de marche me parurent une éternité. Arrivés enfin à destination, il me dévisagea longuement, satisfait.

– Reine, je voulais te dire… crois-moi quand je te dis que je suis vraiment très heureux de t'avoir retrouvée.

– Moi aussi, réussis-je à lui répondre.

– On se revoit bientôt, alors ?

– Certainement.

– Fais attention à toi sur la route.

On échangea une bise, il me retint un peu contre lui avec un geste légèrement possessif. Dès qu'il me lâcha, je montai dans ma voiture, après un dernier faux sourire, je claquai la portière et démarrai.

– 5 –

Cette route était ma route vers le purgatoire, j'allais être punie pour mes erreurs. Le hasard venait de me tordre le cou. Pourtant, j'avais toujours du mal à y croire. Ce n'était pas possible, cela ne pouvait pas avoir eu lieu. Je ne venais pas de renouer avec Nicolas. Je ne venais pas de lui ouvrir les portes de chez moi, les portes de ma vie construite pas à pas. Dans la douleur. Dans la joie. Mais toujours dans le mensonge, depuis dix-sept ans. Comment une telle chose avait-elle pu se produire ? Et quel besoin avais-je eu de tout faire pour les séduire avec le Hangar ? J'aurais dû me saborder pour qu'ils ne souhaitent pas travailler avec nous, avec moi. Mais non, il avait fallu que je me démène, comme si mon inconscient voulait que j'aille plus loin, voulait que tout explose enfin au grand jour.

Les rares fois où je m'étais autorisée à penser à Nicolas, je l'imaginais en tong et bermuda sur une plage en Thaïlande, cela m'arrangeait bien. Pour moi, il vivait à l'autre bout du monde, il avait oublié jusqu'à mon existence et il n'y avait aucune raison pour que je le croise à nouveau. Sans compter qu'il n'y avait pas de risque que Noé se lance à sa recherche. Il le détestait sans le connaître, sans même savoir qui il était. Pour mon fils, son père était ce salopard qui avait abandonné sa maman quand elle s'était retrouvée enceinte, qui ne l'avait pas reconnu et qui l'avait rejeté avant sa naissance. J'avais élevé mon fils dans cette légende sordide et entraîné tout mon entourage dans ce mensonge que j'avais fini par prendre pour la réalité.

Noé n'avait jamais réclamé de papa jusqu'à son entrée à la maternelle. Jusque-là, son univers se résumait à maman, Paul, papi, mamie, ma sœur et sa famille. Chacun prenait garde aux mots qu'il employait devant lui. Tout le monde faisait en sorte de le protéger. Il n'avait été ni en crèche, ni chez une nourrice, il restait avec Paul et moi au studio. Je refusais d'être séparée de lui. Dès qu'il n'était pas à côté de moi, j'avais mal. Il n'avait été confronté ni au monde, ni à la vraie vie. Son entrée à l'école avait marqué un tournant, il avait découvert les papas d'autres enfants de son âge… Et, fatalement, la question était arrivée dans sa petite bouche : « C'est qui, mon papa ? » Il avait logiquement demandé à Paul si c'était lui. Ils étaient inséparables, Noé passait sa vie dans ses jambes, le cherchant en permanence. Je m'étais cachée derrière une porte, au comble de l'embarras, absolument perdue face à cette interrogation. Paul ne s'était pas dérobé et lui avait répondu doucement que non, ce n'était pas lui. Quand il m'avait trouvée tremblante de honte, recroquevillée dans un coin du studio, il m'avait passé un savon dont je me souviendrais toute ma vie, pour que je fasse quelque chose, c'était trop douloureux pour lui et surtout pour Noé. Pour la première fois depuis notre rencontre, nous nous étions disputés, en contenant nos voix pour ne pas effrayer Noé. Cela avait été dur, violent, déchirant de nous opposer, nous n'en avions jamais reparlé. Pourtant, d'une certaine manière, j'avais obéi à Paul en prenant mon courage à deux mains. J'avais expliqué à mon petit garçon qu'il n'avait pas de papa, mais une maman et tout un tas de personnes qui veillaient sur lui, qui l'aimaient plus que « le monde entier ». Pour qu'il aille bien, qu'il apprenne à vivre avec cet état de fait, nous avions commencé à écumer les cabinets de psy à qui je servais la même soupe dégueulasse. Je m'étais fait larguer pendant la grossesse par un sale type qui n'avait plus jamais donné signe de vie. Noé avait grandi avec l'image d'un homme égoïste, irrespectueux des femmes, irresponsable. Si seulement l'homme que j'avais retrouvé aujourd'hui avait pu se rapprocher de cette vérité... Mais non, comme je l'avais toujours su tout au fond de mon cœur, Nicolas était devenu un homme bien, fou d'amour pour sa famille, certainement un père merveilleux. Je n'avais plus d'arguments – si tant est qu'ils aient jamais existé – pour entretenir le mythe d'un géniteur monstrueux.

Comment avais-je pu faire ça ? Priver mon fils de sa vérité, de son père. De son histoire. Je n'avais aucune excuse, rien ne pouvait justifier mes actes. Pas même mes vingt-trois ans au moment de sa naissance. Sinon la terreur qu'on me prenne mon fils. Terreur irrationnelle.

J'avais tellement haï, vomi cette chose qui grandissait dans mon corps. Une dernière dose de bon sens m'avait empêchée de me faire du mal pour lui en faire à lui. Mais je ne prenais absolument pas soin de moi. Toute ma grossesse, je l'avais insulté, dans le secret de ma tête, je lui avais craché des mots aujourd'hui innommables. Ce fœtus me gâchait la vie, ruinait mon avenir, me volait ma jeunesse. Et pour une stupide question de délai légal, je n'avais pas pu m'en débarrasser. Lorsque j'avais perdu les eaux, j'avais refusé d'aller à la clinique, Paul – que je ne connaissais que depuis deux petits mois, mais déjà essentiel dans ma vie – s'était presque battu avec moi pour que je me laisse faire. Je hurlais encore dans sa voiture. Je criais parce que j'avais mal, parce que je n'avais plus le contrôle de mon corps, parce que je n'arrivais pas à stopper le processus infernal. Je criais ma haine et mon amour pour Nicolas. Paul m'avait laissée lui crever les tympans et le frapper, il était resté avec moi, il m'avait tenu la main, il m'avait portée à bout de bras, à bout de cœur, jusqu'à ce que mes parents débarquent, affolés. Je n'avais pas voulu d'eux, honteuse de la furie que j'étais en train de devenir. Mes cris s'étaient progressivement transformés en plaintes lancinantes. J'étais exténuée, à bout de tout, le travail s'était arrêté. J'avais pensé l'espace d'un instant que peut-être tout allait revenir à la normale, qu'à force j'avais réussi à remplir ma mission de destruction. Ma faiblesse avait décidé les médecins à intervenir, je m'étais laissée couler avec délectation dans l'anesthésie. À mon réveil, une infirmière m'avait appris qu'un petit garçon m'attendait et, sans me laisser le temps de lui répondre, elle l'avait posé sur mon sein. J'avais découvert mon fils pour la première fois, si petit, si fragile et si fort à la fois. Une vague d'amour, une déferlante, chaude, douce m'avait envahie. Il était là. Il avait résisté au mal que je lui avais fait. Sa minuscule main bougeait sur ma peau, comme si elle la grattait pour revenir à l'intérieur, sa respiration rapide faisait écho à la mienne. J'avais le sentiment qu'il s'accrochait à moi de toutes ses forces. Il était là. Il était là. Mon bébé était là. J'avais pleuré sans bruit, sur lui, en lui murmurant des « pardon » pour tout le mal que je lui avais fait. Ma vie venait de démarrer. Comme si mon cœur avait subi deux explosions. Une première pour arrêter la haine et le dégoût. Une seconde pour vivre à nouveau. J'avais arrêté de me noyer. Noé m'avait sauvée. J'étais née en même temps que lui. Il avait rayé Nicolas de ma vie. Mon univers se résumerait désormais à ce petit être. J'avais compris que je ne supporterais pas de le partager avec son père. J'avais fait le bon choix en ne lui avouant pas que j'étais enceinte. Hors de question qu'il vienne me le prendre. Noé était à moi. Rien qu'à moi. J'étais sa mère.

Je n'avais jamais trouvé le courage de m'extirper de mon mensonge, de dire la vérité à Noé. La peur panique de le perdre guidait chacune de mes décisions. Même lorsque je l'avais vu souffrir de ce manque, de cette différence, alors que sa souffrance m'était insupportable, je m'étais tue, par égoïsme, par culpabilité. Par obligation. Consciente que s'il apprenait mes mensonges, jamais il ne me le pardonnerait. J'avais redoublé d'amour pour lui. Plus le temps passait, plus je renonçais, plus mon mensonge devenait réalité et plus j'enfermais tout mon entourage – à qui je n'avais pas laissé le choix – dans l'imposture. J'aimais mon fils plus que tout au monde, je lui aurais donné ma vie et je le trahissais depuis sa naissance. Je me faisais horreur. Aujourd'hui, j'étais aux abois. Quoi que je fasse, quoi qu'il arrive, ma vie était une bombe à retardement qui, depuis quelques heures, était sur le point d'exploser à tout moment.

Alors que je roulais, bien trop vite, mon téléphone sonna. Paul. Par réflexe, je décrochai :

– Reine ! J'attendais de tes nouvelles ! Tu es sur la route ?

– Salut, Paul…

Ma voix manquait d'enthousiasme.

– Tout va bien ?

Son inquiétude était palpable.

– Oui, oui… je suis simplement fatiguée.

– Comment cela s'est-il passé ?

Je poussai un profond soupir pour évacuer toutes les images qui me venaient à l'esprit.

– Très bien.

– Tu n'as pas l'air sûre de toi.

– Si, si, je te promets… écoute, on se parle demain au Hangar.

– Il s'est passé quelque chose ? Dis-moi, Reine.

– Pas maintenant, s'il te plaît. Demain…

Je raccrochai. Je savais qu'à la minute où cela allait sortir de ma bouche, où j'allais verbaliser ce qui m'arrivait, je m'effondrerais. Et je refusais que Noé me retrouve ce soir dans un sale état. Pas déjà. J'allais serrer les dents, ravaler la boule dans ma gorge, enfermer mes larmes à l'intérieur de moi-même.

– Maman ! Tu es où ?

La porte d'entrée claqua. Je fermai les yeux pour me concentrer sur le rôle que j'allais devoir jouer ce soir et les prochains jours lorsque je serais face à mon fils. J'avais eu le temps de me préparer, il rentrait plus tard que d'habitude, il avait bossé avec ses copains, ce qui m'avait bien arrangée.

– Dans la cuisine !

Je l'entendis balancer son sac à dos par terre, puis ses pas résonnèrent derrière moi.

– Salut, maman !

Je me composai un sourire de circonstance et me tournai vers mon fils. Je me dédoublai. À l'intérieur, je criais de douleur, tant la ressemblance avec son père me frappait. Maintenant que j'avais revu Nicolas, impossible de passer à côté. À l'extérieur, je lui souriais franchement, folle de joie de le retrouver, de constater qu'il allait bien, qu'il avait survécu sans sa mère. Il vint déposer un bisou sur ma joue. La musique hurlait dans son casque, il n'avait pas pris la peine de la couper pour me dire bonjour.

– Qu'est-ce que tu écoutes si fort ?

Il rit et me colla son Marshall sur les oreilles.

– Ta compile !

Il écoutait Nada Surf et leur *Popular* à s'en rendre sourd. C'était ma faute ; l'année dernière, je lui avais créé une playlist avec tout ce que j'écoutais à son âge, Alanis Morissette, The Cranberries, Radiohead. Notre complicité m'émut brusquement, je posai ma main sur sa joue en le regardant droit dans les yeux. Il fronça les sourcils, inquiet.

– Maman ? Ça va ?

J'arrachai le casque de ma tête.

– Très bien, excuse-moi, c'est la musique, j'étais ailleurs. Et toi ? Les cours ? Le lycée ?

Il parut rassuré et se lança dans le récit détaillé des deux derniers jours.

Plus tard, pendant le dîner, il passa à l'attaque. J'avais bien fait de me forcer à avaler quelques morceaux de quiche avant.

– Alors, Saint-Malo ?

– C'était bien, réussis-je à lui dire.

Il secoua comiquement la tête, d'un air de dire : ma mère est folle.

– C'est tout ?

– Je vais avoir beaucoup de boulot.

– Mais c'est beau ? Tu as vu quoi ? Raconte-moi comment c'est ?

Je retrouvais mon petit garçon, il s'énervait, tout excité par ce que j'allais pouvoir lui décrire. Sa réaction me fit rire.

– Noé, calme-toi, je n'ai pas croisé de pirates !

À l'instant où je prononçai cette phrase, le visage de Pacôme m'apparut. Je n'avais pas rencontré de pirate, mais j'avais rencontré un homme qui rêvait d'être corsaire, comme mon fils…

– Un des types avec qui je vais bosser est incollable sur le sujet.

– C'est vrai ?

– C'est ce qu'il m'a semblé.

– Tu crois que, quand on ira là-bas, je pourrai discuter avec lui ?

Dans un monde idéal, j'aurais aimé présenter Pacôme à Noé, j'étais certaine qu'ils s'entendraient bien. Mais nous ne vivions pas dans un monde où les histoires finissaient bien.

– Je ne peux rien te promettre, je verrai si c'est possible.

– Génial !

Il se leva d'un bond, fit le tour de la table et passa ses grands bras autour de mon cou. Je m'accrochai à lui, refusant de gâcher ses espoirs. Pourtant, je cherchais déjà des prétextes pour le maintenir à distance de Saint-Malo.

– En attendant, mon Noé, si tu veux que je t'emmène un jour avec moi, il va falloir bosser et ne pas oublier que tu passes le bac dans quelques mois.

Comme s'il ne le savait pas !

– Je vais m'arracher, maman, je te promets !

Il déposa un gros baiser sonore sur ma joue.

Le lendemain matin, j'eus la bonne surprise d'arriver la première au Hangar. Il me restait quelques minutes de répit. Café en main, je sortis sur la terrasse. Il pleuvait, de cette petite pluie fine, froide, si typique de la région. Celle qui traverse les tissus, la peau, les os. On en prenait pour la journée, avec cette impression que le soleil ne se lèverait jamais. Je n'avais pas fermé l'œil de la nuit, hantée par des images de Nicolas et de mon fils. De mon perchoir, je vis Paul arriver dans un nouveau petit bolide, il changeait de voiture comme de femme, à vrai dire, l'une n'allant pas sans l'autre. Il leva les yeux vers moi et secoua la tête d'un air navré en me découvrant cigarette aux lèvres dès 9 heures. Il avait donc la confirmation que ça n'allait pas. L'avantage – ou le désavantage – de se connaître par cœur. Je lui laissai le temps de préparer son soluble et de prendre ses aises avant de rentrer au chaud.

Il m'attendait dans le salon que nous avions aménagé dans l'open space, assis sur le canapé.

– J'ai dit à tout le monde de venir une heure plus tard, aujourd'hui.

Sans même retirer mon manteau, je m'écroulai dans un fauteuil en face de lui. Je le fixai à travers les larmes qui montaient déjà, alors que je n'avais pas encore ouvert la bouche. Je tentai maladroitement de lui sourire.

– Peu importe ce qui t'arrive, on va gérer, me dit-il, confiant.

– Je ne crois pas…

– Je ne peux pas t'aider si tu ne me dis pas de quoi il s'agit.

– Dès l'instant où je vais te le dire, ça va être vrai et ça me fait peur…

– Je n'ai aucune envie de jouer aux devinettes, je me doute que c'est en rapport avec les rendez-vous à Saint-Malo. Quand Noé t'a eue l'autre soir au téléphone, tout allait bien. Je me trompe ?

– Non…

– Je présume que les choses ont pris une autre tournure, hier. J'imagine que ce n'est pas le travail qui t'a mise dans cet état-là. Qu'est-ce qui a bien pu se passer ?

Le visage baigné de larmes, je fis une grimace pleine d'horreur et d'ironie mêlées.

– Il se trouve que par le plus grand des hasards, à moins que tu m'aies fait un coup tordu, mais ce n'est vraiment pas ton genre… et tu ne m'aurais jamais fait ça…

Il haussa un sourcil soupçonneux, je poursuivis :

– Donc, il se trouve que par le plus grand des hasards, un des associés des Quatre Coins du monde est… accroche-toi, Paul…

Je levai les yeux au ciel pour y puiser un peu de courage.

– Et bien… c'est Nicolas.

Ma respiration s'emballa.

– Nicolas… le…

– Mon Dieu… murmura-t-il. Ce n'est pas possible.

Je fuis son regard sidéré.

– Vas-y, dis-le, Reine…

Il avait compris, mais tout comme moi j'avais besoin de le dire à voix haute pour réaliser, lui avait besoin de l'entendre de ma bouche.

– Le père de Noé…

Déconcerté, il fixa un point imaginaire.

– Comment… Pourquoi… Je ne peux pas y croire…

– C'est pourtant la vérité…

Ses poings se serrèrent. Il se redressa brusquement, se mit à tourner en rond, haletant de douleur et de colère.

– Je suis perdue, sanglotai-je. Que vais-je faire ?

À travers mes larmes, je réalisai que je n'avais jamais vu Paul dans un tel état.

– Tu ne vas pas aimer ce que je vais te dire, mais… Tu n'as plus le choix… tu dois la vérité à tout le monde, à commencer par Noé.

– Non ! hurlai-je en me levant d'un bond. Non ! Non ! Jamais !

Il accourut et me serra fort contre lui, pour canaliser la crise d'angoisse qui s'emparait de moi. Il me berça de longues minutes, je criai silencieusement contre son torse ma terreur, ma douleur, mon chagrin.

– Chut… calme-toi, Reine. On va trouver une solution. Ne t'inquiète pas, je suis là, je ne te laisserai pas tomber. Tout ira bien.

Je m'accrochai à lui de toutes mes forces, il était ma bouée de sauvetage, la petite voix de la sagesse qui soufflait à mon oreille.

– Paul, j'ai si peur.

Lui aussi devait avoir peur. Les tremblements qui l'agitaient étaient éloquents. Paul, si maître de lui habituellement, perdait le contrôle, perdait l'assurance qui le caractérisait en toute circonstance, même dans les moments de crise. Mais avions-nous jamais traversé une telle épreuve ? Il prit une profonde inspiration, certainement pour se reprendre, et embrassa mes cheveux. Il posa ses mains rassurantes sur mes épaules et riva son regard au mien, un sourire laborieux aux lèvres.

– Commençons par le début… tu vas tout me raconter dans le détail. Et après on verra…

Mon récit débuta à l'arrivée de Nicolas, je passai volontairement sous silence ma soirée, il n'avait pas besoin de ce petit détail, qui me semblait malheureusement déjà loin. En revanche, je lui racontai tout le reste, même ce qui concernait le travail. Il m'écouta attentivement, se contentant de hocher la tête ou de marmonner pour lui-même par moments. Il fallut passer à la suite, le déjeuner, la description de la famille de Nicolas.

– Ça a dû être épouvantable, m'interrompit-il d'un ton apitoyé.

– Un peu, je ne vais pas te le cacher, mais je ne suis pas étonnée.

– Il a nécessairement cherché à en apprendre davantage sur toi.

– Oui… j'ai collé au plus près de la vérité…

Il fit une moue amusée, l'espace d'une seconde, cela me détendit.

– Je lui ai dit que j'avais un fils que j'élevais seule.

– Jusque-là, tout va bien, mais ça ne lui a pas mis la puce à l'oreille ?

– Non, parce que je lui ai dit que Noé avait dix ans…

Il passa une main lasse sur son front, avant de me fixer d'un air désabusé.

– Faut-il que je t'aime pour ne pas avoir envie de t'étriper. Ce n'est pas faute de t'avoir suppliée de dire la vérité à Noé et de chercher son père… Tu es responsable de cette merde… Et te voilà dans cette situation intenable…

Je recommençai à sangloter, sans pouvoir m'arrêter. L'amour de Paul m'était vital. Je m'extirpai de mon fauteuil et, traînant les pieds d'épuisement, je franchis la distance qui nous séparait pour me blottir dans ses bras… Il m'accueillit tendrement.

– Je t'aime aussi, Paul. Pardon, pardon… je m'en veux tellement. Je vais tout perdre…

Il me laissa pleurer tout mon saoul de longues minutes. Puis, quand il sentit que mes sanglots s'espaçaient, il siffla d'admiration :

– En tout cas, niveau boulot, tu peux être fière de toi. Félicitations ! Tu les as bien coincés. Au vu de ta prestation, à mon avis, ils vont signer pour le pack complet ! Tu as conscience que tu vas passer ta vie à Saint-Malo, les prochaines semaines ?

Je me redressai et le regardai, désespérée.

– Ne te fous pas de moi, je ne sais pas ce qui m'a pris. Pourquoi ai-je mis les bouchées doubles ? Tu peux me le dire ?

Il eut un sourire indulgent.

– Parce que tu voulais l'impressionner… Lui montrer que tu n'étais plus la petite étudiante en arts qu'il a connue.

Je quittai ses bras et marchai jusqu'à la baie vitrée ; le temps, comme mon moral, était toujours aussi désastreux. Je frottai mes bras pour me réchauffer, à l'intérieur comme à l'extérieur.

– Peut-être, finis-je par lui répondre.

Un ange passa. C'était reposant.

– Pacôme est-il aussi intéressant en vrai qu'il semblait l'être au téléphone ?

Je fixais toujours la Seine.

– Il l'est…

– Tu as envie de le faire, ce job, au fond de toi. Et pas pour le Hangar. Reconnais-le.

Je lui lançai un regard par-dessus mon épaule.

– Peut-être…

On entendit au loin les voix des uns et des autres qui arrivaient tranquillement après la grasse matinée octroyée par leur patron.

– Je vais aller dans mon bureau me refaire une tête si cela ne t'ennuie pas.

Il me rejoignit à mon poste d'observation et caressa doucement mes joues mouillées de larmes.

– Que comptes-tu faire, pour Noé ?

– Gagner du temps… je refuse de mettre en péril son bac. Après… eh bien, après, on verra…

Les trois jours suivants, je ne réfléchis plus. Je me jetai à corps perdu dans le travail. Non pas que je m'investisse plus que de raison, mais m'absorber dans le dossier des Quatre Coins du monde m'empêchait paradoxalement de perdre pied. Noé ne vit pas de changement notable chez sa mère, il savait comment je fonctionnais quand un dossier me tenait particulièrement à cœur – ce qu'il croyait – et il n'avait pas tout à fait tort. De toute façon, j'avais réalisé une chose. Peu importait que Nicolas et Pacôme choisissent le Hangar. Je ne pourrais plus jamais faire comme si de rien n'était. Jusque-là, le père de Noé n'était qu'une ombre lointaine, barricadée dans le secret de mon cœur ; aujourd'hui, cette ombre était réelle, concrète et rien ne viendrait la dissiper. Alors autant me perdre dans le travail.

Je préparai méticuleusement notre plan de bataille pour reprendre en main toute leur image, avec différents scénarios. Du plus simple au plus complexe. Paul suivait mon étude, comme je le pressentais, il me confirma que s'ils signaient, il se chargerait des photos. Le domaine d'activité de Nicolas et Pacôme l'intriguait, il aimait le côté voyage, sensoriel, presque sensuel, le tout sur fond d'Histoire.

Lorsque cette première partie fut finie et les devis prêts, je n'eus d'autre choix que de tout leur envoyer par mail, accompagné de quelques mots :

Pacôme, Nicolas,

Je vous laisse découvrir à tête reposée ce que nous envisageons de travailler pour Des Quatre Coins du monde.

Si vous enclenchez la machine, sachez que Paul, en copie de ce mail, sera votre photographe, c'est un souhait profond de sa part. Il est le meilleur et saura mettre en valeur grâce à son œil unique la noblesse de votre entreprise.

Nous restons à votre disposition l'un comme l'autre.

À bientôt,

Reine

Vingt-quatre heures plus tard, mon téléphone sonnait. Nicolas. Je n'en revenais toujours pas que ce soit lui qui me parle ; son existence, pendant que je travaillais en solo leur dossier, était presque redevenue abstraite. Sa voix, elle, était tout ce qu'il y a de plus concret.

– J'ai préféré t'appeler directement, je viens d'étudier vos propositions.

Machinalement, j'attrapai un crayon et me mis à griffonner sur un bout de papier abandonné sur mon bureau. Son ton était professionnel, précis, et si différent du ton jovial que je lui connaissais dans le passé et que je retrouvais chez Noé.

– Qu'en penses-tu ?

À travers la vitre de mon bureau, j'aperçus Paul, je l'appelai à grand renfort de signes de la main.

– Je ne nie pas que ce soit intéressant, même si cela me semble bien éloigné de notre cœur de métier. Reine, nous sommes des commerçants, plutôt bons dans notre genre, nous avons autre chose à faire que de réfléchir à notre image. Nous avons des commandes à honorer et des producteurs qui comptent sur nous.

Et voilà, c'était le même refrain à chaque fois. Le patron était convaincu que ce n'était que perte de temps et d'argent. Paul entra dans mon bureau et me fit un signe de tête interrogateur, il avait très bien compris avec qui j'étais en ligne. Je haussai les épaules, ne sachant sincèrement pas ce que Nicolas allait m'annoncer.

– Le budget est très lourd pour nous, tu peux t'en douter. On préfère investir dans nos produits que dans la com'. Pacôme n'y avait pas pensé en vous contactant, je ne devrais pas être étonné, il n'y a vu que de l'amusement.

Eux deux étaient comme le yin et le yang, des opposés qui s'attiraient et se repoussaient. Cela ne devait pas être tous les jours facile de s'entendre.

– Je ne nie pas le coût important de nos services. Tu penses à court terme, cette dépense vous permettra des rentrées d'argent supplémentaires, l'idée de tout ce projet est de gagner de nouveaux marchés. Vous vendez les meilleurs produits, dis-tu… Cela ne vaut-il pas la peine de s'entourer des meilleurs ?

Paul acquiesça et me fit comprendre qu'il souhaitait intervenir. J'étais convaincue qu'il n'était pas motivé à remporter le contrat pour de simples raisons de business, mais plutôt pour savoir, après toutes ces années, qui était le père de Noé, le connaître et découvrir s'il pouvait avoir confiance en lui.

– Nicolas, je mets le haut-parleur, Paul est avec moi.

– Nicolas, bonjour, lança-t-il joyeusement. Je suis Paul. Comment allez-vous ?

– Bien, et vous-même ?

Je le sentais agacé par l'arrivée inopinée de Paul dans la négociation. Dans son esprit, il devait penser avoir l'ascendant sur moi et se dire qu'avec mon associé, cela serait une autre paire de manches. Paul avait très bien compris la situation et usait de désinvolture.

– Parfaitement, je me réjouis de vous rencontrer prochainement et de me lancer dans cette grande aventure.

Il y allait avec ses gros sabots, il s'amusait. Nicolas souffla dans le combiné, exaspéré.

– Le budget demande réflexion, sans parler du fait que je reste plus que sceptique quant au réel intérêt de votre prestation, compléta-t-il acerbe. Excusez-moi, mais j'ai toujours du mal à saisir l'impact sur nos chiffres qui, je vous le rappelle, sont excellents.

Il commençait à prendre Paul de haut, défense par l'attaque. Du Nicolas tout craché. Il entrait en compétition avec Paul, le cantonnant au rang d'obscur photographe. Paul raffolait de ce genre de situation. Nicolas n'avait aucune idée de ce qu'il venait de déclencher. Le sourire de Paul devint vicieux.

– Je comprends, je comprends, lui répondit-il d'un ton badin. Mais de vous à moi, Nicolas, le coût est une fausse excuse. Vous pouvez nous le dire, en réalité, vous avez peur.

– Pas du tout ! s'énerva-t-il.

– Oh si ! Je peux même vous le garantir, enchaîna-t-il avec un calme olympien. J'ai plus de vingt ans d'expérience dans le métier. Vous êtes encore jeunes, mais plus pour longtemps. Ça peut basculer en un claquement de doigts. Alors réagissez, ne craignez pas de vous remettre en question. Reine a dû déjà vous le dire. Vous étiez les premiers et vous avez fait des petits qui aujourd'hui n'attendent qu'une chose : vous dévorer tout cru. Montrez-leur que vous êtes les patrons et que vous le resterez. Prenez de la hauteur. Je ne doute pas que vous soyez un homme intelligent.

Coups de fouet, caresses. La méthode de Paul, surtout face à des petits patrons qui montaient sur leurs grands chevaux. Il jubilait, sans lui laisser la possibilité d'en placer une. Il lui faisait la démonstration par A + B qu'il maîtrisait son sujet et qu'il était loin d'être le guignol fantasque pour lequel il l'avait pris. Bientôt, Nicolas lui mangerait dans la main. J'étais fascinée par le spectacle que m'offrait Paul et pas mécontente qu'il lui donne une bonne leçon.

– Dites-vous que nous ne lésinerons pas sur notre implication. Reine viendra au minimum tous les dix jours pour des séances de travail. Et ce dès la semaine prochaine. Nous ne compterons pas nos heures.

Je lui fis les gros yeux en mimant un « quoi » affolé.

– Et, Nicolas, nous trouverons un arrangement pour la facturation, ne vous en faites pas. Entre nous, Reine va me tuer en m'entendant vous révéler son petit secret, mais elle a déjà fait en sorte que vous obteniez un prix d'ami.

– Ça ne m'étonne pas d'elle.

Il se trompait sur toute la ligne, il ne me serait jamais venu à l'idée de baisser nos tarifs, mais Paul avait bien compris qu'il fallait lui faire croire que nous étions à ses pieds, que nous le suppliions de nous embaucher.

– Alors, Nicolas, arrêtons de tergiverser, vous êtes un chef d'entreprise débordé et, de notre côté, nous avons des clients motivés qui nous attendent et nous réclament. Voulez-vous travailler avec nous ? Oui ou non ?

– Qu'en dit Pacôme ? intervins-je sans réfléchir.

Paul me regarda, étonné.

– Pacôme donne son feu vert, bien évidemment.

– Un homme de bon sens, susurra Paul.

– Soit, capitula Nicolas, vexé. Allons-y, mais ne perdons pas de temps. Reine, quand peux-tu venir pour démarrer ?

La semaine d'après, j'avais rendez-vous avec Anna, impossible de me dérober à ce déjeuner. De temps en temps, ma sœur et moi, nous nous retrouvions pour un resto sur le pouce entre midi et deux. Parfois, comme aujourd'hui, Ludovic se joignait à nous. Habituellement, j'étais toujours partante, mais là, je m'en serais bien passée. À moins de vouloir éveiller les soupçons, je n'avais pas le choix. J'allais devoir être sur mes gardes, ne me trahir sous aucun prétexte. Je n'osais imaginer la réaction d'Anna si elle apprenait la situation. Panique. Envie de meurtre. Activation de radio Ragots-Rouen. Quant à celle de Ludovic, celle d'un grand frère protecteur prêt à aller demander réparation pour l'honneur bafoué de sa sœur, elle risquait d'être violente.

Ils notèrent simplement ma petite mine, que je justifiai sans difficulté par une surcharge de travail, je n'allais certainement pas leur dire que je ne dormais quasiment plus à la veille de mon nouveau déplacement à Saint-Malo.

– Évite de passer voir maman, me conseilla Anna. Sinon, tu es bonne pour qu'elle te fasse livrer sa cargaison de vitamines !

On éclata de rire ; notre mère avait la fâcheuse tendance à croire que tous ses remèdes de médecine douce pouvaient nous aider à traverser les soucis du quotidien.

– Je crois qu'elle a commencé les réserves pour le bac de Noé, leur appris-je. Dès qu'il la verra, elle lui mettra ses granules dans le bec.

Anna prit sa moue attendrie, on allait avoir droit au quart d'heure nostalgie de la petite enfance.

– Il adorait ça, quand il était petit. Il était trop mignon quand il lui courait après en lui réclamant : « Mamie, les p'tites billes. »

– Il va être servi ! renchérit Ludovic.

On rit tous de plus belle.

– Reine, fit-il, ce n'est pas ton téléphone qui sonne ?

Je le retournai sur la table et faillis tomber à la renverse. *Des Quatre Coins du monde. N.* Il choisissait son moment. Je dus réfléchir un quart de seconde. Leurs deux paires d'yeux étaient braquées sur moi. Je répondais toujours au téléphone, ils ne comprendraient pas que j'ignore un appel pour le travail. D'une main tremblante, j'attrapai mon paquet de cigarettes dans mon sac et décrochai.

– Deux petites minutes, dis-je à Nicolas, en évitant de prononcer son prénom.

Dans la famille, ces trois syllabes signifiaient le mauvais œil ! Je leur fis signe que je sortais – comme s'ils ne l'avaient pas compris – et traversai la brasserie, les jambes flageolantes.

– Je suis là, finis-je par lui dire après avoir tiré une longue bouffée sur ma cigarette.

– Tu dois être en plein déjeuner, je n'ai pas fait attention à l'heure.

– Pas de problème, nous t'avons assuré de notre disponibilité.

Tu parles ! Platitude professionnelle pour meubler la conversation.

– Je ne vais pas te retenir longtemps. Je t'appelle pour deux choses précises. Tout d'abord, il y a peu de chance que Pacôme soit présent.

J'arrêtai immédiatement de faire les cent pas.

– Pourquoi ?

– Écoute, tu vas apprendre à le connaître, mais il a souvent la bougeotte. Sur un coup de tête, il a pris la route avant-hier pour aller je ne sais où ! Et rien ne garantit qu'il sera rentré. Pour être honnête avec toi, il n'a même pas prévu d'être là.

– Notre séance de travail était programmée, rétorquai-je, pète-sec.

– Je saurai très bien me charger du lancement.

Monsieur susceptible était de retour, j'avais oublié à quel point il craignait toujours qu'on doute de lui.

– Ce n'est pas le problème, mais il faudra qu'il mette la main à la pâte. Cela ne fonctionnera que si vous êtes engagés tous les deux.

– Je me charge de lui faire saisir l'enjeu. Mais il va falloir t'y habituer. Il peut nous claquer entre les doigts en moins de deux secondes, il faut s'attendre à tout, avec Pacôme…

– Je vois ça…

Évidemment, je craignais plus que tout de me retrouver en tête à tête avec Nicolas. Mais d'une certaine manière, l'absence de Pacôme m'arrangeait. Ces derniers jours, je n'avais pu m'empêcher de penser à lui et à la nuit que nous avions passée ensemble. Cet homme m'attirait trop, il était dangereux pour ma tranquillité d'esprit. Il était si proche de Nicolas, et certainement de sa femme, ils avaient vécu des moments, des événements qui font une vie, qui tissent des liens indéfectibles ; les voyages et les galères qui vont avec, la création de leur entreprise, le retour en France. Ils devaient former leur famille. Qu'il soit absent pendant mon passage aux Quatre Coins du monde me prouvait le peu d'intérêt qu'il me portait, c'était aussi bien.

– Nous avancerons donc sans lui, me repris-je. De quoi d'autre souhaitais-tu me parler ?

– J'ai pensé que, comme tu viens deux jours, tu pourrais dîner à la maison demain soir. Je te présenterais Héloïse et les enfants. Pour tout te dire, c'est son idée.

Je nageais en plein cauchemar.

– Qu'en dis-tu ?

Que pouvais-je répondre à une telle proposition ?

– On s'est dit que c'était plus sympa pour toi que de passer la soirée toute seule dans ta chambre d'hôtel.

Je n'ai pas besoin de baby-sitter, ni que ta femme marque son territoire pour rester à ma place.

– C'est très gentil de votre part.

– Alors, on peut compter sur toi ?

La part voyeuse masochiste en moi répondit à la place de mon instinct de survie.

– Bien sûr, je me réjouis de rencontrer ta petite famille.

– Merveilleux ! Je t'embrasse, Reine, à demain.

Hagarde, sans prendre le temps de me recomposer un visage normal, je rejoignis la table.

– Qu'est-ce qui t'arrive ? me demanda Ludovic. On croirait que tu as vu un revenant !

Je levai un regard désemparé vers eux, j'étais dans la dix-millième dimension.

– Oh… une tuile supplémentaire pour le dossier de Saint-Malo. Rien d'insurmontable !

– 6 –

D'ici peu, je connaîtrais cette route par cœur. A13. A84. Fin d'autoroute à Avranches. Aperçu du Mont-Saint-Michel par temps clair. Sortie Saint-Malo. Mains moites. Virage dangereux. Radar. Pleine vue sur la Rance. La gorge sèche. Aquarium. Traverser Saint-Servan. Écluses. Envie de faire demi-tour. Longer les remparts. Prendre le quai Duguay-Trouin. Cigarette au vent. Entrer aux Quatre Coins du monde.

À peine eus-je franchi le seuil que j'aperçus Nicolas au comptoir. Il était concentré sur des documents et, malgré le brouhaha de l'entrepôt, semblait indifférent à son environnement. Noé avait exactement la même attitude quand il lisait ; la tête légèrement rentrée dans les épaules, la bouche de travers. De profil, seules leurs carrures pouvaient les distinguer. Je vis à quoi ressemblerait mon fils à quarante-deux ans. Je pris deux dernières secondes pour me ressaisir, pour tenir à distance Noé. J'avançai sans que Nicolas se rende compte de ma présence.

– Bonjour, finis-je par dire tout doucement pour ne pas l'effrayer.

Il leva le nez de sa lecture et se figea.

– Tout va bien ? m'inquiétai-je.

– Oui ! Excuse-moi, mais j'avais beau t'attendre, savoir que tu arriverais, j'ai toujours du mal à croire que c'est toi.

Il me décocha un sourire charmeur.

– On en est au même point, tu sais, lui répondis-je.

Il fit le tour de son comptoir pour m'embrasser chaleureusement comme si c'était la chose la plus naturelle du monde.

– On s'installe dans mon bureau, ça te convient ?

– Où tu veux.

Il aboya des ordres dans l'entrepôt et me fit signe de le suivre dans l'escalier. Passant devant le bureau de Pacôme dont la porte était restée ouverte, je me retins d'y jeter un coup d'œil. Je découvris celui de Nicolas, qui lui était en tout point opposé. Il cochait toutes les cases de la panoplie du parfait *petit* patron ; le vaste bureau en bois foncé, le grand fauteuil en cuir noir, l'écran d'ordinateur géant, les étagères pliant sous le poids des dossiers et la photo de famille encadrée. Je fis en sorte d'oublier qu'elle était là. Cette pièce était deux fois plus spacieuse que le bureau de Pacôme et tellement ostentatoire, en comparaison. Nicolas se vautrait dans sa réussite. Les souvenirs atténuent les défauts, j'avais oublié à quel point il aimait être le meilleur en tout.

– Un café pour démarrer ? me proposa-t-il.

– Avec plaisir.

Les heures de travail et de réflexion s'enchaînèrent tout l'après-midi, sans que je voie le temps passer. Au contraire, je remontais le temps et je me surpris à y trouver du plaisir ou, du moins, à m'amuser un peu intérieurement. Je retrouvais le côté bon élève bien élevé de Nicolas. Lorsque nous étions étudiants, il avait beau jouer, user, voire abuser de la carte *Péril jeune* – l'étudiant rebelle, c'est moi –, il révisait, était studieux et avait de l'ambition, pour ne pas dire qu'il avait les dents qui rayaient le parquet. Il n'avait pas changé. Il bossait comme un dingue. Il percutait, relançait le débat, réclamait des arguments constructifs pour céder à mes propositions. Ce qui avait changé, c'était moi ; convaincue de ce que j'avançais, forte de mes compétences et de mon expérience, je ne m'écrasais plus. Il en était agacé et dérouté, je lui résistais. Jusque-là, il avait dû s'imaginer que je lui laisserais le dernier mot, comme avant, comme lorsque nous étions jeunes et que nous débattions de la vie. Noé ou pas, ce temps-là était fini. J'étais sûre de moi.

Deux fois, il dut interrompre notre séance de travail pour gérer une crise de livraison. Il en faisait suffisamment assez pour me faire prendre conscience qu'il s'agissait là de vrais problèmes, je l'entendais prendre les choses en main, en s'énervant, en élevant parfois la voix. Je le suspectais de rouler des mécaniques pour m'impressionner. Quand il revenait à nos moutons, il s'excusait, m'expliquant qu'avec les absences et les voyages répétés de Pacôme, cette situation était fréquente. Je ne ressentais aucune rancune chez Nicolas, plutôt de l'indulgence, une forme d'admiration, même, pour son associé. Après la seconde interruption, il m'adressa un sourire satisfait, sa bonne humeur était de retour, c'était reparti. En grand seigneur, il feignit d'ignorer son téléphone qui s'énervait et sa boîte mail pas loin de saturer, pour « se concentrer sur moi ». L'air de rien, je l'observais à la dérobée, Nicolas était une machine ; il travaillait, se donnait les moyens de réussir, d'avoir une vie organisée, lisse, cohérente, sans cadavre dans le placard. Tout en voulant être le centre du monde. Hier, cela m'attendrissait, aujourd'hui, cela me laissait indifférente, même si je craignais sa réaction quand il découvrirait l'existence de Noé. Ce n'était pas un cadavre qu'il avait dans le placard, mais un fils de dix-sept ans d'un mètre quatre-vingt-cinq.

La nuit était tombée. Il devait être plus de 19 heures. Pourtant, nous ne bougions pas. Je n'étais pas particulièrement pressée de mettre un terme à cette demi-journée de travail. Qui disait fin de journée disait soirée, et disait dîner chez Nicolas et sa femme. Rien que l'idée de partager un repas avec eux me donnait la nausée…

Nicolas lisait un document que je lui avais préparé tandis que je faisais la synthèse des dernières heures pour l'envoyer à Paul. Au bout de quelques minutes, mes nerfs furent à fleur de peau. Quand il était concentré, Nicolas mâchouillait toujours le bouchon de ses bics, il le faisait à vingt-quatre ans et, à bientôt quarante-deux, cette habitude ne lui était apparemment pas passée. Ça m'agaçait toujours autant.

– Arrête, lui ordonnai-je.

– Quoi ?

Je lui lançai un coup d'œil en biais, il sourit avec désinvolture, exactement comme avant, quand il cherchait à me charmer, exactement comme Noé quand il cherchait à m'embobiner.

– Tu sais très bien.

– Pas du tout…

Nos regards s'accrochèrent, on se défia quelques secondes en ayant bien du mal à rester sérieux. Un fou rire irrépressible finit par nous saisir.

– Les disputes pour rire !

On avait parlé en même temps. C'était un de nos trucs lorsque nous étions ensemble et, avant même d'avoir échangé notre premier baiser, on faisait exprès de se titiller pour une broutille, pour en rire après ; pour avoir le plaisir de se réconcilier, on faisait semblant de se faire la tête. Et Nicolas, en se transformant en rongeur de stylo, savait pertinemment qu'il allait déclencher cette réaction chez moi.

– Tu as fait exprès ? lui demandai-je, des larmes de rire plein les yeux.

Il se passa la main dans les cheveux, faussement gêné.

– Un peu, pour tout te dire, je voulais savoir si ça marchait toujours aussi bien sur toi.

Sans cesser de me sourire, il s'avachit dans son fauteuil et passa les mains derrière la nuque pour faire craquer ses articulations. Je me relâchai également. Avec un naturel déconcertant, on se mit à évoquer nos années étudiantes, les copains de l'époque, les plans foireux, les soirées trop arrosées, les traversées de Paris en pleine nuit tous les deux sur son vieux vélo hollandais. C'était bon de rire avec lui. Je n'aurais pas dû le faire, mais c'était plus fort que moi, j'avais l'impression de me réconcilier avec ma jeunesse, ces années auxquelles je m'interdisais de penser depuis si longtemps. Et lui semblait tout aussi heureux que moi d'en rire.

– Je suis content qu'on puisse avoir cette conversation tous les deux sans être embarrassés.

– C'est assez marrant, je te l'accorde.

– Oui… mais pas que…

Son regard parcourut toute la pièce, il cherchait ses mots. Après quelques secondes d'hésitation, il me fixa à nouveau, d'un air désolé d'où la pitié n'était pas totalement absente.

– Reine, j'ai toujours regretté que cela se soit terminé de cette façon, entre nous.

Je n'aimais pas du tout la tournure que prenait la conversation, il était redevenu sérieux, et, s'il y avait bien un sujet que je ne souhaitais pas aborder, c'était celui de notre séparation.

Nicolas, à la fin de son école de commerce, avait eu une opportunité en or pour aller travailler en Inde. Pourtant, à cause de nous, il avait hésité. Confiante, je l'avais poussé à partir, je n'avais pas eu besoin d'insister trop longtemps. Nous étions forts, nous allions tenir le coup et, dès que j'aurais fini mon école d'art, je le rejoindrais. Les premières semaines, il m'avait appelée dès qu'il le pouvait. Et puis, les nouvelles s'étaient faites plus rares, le peu de fois où l'on se parlait, on avait eu de moins en moins de choses à se dire. Moi, coincée à Paris, pendant que lui vivait sa grande aventure. Pourtant, j'y croyais encore. On est plein d'illusions, à cet âge-là. Les semaines avaient passé au même rythme. J'avais appris que j'étais enceinte, en secret j'avais cherché à avorter. La catastrophe s'était aggravée lorsqu'on m'avait annoncé qu'il était trop tard. À partir de là, je m'étais acharnée à le joindre, j'avais désespérément besoin de lui. Je voulais qu'on trouve une solution à deux. J'avais même appelé ses parents pour qu'ils m'aident à lui parler, sans, bien évidemment, évoquer *mon problème*, ils n'avaient rien fait. Pour eux, j'étais juste une gamine amoureuse de leur fils qui s'accrochait en dépit du bon sens. Tous les jours, je contactais l'auberge de jeunesse où il vivait. Parfois, ça sonnait dans le vide, d'autres fois on me répondait dans une langue inconnue, une fois, c'était un Français qui m'avait répondu en me disant que Nicolas n'était pas là. Tout portait aujourd'hui à croire qu'il s'agissait certainement de Pacôme. Nicolas avait fini par me rappeler. Après des excuses peu convaincantes pour expliquer son silence radio, il s'était mis à parler de la pluie et du beau temps, en bafouillant. J'aurais dû comprendre, mais je ne pensais qu'à une chose : comment lui annoncer qu'il allait devenir papa ? J'avais mis ses hésitations sur le compte de la distance. Je me trompais lourdement.

– Reine, j'ai quelque chose à te dire…

– Je t'écoute.

Les secondes s'étaient éternisées.

– Putain… je ne pensais pas que ce serait aussi dur.

Là, j'avais compris.

– Tu as rencontré quelqu'un ?

Nouveau blanc, qui avait confirmé mon intuition.

– Je te jure que je ne voulais pas, pour moi, c'était impossible, mais… je suis vraiment amoureux d'elle.

À cet instant précis, j'étais devenue adulte, j'avais perdu mes illusions, mes rêves de grand amour qui finit bien.

– On a été bêtes d'y croire, lui avais-je balancé.

– Je ne suis pas près de rentrer, mais quand je passerai en France, je t'appellerai et on se verra, on se parlera.

– Non, Nicolas. C'est inutile. C'est terminé, tu mènes ta vie, laisse-moi mener la mienne.

– Je comprends. Je ne t'oublierai jamais, Reine.

– Moi non plus.

Je n'avais jamais été aussi sincère. Je ne lui avais rien dit sur le bébé qu'il m'avait fait avant de me quitter. Je le savais assez intègre pour assumer ses responsabilités, mais je ne voulais pas de lui contraint, forcé et en colère après moi parce que j'aurais gâché sa vie. Le chagrin et la déception avaient pris le pas sur la raison et l'honnêteté ; en une fraction de seconde, j'avais pris la décision d'élever seule, sans père, cet enfant dont je ne voulais pas.

Finalement, dix-huit ans plus tard, nous nous retrouvions l'un en face de l'autre et Nicolas me présentait ses excuses. S'il avait su…

– Il y a prescription, le coupai-je, magnanime, en chassant ces mauvais souvenirs. On était des gamins.

Il sourit tristement.

– Bien sûr, mais je tenais à te le dire.

– C'est gentil.

Que pouvais-je répondre d'autre ? Que cela ne servait à rien ? Qu'on ne pouvait pas récrire l'histoire ? Il semblait croire qu'on pouvait remettre les compteurs à zéro, sans doute pour se déculpabiliser de cette broutille qui lui collait de nouveau à la peau depuis que j'avais fait irruption dans sa vie. Moi seule savait que c'était impossible.

– Tu as conscience que cette conversation est totalement surréaliste alors que tu t'apprêtes à me présenter ta femme et tes enfants ?

Il rit en jetant un coup d'œil à sa montre.

– Pas faux. D'ailleurs, il serait temps qu'on y aille et puis, on a bien bossé, non ?

J'acquiesçai, sans un mot, sentant à nouveau l'angoisse enfler à l'idée de ce dîner.

– Tu viens avec moi et je te ramènerai à ton hôtel, c'est aussi simple.

En rangeant mes affaires étalées sur la table, je découvris plusieurs appels en absence de Noé.

– Tu me laisses cinq minutes ? Je dois parler à mon fils.

– Bien sûr, prends ton temps, il est encore petit, sa maman doit lui manquer.

Le rouge au front, je quittai précipitamment son bureau, avec le désir de m'échapper, loin, très loin de lui, de sa famille, je voulais retrouver Noé, le serrer dans mes bras et oublier que son père était à quelques mètres de moi. Je m'assis à l'abri, dans ma voiture, cigarette aux lèvres, pour écouter la voix de mon fils.

– Salut, maman !

Sa gaieté me fit sourire, malgré les larmes de manque qui montaient.

– Ça va, mon trésor ?

– Nickel, et toi ?

Je lui rappelai où trouver le plat qu'il n'avait qu'à réchauffer au micro-ondes, et comme d'habitude, toutes les recommandations de rigueur. Il rit, se moquant de moi sans complexe.

– Ne te couche pas trop tard, d'accord ? insistai-je.

– Promis ! Toi non plus, maman.

– Ne t'inquiète pas, je ne compte pas m'éterniser. Dès que je peux, je rentre.

– Bisous.

– Je t'aime.

Il rit dans le combiné avant de raccrocher. Mon regard se perdit dans la nuit noire, j'étais fatiguée et la soirée s'annonçait longue. J'avais pris conscience que le temps du mensonge tirait à sa fin, pourtant je grappillais encore un peu en continuant à mentir à tout le monde. Je ne me supportais plus. Je voulais disparaître.

– Reine ? Tu vas bien ?

Je pris une profonde inspiration pour me reprendre et hochai la tête en guise de réponse, incapable de parler sans craquer.

– C'est dur, quand on est loin d'eux. Je ne supporte pas de ne pas voir les enfants, c'est pour ça que Pacôme fait tous les voyages ; tu me diras, ce n'est pas pour lui déplaire.

Moins d'un quart d'heure plus tard, je franchissais un portillon. Je m'étais trompée, il ne vivait pas dans un pavillon, mais dans une jolie maison de charme des années trente à deux étages, à trois cents mètres de la plage. La maison parfaite pour la vie parfaite de la famille parfaite. Tout était définitivement cohérent chez Nicolas. J'aperçus la tête d'une petite fille à une fenêtre, suivie rapidement par un « Voilà papa ! » strident. La porte s'ouvrit avec fracas et Nicolas eut tout juste le temps de se préparer pour recevoir un projectile en pyjama dans les bras. Instinctivement, je fis un pas en arrière. Comment survivre à cette soirée ?

– Bonsoir, mon ange, lui dit Nicolas d'une voix douce.

Elle s'agrippa très fort à son cou et me remarqua.

– C'est toi, la reine ?

Je la remerciai intérieurement pour l'amusement aussi soudain qu'inespéré. Nicolas me regarda, dépité. Il ne jouait plus un rôle, il était lui dans sa famille ; son attitude spontanée me rassura sur l'homme qu'il était.

– Désolé, on n'a pas réussi à lui faire comprendre que c'était ton prénom. Dis bonjour à Reine, Inès, s'il te plaît.

Elle n'en eut pas le temps. La maison semblait en proie à la plus grande agitation. Pour preuve, le « Merde, le chien ! » qui retentit. Je vis arriver droit sur nous une masse de poils retenue avec difficulté par une femme. La femme de Nicolas.

– Rentrez vite, je n'arrive pas à le calmer, nous dit-elle en riant.

Elle aussi était parfaite. Jolie, souriante, avenante, simple, sans chichis. Je suivis Nicolas, qui l'embrassa du bout des lèvres au passage avant de déposer sa fille par terre. Tout y était dans cette entrée, les quarante manteaux qui tenaient miraculeusement sur la patère, les paires de chaussures dépareillées qu'on avait poussées sous un meuble, pour faire comme si c'était rangé, les cartables et les sacs de sport. L'entrée d'une famille heureuse et débordée. Je me sentis totalement empotée avec mon orchidée dans les mains et me figeai devant elle. On se dévisagea sans réussir à prononcer un mot pendant ce qui me sembla une éternité.

– J'avais prévu un autre accueil, s'excusa-t-elle, sincèrement gênée.

Nicolas se glissa entre nous et attrapa le chien par le collier.

– Je m'en occupe. Reine, Héloïse. Héloïse, Reine.

Plutôt brèves, les présentations. Il prit la poudre d'escampette, nous laissant lâchement en tête à tête. Elle le suivit du regard, désappointée et amusée à la fois.

– Mais qu'il est bête !

J'étouffai un rire nerveux. Où était passé le grand patron charmeur et sûr de lui ? Elle se retourna vers moi en levant les yeux au ciel :

– L'art des hommes pour mettre tout le monde à l'aise.

– Effectivement.

On échangea une bise maladroite, puis elle me sourit.

– Reine, je pense que la situation est aussi étrange pour toi que pour moi ? Et cet imbécile n'arrange pas les choses !

– On est d'accord, lui répondis-je, soulagée qu'elle réagisse de cette façon.

Je lui tendis la plante que j'avais achetée le matin avant de quitter Rouen.

– Je te remercie, c'est très gentil de ta part, tout à fait inutile, mais ton geste me touche. Entre ! Tu ne vas pas rester là !

Je passai dans un grand séjour où les quelques minutes de paix prirent brutalement fin. Leurs deux aînés nous attendaient là. Salomé, leur grande, était à l'image de sa maman, souriante, espiègle. Mais Adam, celui du milieu, était le clone de mon Noé à six ans. Même regard doré, mêmes épis dans les cheveux, même nonchalance. C'était comme si je me retrouvais onze ans plus tôt, j'aurais aimé le prendre dans mes bras, ce petit garçon, l'appeler Noé, le dévorer de bisous comme je le faisais quand il était petit. Je me mordis l'intérieur de la joue pour rester présente, pour ne pas m'effondrer, pour me concentrer sur une douleur physique et pas sur celle de mon cœur. Ils vinrent m'embrasser, je réussis à leur sourire et à échanger quelques mots avec eux, je n'aurais pas été capable d'en répéter un seul. Je ne m'entendais pas parler. Je n'avais pas l'impression d'habiter mon corps pendant que j'imposais à Héloïse de lui donner un coup de main en cuisine ou les complimentais sur leur jolie maison. Je n'étais pas non plus dans mon corps lorsqu'on trinqua autour de la table basse et que j'aperçus sur un mur des photos de leur mariage, de la naissance des trois enfants. Des clichés débordant de bonheur à la maternité. Je refusais de regarder celles de Noé, à la clinique, tant les souvenirs étaient douloureux et culpabilisants. Pourtant, je savais que Paul en avait fait de magnifiques, tout en pudeur, en respectant ce qui m'arrivait. Ici, ces images transpiraient la joie.

Une réalité que je refusais d'affronter depuis que Nicolas avait reparu dans ma vie s'infiltrait dans tout mon être ; Noé avait deux petites sœurs et un petit frère. Au-delà d'avoir privé mon fils d'un père, je l'avais privé d'une fratrie, moi à qui ma sœur était indispensable pour vivre. Noé aurait pu avoir cette belle famille, il aurait dû avoir cette belle enfance, être élevé par ce père si attentionné. J'avais volé à mon fils une part de sa vie. J'imaginais sans difficulté que ce n'était pas rose tous les jours, comme dans chaque famille, mais à eux cinq, ils représentaient la famille idéale. Leur complicité, les chatouilles, les chamailleries entre frère et sœur, la tablette réclamée en mode disque rayé, l'agacement des parents quand les enfants voulurent piquer des gâteaux apéritifs sur le plateau alors qu'ils avaient déjà dîné depuis longtemps ou lorsqu'ils n'arrêtaient pas de nous couper la parole. Et eux deux, Nicolas et Héloïse. Ils s'aimaient si fort, ils n'avaient pas besoin de se parler pour se comprendre, ils étaient beaux, ils ne faisaient qu'un. Ils étaient faits pour être ensemble. J'aurais aimé vivre une telle histoire avec un homme. La vie en avait décidé autrement, mais j'étais profondément et sincèrement heureuse pour Nicolas, pour elle aussi, alors que je ne la connaissais pas. Dans le secret de mon cœur, j'avais craint être dévorée par la jalousie en la découvrant, c'était tout le contraire. L'espace d'un instant, je me dis que si Noé me rejetait à leur profit, je pouvais être rassurée, ils s'occuperaient bien de mon fils. Il n'y aurait pas mieux qu'eux pour le protéger, pour le rendre heureux. Je ne doutais pas qu'il puisse trouver sa place parmi eux.

Quand il fut l'heure pour les enfants d'aller au lit, je leur dis de ne pas se préoccuper de moi et que j'allais en profiter pour fumer une cigarette dans le jardin. Héloïse, en parfaite maîtresse de maison, vint m'apporter un cendrier.

– Oh… tu me fais envie, tu n'as pas idée. Ça fait dix ans que j'ai arrêté, mais ça me démange toujours autant !

– Ça te gêne, peut-être ?

– Oh non ! Fais-toi plaisir ! Je file !

Elle referma la porte-fenêtre derrière elle et je me retrouvai nez à nez avec le chien.

– Toi aussi, tu plairais à Noé, murmurai-je.

Merci le charme de l'ancien à l'isolation douteuse ! À moins de me boucher les oreilles, je n'eus d'autre choix que d'entendre cette scène de la vie quotidienne d'une famille. Va te brosser les dents ! Encore un bisou, papa ! Maman, je veux pas faire dodo ! Adam, il m'embête !

Une histoire, papa, s'il te plaît. Et les rires, et les larmes, et les maintenant, ça suffit ! Bien sûr, j'avais eu le droit comme toutes les mamans à ces séances de coucher difficile, mais c'était plus calme, il n'y avait pas cette joyeuse cacophonie familiale. Je prenais violemment conscience que tout était plus triste chez nous, en comparaison à chez eux. J'avais aussi privé mon fils de la gaieté du quotidien d'une famille nombreuse.

Nicolas redescendit le premier, il me retrouva dans le salon où je pianotais sur mon téléphone pour me donner une contenance.

– Ça fait du bien quand ça s'arrête, me dit-il en s'écroulant dans le canapé.

– Vos enfants sont très mignons.

La fierté paternelle illumina son visage.

– Merci. Ils sont plutôt cool, c'est vrai. Et Noé, il est…

Un éclat de rire au loin nous interrompit à mon grand soulagement. Nicolas fronça les sourcils, je me détournai, cherchant à savoir ce qui se passait.

– Regardez qui grattait à la porte ! chantonna Héloïse.

Pacôme venait d'apparaître comme par magie. Je n'étais pas du tout préparée à le voir, j'avais déjà bien du mal à tenir le coup face à l'image de la famille idéale, alors devoir feindre l'indifférence vis-à-vis de lui me semblait au-dessus de mes forces. Sauf que le simple fait de le voir me donnait l'impression de mieux respirer. Nicolas le rejoignit en riant, ils échangèrent une accolade.

– Qu'est-ce que tu fous là ?

Son débarquement à l'improviste semblait la chose la plus naturelle qui soit. Il était chez lui, dans cette maison. À les voir tous les trois côte à côte, leur complicité était flagrante.

– Tu vois, Reine, quand je te disais qu'on pouvait s'attendre à tout, avec lui ! enchaîna Nicolas en se tournant vers moi.

Pacôme ne sembla remarquer ma présence qu'à cet instant.

– Tiens, salut, Reine ! J'avais complètement oublié que tu étais là.

Nous étions passés du vouvoiement séducteur au tutoiement « on a élevé les vaches ensemble ».

– Tu exagères ! lui rétorqua Nicolas, mal à l'aise.

L'invité de dernière minute s'approcha de moi, sourire boudeur aux lèvres. Il paraissait exténué, ses yeux étaient rougis par le manque manifeste de sommeil. Il me claqua une bise amicale sur la joue.

– Bonsoir, réussis-je à lui répondre non sans mal.

Il s'éloigna aussi vite qu'il s'était approché. D'autant plus qu'une petite voix se mit à l'appeler.

– Merde ! Tu as réveillé Inès, râla Nicolas.

Effectivement, elle débarqua pieds nus dans le salon, les cheveux déjà tout ébouriffés de sommeil, et tituba jusqu'à Pacôme, qui la souleva dans ses bras.

– Pas de panique, les parents, je vais la recoucher.

Il prit immédiatement la direction de l'étage. Je ne pus m'empêcher de le suivre des yeux. Mon ego n'aurait pas été contre un minimum d'intérêt de sa part, mais son attitude allait me faciliter les choses.

– Passons à table, il en a pour des plombes, m'apprit Héloïse. Il nous rattrapera en cours de route.

En prenant tous les trois la direction de la salle à manger, impossible d'échapper à la conversation entre Inès et Pacôme qui avait lieu dans la cage d'escalier.

– T'as vu, y'a une reine à la maison, lui disait-elle.

Ils rirent de concert.

– Pourquoi je suis venu, à ton avis ?

– Oh…

Je fixai mes pieds, ne sachant que penser de cette remarque, ni comment réagir face à Nicolas et sa femme. Chacun fit semblant de ne rien avoir entendu. C'était parfait.

Pacôme prit un temps fou avec les enfants à l'étage, nous entendions le chahut au-dessus de nos têtes, il ne se contentait pas de recoucher la petite dernière, les deux aînés avaient eux aussi droit à sa visite. Nicolas et Héloïse ne s'en préoccupaient pas, cela aussi était naturel, Pacôme faisait ce qu'il voulait avec leurs enfants. Du coup, ils se concentraient sur moi, me soumettant au feu de leurs questions au sujet de Noé. Impossible de me dérober à moins de prendre le risque de leur mettre la puce à l'oreille. Héloïse y allait franchement :

– Quand je pense que l'année prochaine, c'est le collège ! Tu y crois, toi ?

Forcément, pour elle, Noé avait le même âge que Salomé. Le collège… un autre siècle pour moi. J'en étais déjà au bac et à la préparation de l'entrée à la fac.

– Pas vraiment, ils grandissent vite.

– À qui le dis-tu ! Je vais peut-être te paraître indiscrète, mais quand tu bouges pour le boulot, où est-il ?

Nicolas lui avait donc raconté que je l'élevais seule.

– Chez Paul…

– Ton associé ? C'est ça ?

Elle était au courant de tout et retenait chaque information. D'un côté, cela me soulageait : au moins, comme ça, il n'y avait aucune ambiguïté. Certes, elle était curieuse, mais sans être voyeuse. Nous avions simplement une conversation de maman à maman. Et c'était nouveau pour moi. Quand Noé était plus petit, j'étais plus jeune que toutes les mamans que je côtoyais à l'école, je n'avais jamais créé de liens particuliers avec elles, la seule maman avec qui je parlais était ma sœur – dont les enfants étaient plus âgés que Noé. J'aurais donné beaucoup, à l'époque, pour avoir un compère tel qu'Héloïse. Une amie. Au-delà de ma condition de mère célibataire, mes mensonges, mes secrets m'avaient empêché de nouer de véritables amitiés. J'avais toujours eu peur du jugement et, surtout, que tout soit dévoilé à Noé. Alors, j'avais maintenu une distance de sécurité avec chaque personne rencontrée.

– Oui, et quand Paul m'accompagne en déplacement ou qu'il n'est pas dispo, il va chez ma sœur. Noé s'adapte à tout, il est merveilleux…

Bien malgré moi, je piquai un fard. Non, mon fils ne s'adapterait pas à la situation quand il apprendrait toute la vérité.

– Montre-le-nous ! Tu as forcément des photos de ton fils dans ton téléphone ! s'excita Héloïse.

Je me liquéfiai sur place.

– Euh… oui, bien sûr ! Après dîner, je te le montre.

Il fallait que je trouve une parade d'ici là.

– Au fait, comment vont Anna, Ludovic et tes parents ? s'enquit Nicolas.

Ils ont tous envie de te tuer par ma faute, à part ça…

– Tout le monde est en forme !

On entendit une cavalcade dans l'escalier, puis les placards dans la cuisine s'ouvrir, se fermer et enfin Pacôme nous rejoignit avec son couvert entre les mains. Il prit la chaise libre à côté de moi.

– Ils dorment comme des loirs ! Alors, qu'est-ce que j'ai raté aujourd'hui ? nous interrogea-t-il en se servant dans le plat.

Je regardai Héloïse, gênée que le sujet du travail prenne toute la place à son dîner. Elle comprit immédiatement.

– Ne t'inquiète pas pour moi, j'ai l'habitude. Les Quatre Coins du monde dînent régulièrement à la maison ! Je vis avec depuis quinze ans !

Je lui aurais sauté au cou de gratitude ; au moins, tant que nous parlions boulot, je n'avais pas à mentir au sujet de Noé. Sans le savoir, elle venait de m'offrir une pause dans le chaos et me permettait de tester ma résistance face à Pacôme. Nicolas et moi, nous prîmes la parole en même temps.

– Laisse-la parler, exigea Héloïse, clairement taquine. C'est sa partie, pas la tienne.

Pacôme retint un rire, moi aussi d'ailleurs. Nicolas se renfrogna quelques secondes, vexé de s'être fait remettre à sa place par sa femme, puis il me sourit en signe de capitulation. Je me lançai donc, expliquant à Pacôme comment nous avions dégrossi le chantier, les pistes de réflexion sur lesquelles Paul et moi nous étions penchés depuis une semaine, ma vision sur le long terme. Il m'écoutait attentivement, sans me regarder ni me couper la parole. Je rentrai dans les détails, allant au-delà de ce qui était déjà fait, j'approfondis ma pensée, décrivis les photos envisageables pour leur plaquette, pour leur site Internet. Je voulais allier l'histoire des Quatre Coins du monde à celle de Saint-Malo, jouer la carte du voyage, des grands explorateurs, et, pourquoi pas ?, des corsaires. Créer leur petite histoire dans la Grande Histoire, faire rêver leurs clients, les embarquer en voyage, en mettant aussi la lumière sur leurs locaux. Au-delà de ce que m'avait expliqué Pacôme et de sa passion, j'avais saisi qu'ils devaient jouer la carte de l'authenticité et du conteur : ils étaient légitimes sur ce terrain-là, du moins c'était mon sentiment. J'étais tellement à ce que je faisais, qu'au moment du café, je sortis de table un bref instant pour aller récupérer du papier et un crayon dans mon sac à main. Je fis une rapide esquisse d'un nouveau logo qui me trottait dans la tête. Dessiner me permettait de me concentrer sur autre chose que sur Pacôme dont je sentais le regard de plus en plus appuyé sur moi, dont le parfum de verveine me renvoyait dans ses bras. Je finis par lui tendre le croquis, il l'attrapa, l'observa attentivement. Ses yeux se plantèrent soudain dans les miens, il était concentré, mais étrangement ailleurs.

– Montre ! lui ordonna Héloïse.

Face à son manque de réaction, elle lui arracha la feuille des mains.

– La vache ! Reine, je suis bluffée… me dit-elle.

– C'est trois fois rien, tu sais…

– Non, chapeau, franchement, pas que pour le dessin. Ta démonstration était passionnante. Tu as mis le doigt sur ce dont ils rêvent depuis des années. Je veux dire, Nicolas m'avait prévenue que tu étais douée, je n'en doutais pas… mais je me dis que ces deux idiots auraient dû faire appel à vos services plus tôt ! Je n'aurais plus besoin de bosser aujourd'hui !

Sa remarque m'amusa, je décidai d'aller sur le même terrain qu'elle, l'atmosphère devenait trop étrange, trop lourde à gérer. Nous étions les seules à parler, Pacôme était mutique, le regard perdu au loin, Nicolas ne disait pas un mot non plus, il fixait son associé.

– Attends, ce n'est qu'un début et cela ne dépend pas que de Paul et moi, il faut qu'ils y mettent de la bonne volonté.

– Compte sur moi pour les secouer.

On rit toutes les deux. Décidément, elle me plaisait. Si seulement la situation n'avait pas été ce qu'elle était, j'aurais aimé m'en faire une amie.

– Pacôme, tu ne dis rien, remarqua Nicolas.

Il vida son verre de vin, mais ne dit pas un mot pour autant. Mon enthousiasme retomba immédiatement.

– Si cela ne te convient pas, commençai-je, on va reprendre les choses tranquillement demain, rien ne presse, tu sais. Tu me diras ce que tu souhaites…

Ses yeux gris s'accrochèrent aux miens sans laisser paraître la moindre émotion. D'un coup, ils s'illuminèrent d'un éclat particulier, avant de se poser furtivement sur mes lèvres.

– Merci, souffla-t-il.

– Je t'en prie, lui répondis-je, soulagée et à nouveau troublée.

Au milieu de la tempête intérieure dans laquelle je me débattais au sujet de Noé, où trouver les ressources pour lutter contre l'attirance que je ressentais pour lui ?

– Dis donc, Nicolas, intervint Héloïse. Il faudrait peut-être que tu songes à ramener Reine à son hôtel. Non pas que je veuille vous mettre à la porte, mais on bosse tous demain. Je fais ma première piqûre à 6 h 30 !

– Tu as raison, lui répondis-je en me détachant à regret de Pacôme.

Tout le monde se leva de table, je commençai à débarrasser, malgré les tentatives d'Héloïse pour m'en empêcher.

– Reine, attends deux secondes, nous interrompit Pacôme. Tu es au même hôtel que la dernière fois ?

C'est une plaisanterie !

– Comment sais-tu où elle descend ? lui demanda Nicolas, sidéré.

Pacôme secoua la tête, moqueur, limite sale gosse insupportable.

– Je sais être poli et tu oublies que c'est moi qui l'ai accueillie il y a quinze jours. Autant t'éviter une balade nocturne.

Ils se retournèrent tous vers moi, suspendus à ma réponse.

– Oui, je suis au même.

Son sourire nonchalant me fit à nouveau perdre pied et oublier complètement où nous étions. Héloïse frappa dans ses mains :

– Dans ce cas, filez vous coucher, tous les deux !

Elle s'approcha de Pacôme et le dévisagea d'un air réprobateur :

– Dors, toi, tu as une sale gueule…

Elle avait raison. Eux aussi entretenaient des conversations silencieuses.

– Ne t'inquiète pas, parfois, ça vaut la peine d'être claqué.

Ils nous escortèrent tous les deux dans la rue, Nicolas tendit mon sac de voyage à Pacôme. J'en profitai pour dire au revoir à Héloïse et réalisai que tout le monde avait oublié que je devais leur montrer des photos de Noé. J'avais eu chaud.

– Merci beaucoup, j'ai passé une excellente soirée.

– Moi aussi. Je craignais tout le contraire et je suis très heureuse de te connaître.

Tu ne devrais pas. Je vais te gâcher la vie, à toi aussi.

Le trajet jusqu'à Intra-Muros se fit en silence. Par moments, je sentais son regard sur moi, sans chercher à en analyser la signification ; à d'autres, il devait sentir le mien sur lui. Il se gara et, sans échanger un mot, on sortit de la voiture, il récupéra mon sac dans le coffre. Pourquoi sa présence me permettait-elle de me sentir si libre ? Dès qu'il était près de moi, j'oubliais mon fils, Nicolas et sa famille, mes mensonges. De toutes mes forces, j'essayais de me convaincre de m'éloigner.

– Merci d'avoir joué les chauffeurs, chuchotai-je.

Il ricana tristement.

– Je n'ai pas fait grand-chose, j'habite juste là.

Il désigna l'immeuble derrière moi. J'y jetai un coup d'œil. Je n'étais pas étonnée de découvrir un hôtel d'armateurs, avec sa grande porte imposante, près des remparts, je sentais la mer de là où nous étions. Et nous étions à cinq minutes à pied de mon hôtel…

– Peu importe, lui répondis-je. Tu m'as quand même ramenée à bon port.

Il me dévisagea, traversé par le doute, l'hésitation. Malgré le désir profond qui me tenaillait le ventre, je n'étais pas stupide au point de jouer les séductrices de pacotille, surtout qu'il ne le fallait pas. Cela ne servait à rien de rester piqué l'un devant l'autre en pleine nuit.

– On se voit demain matin, lui dis-je, souriante.

J'attrapai mon sac qu'il tenait à la main, il ne le lâcha pas.

– Passe la nuit chez moi.

– Pourquoi ferais-je une telle chose ?

Il tira sur la sangle pour m'attirer à lui, son bras s'enroula autour de ma taille, je me laissai faire, totalement incapable de lutter.

– Parce que tu en as autant envie que moi.

– Je croyais que notre affaire se compliquait, lui répondis-je en tentant de braver.

Sa bouche frôla sensuellement la mienne.

– Je viens de découvrir que j'aimais les histoires compliquées.

Je ne vis pas grand-chose de la montée de l'escalier. On traversa son appartement en faisant voler nos vêtements. La rencontre de nos peaux, de nos corps était aussi intense que la première fois. Plus urgente peut-être. Faire l'amour avec Pacôme était déstabilisant. Nous nous connaissions à peine et, pourtant, je ressentais tout le contraire. Nous partagions une intimité et une complicité qui semblaient nous dépasser l'un comme l'autre. À plusieurs reprises, on suspendit nos caresses et nos baisers pour se regarder, haletants ; dans ses yeux, je voyais combien il était perdu et, dans les miens, il devait voir combien, moi aussi, j'étais bouleversée.

L'édredon remonté sur nous, nous ne nous quittions pas du regard. Il passait machinalement la main dans mes cheveux. Je n'avais pas l'impression d'être avec le même homme que quelques minutes plus tôt. Pas d'expression. Il était neutre.

– C'est bien la première fois que je me tape mille cinq cents bornes pour une femme dans la journée, dit-il d'une voix blanche, comme s'il se parlait à lui-même.

J'esquissai un sourire timide.

– Tu n'avais donc pas oublié que j'étais là ?

– Non.

Il semblait loin, à des milliers de kilomètres de chez lui, de son lit, de moi.

– J'ai l'impression que tu regrettes…

– Non.

Il prit une longue inspiration, comme s'il sortait d'une apnée.

– J'ai besoin de prendre l'air.

Ahurie, je me redressai vivement en dissimulant mon corps sous le drap, mal à l'aise.

– Pardon ?

Sans se préoccuper de moi, il se leva. Je me sentais salie, trahie, surtout après ce que nous venions de partager. Apparemment, j'avais été la seule à ressentir quelque chose de particulier. Je faisais définitivement tout de travers. Pourquoi avais-je cédé ? Pour oublier tout le reste…

– Je vais rentrer à l'hôtel.

Il était déjà dans son jean, son dos se contracta, ses poings se serrèrent, puis il se tourna et s'appuya sur le lit tout près de moi, il semblait complètement déstabilisé.

– Non, reste ici, s'il te plaît.

– Pourquoi resterais-je ? Ma présence te dérange au point que tu veuilles sortir en pleine nuit.

– C'est moi, pas toi. J'ai été enfermé douze heures dans la bagnole, j'ai besoin de respirer. Je reviens très vite.

Il écrasa ses lèvres contre les miennes et fila en attrapant un pull au passage. En moins de trois minutes, la porte de son appartement se referma sans bruit. Je restai figée, sidérée par son départ. Je me forçai à réagir, non, je n'allais pas rester là, à l'attendre. Qu'allait-il me dire en rentrant de sa balade nocturne ? « Dégage, finalement » ? J'avais assez de raisons de me faire du mal, pour ne pas m'en ajouter une.

Bien malgré moi, je dus entamer une visite de son appartement pour me rhabiller. L'endroit était magnifique, avec ses plafonds de plus de trois mètres, son parquet en chevrons, ses outils maritimes d'une autre époque, la grande indienne tendue sur un mur. Les lieux lui ressemblaient – du peu que je connaissais de lui – et pourtant, il y avait un je-ne-sais-quoi de désuet, un peu suranné, figé dans le temps. Où que je pose les yeux, tout était une invitation au voyage. Impression renforcée par les sacs et les valises qui traînaient à droite et à gauche. Son empreinte, indéniablement. Ce fut plus fort que moi, je m'approchai des immenses fenêtres du séjour pour jeter un coup d'œil dehors. Je surplombais les remparts, la vue était imprenable, même de nuit. Et je le vis, accoudé au parapet, en plein vent. Il n'était pas allé bien loin. Que pouvait-il lui passer par la tête ? Nicolas m'avait répété à plusieurs reprises qu'il était imprévisible, c'était peu de le dire, il était même impossible à suivre. En l'observant, je fus partagée entre l'envie de lui obéir et de rester, et l'urgence de le fuir, il allait me faire souffrir, si ce n'était pas déjà fait. Je partis à la recherche de mes derniers vêtements, lorsque je remarquai les bibliothèques en acajou. Sans trop savoir pourquoi, je me dirigeai vers elles. Elles étaient éclairées par de petites lampes en laiton dont la lumière douce, diffuse, rappelait un éclairage à la bougie. Chez Pacôme, le temps n'avait plus de prise, je passais du présent au passé, et du passé au présent. Je parcourus les dos des ouvrages et je reçus un coup au cœur en découvrant plusieurs éditions de *Ces messieurs de Saint-Malo*. Noé venait de surgir dans cet appartement, comme s'il me regardait, qu'il était derrière mon épaule ; mon fils était toujours près de moi, quoi que je fasse. Mais comment aurais-je pu imaginer me retrouver face au roman qui lui tenait tant à cœur ? Ce roman qu'il avait dévoré quelques mois plus tôt. Qui m'aurait dit que je le retrouverais dans la bibliothèque d'un homme dont j'étais en train de tomber amoureuse et qui était le meilleur ami de son père ? Mon esprit galopait, créant un lien qui n'avait pas lieu d'être entre Pacôme et Noé. Je frôlai prudemment les volumes du bout des doigts. Ma main tremblait sous le coup de l'émotion.

– Tu connais ce livre ? chuchota Pacôme à mon oreille.

Bouleversée par cette découverte, je ne l'avais pas entendu rentrer. Je ne pouvais plus le fuir. Il sentait le vent, l'iode, l'air froid de la nuit.

– Non, lui répondis-je à contrecœur.

J'aurais tellement eu envie de lui parler de Noé, de lui dire que mon fils serait fou de joie de rencontrer un homme tel que lui.

– Je t'en parlerai un jour, me promit-il.

Je me retournai et nouai mes bras autour de son cou. Il semblait tellement plus serein qu'au moment de son départ en coup de vent, comme s'il avait pris une décision. Je cherchai ses lèvres, sa respiration pour qu'il me permette de respirer à nouveau. J'avais besoin de ses mains, de son corps, sur moi, en moi. Maintenant. Tout de suite. Tant pis s'il était imprévisible. Tant pis si c'était la dernière chose à faire. Tant pis si le chaos dans lequel j'étais déjà plongée s'intensifiait. Avant que tout explose, je voulais m'autoriser à vivre encore un peu.

Le lendemain matin, j'assistai à une véritable cérémonie. Pacôme faisait le café. Je m'assis sur une vieille chaise en bois dans la cuisine pour l'observer. Il sortit plusieurs boîtes d'un placard, les renifla les unes après les autres, en me jetant des coups d'œil réguliers. Comme si me regarder pouvait l'aider à faire son choix. Brusquement, il haussa les sourcils, satisfait et, après avoir déposé un baiser sur mes lèvres, mit de l'eau à bouillir. Il récupéra sur le plan de travail une cafetière à piston, elle devait avoir plusieurs décennies, tant le verre en était poli. Quelques minutes plus tard, l'atmosphère se chargea d'un puissant arôme. Ce que j'allais boire risquait d'être fort. Mais la nuit avait été courte, nous étions aussi fatigués l'un que l'autre, le remontant semblait indispensable pour affronter la journée. Pacôme me fit signe de le suivre dans le séjour jusqu'à une petite table haute installée devant l'une des fenêtres. Évidemment devant la mer, au-dessus des remparts. On s'assit l'un en face de l'autre et je me laissai servir. Je goûtai sans plus attendre. Autant le parfum était puissant et aurait suffi à réveiller un mort, autant le goût était délicat, rond en bouche et donnait envie de rester dans la douceur du réveil. Je lui adressai un grand sourire.

– J'ai bien choisi ?

– C'est parfait. Comment as-tu appris tout cela ?

– Les voyages, les expériences et puis, j'ai fait une formation de torréfacteur.

– C'est vrai ?

– Nicolas se charge des chiffres, je m'occupe du palais.

Ils étaient si différents l'un de l'autre. Comment arrivaient-ils à s'entendre au point d'être si fusionnels ? Mon attention fut aimantée par l'extérieur, j'étais bien, au chaud, chez lui, dans un univers sans âge, tandis que la pluie balayait le ciel avec fracas. Les vitres tremblaient sous l'effet du vent qui se déchaînait. Il faisait franchement mauvais, mais c'était magnifique, la mer était d'un vert profond, l'écume bouillonnait. C'était fascinant, j'aurais pu rester des heures à contempler ce qui se passait sous mes yeux.

– Comment se lasser d'une vue pareille ? remarquai-je.

– Impossible !

Il se leva, vint se placer derrière moi en passant son bras au-dessus de mon épaule pour me montrer le cap Fréhel à l'ouest, ou encore en face de nous l'île de Cézembre, et d'autres lieux au large dont je ne retins pas les noms, il souriait, fasciné par ce qu'il voyait.

– J'ai beau voyager, il faut toujours que je revienne ici, c'est une nécessité, c'est vital, même. Je suis accroché à mon rocher. Voir un tel spectacle tous les matins est sans comparaison. C'est bien pour cette raison que j'ai installé cette table à cet endroit précis.

– D'ailleurs, elle détonne un peu.

Il éclata de rire en reprenant sa place.

– C'est parce que c'est la seule chose que j'ai choisie moi-même !

– Comment ça ?

Cet appartement était celui de ses grands-parents ; enfant, il y avait passé toutes ses vacances, puis ses week-ends quand il avait fini par venir vivre à Saint-Malo pour ses années lycée. Ses grands-parents étaient des passionnés d'Histoire et particulièrement d'Histoire maritime, d'où les objets de navigation, les meubles patinés qui semblaient provenir d'une cabine de capitaine au long cours, les toiles de batailles navales du XVIIe. Il l'avait laissé tel quel lorsqu'il en avait hérité. On sentait chez lui un profond respect de la transmission. Pourtant, il m'expliqua que c'était Nicolas qui l'avait forcé à accepter ce cadeau.

– Pourquoi tu n'en voulais pas ? Ce n'est pas donné à tout le monde et tu y as tellement de souvenirs, d'après ce que tu me racontes !

Embarrassé, il soupira avant de me faire un sourire penaud :

– Dit comme ça, on a l'impression que j'ai craché dans la soupe.

– Pas nécessairement, tu devais avoir tes raisons.

– En réalité, depuis que je suis en âge de penser par moi-même, je ne veux aucun fil à la patte. Je veux pouvoir claquer la porte et filer à l'autre bout du monde si l'envie m'en prend. Alors, être propriétaire de cet appartement m'a terrifié !

Certaines cases commençaient à s'emboîter à son sujet. Libre comme l'air, c'était comme ça qu'il s'était décrit. Pacôme ne voulait jamais être entravé, quelle que soit la nature de l'entrave.

– Mais bon, Nicolas a réussi à me convaincre que j'avais besoin d'un endroit où poser mon coffre.

Je souris à l'anecdote.
– Comme les marins.
– Comme un marin, sans bateau…

La journée de travail fila sans que je m'en rende compte, l'efficacité et la concentration étaient de mise. Sans avoir besoin de se concerter, on garda nos distances, avec Pacôme. Pourtant, il prit l'ascendant sur Nicolas durant nos échanges, il semblait beaucoup mieux comprendre ce qu'il fallait mettre en place, il était enthousiaste comme un enfant et ne prêtait aucune attention aux tentatives désespérées de son associé de le faire revenir aux chiffres et à la productivité.

Puis, il fut l'heure pour moi de reprendre la route. Ils m'escortèrent jusqu'à la sortie, Nicolas dut nous quitter précipitamment – un appel qu'il devait absolument prendre –, une dernière occasion pour lui de briller dans le rôle de chef d'entreprise débordé sur tous les fronts. Pacôme réprima un rire. Il était tout aussi indulgent pour Nicolas, que Nicolas l'était pour lui. Il s'amusait et pardonnait la suffisance, l'égocentrisme de son ami, il l'admirait de la même manière.

– Remercie encore Héloïse pour hier soir.
– Je lui dirai, et on refait la même la prochaine fois ?
Étrangement, je me surpris à en avoir envie.
– Avec plaisir.
Il me fit une bise et, dès qu'il disparut, Pacôme posa discrètement la main dans le creux de mes reins.
– Je te raccompagne à ta voiture.
On traversa la rue sans qu'il brise le contact.
– Tu reviens quand ?
– Dans huit ou quinze jours.
– Ah…
Je perçus une légère déception dans sa voix.

– Maximum, complétai-je malicieusement.

Il retrouva une mine enjouée.

– Ne te fatigue pas à réserver une chambre d'hôtel.

Je me hissai sur la pointe des pieds pour l'embrasser sur la joue, il esquissa le geste de me retenir contre lui, mais se ravisa en soupirant.

– Bonnes retrouvailles avec ton fils.

J'eus un temps d'arrêt, c'était la première fois qu'il m'en parlait.

– File maintenant, sinon je ne pense pas pouvoir m'empêcher de t'embrasser. Et je ne crois pas que Nicolas puisse l'encaisser, conclut-il en riant.

– 7 –

Le soir en arrivant, j'étais trop fatiguée pour me lancer dans la préparation d'un dîner convenable. Nous étions vendredi, Noé n'avait pas cours le lendemain, détail qui jusque-là m'était complètement sorti de la tête. Aussi, décidai-je de l'embarquer au restaurant avant qu'il sorte avec ses copains.

– Bah maman, qu'est-ce qui t'arrive ?

– Tu n'as pas envie ?

Il me fixa à travers sa mèche de cheveux, blasé.

– Tu es bizarre.

Il me trouva encore plus étrange lorsqu'au moment de prendre la commande, je l'autorisai à prendre une bière. En même temps, je connaissais mon fils, il était raisonnable quand les circonstances l'imposaient. Et il m'avait, pour le moment, épargné les retours de soirée dans un état qu'une maman ne veut pas avoir à affronter. Je n'étais pas dupe – j'avais eu son âge – mais il savait être discret, découcher quand c'était nécessaire et souffrir en silence après une gueule de bois. Il dut sentir que je pouvais céder pour à peu près n'importe quoi et profita de la situation.

– Au fait, maman, demain, on voulait aller au Kalif, mais il n'y a plus de place. Donc… bah, on peut répéter à la maison ?

Régulièrement il allait dans un studio pour jouer avec ses copains. Plus aucun des parents – moi la première – ne voulait avoir à subir leurs pseudo-répétitions le samedi. Non pas qu'ils jouaient mal, mais le ballet incessant d'allées et venues était épuisant, sans compter les débarquements dans la cuisine pour chercher quelque chose à grignoter ou les « on peut manger là, ce soir, maman ? » suivis immanquablement du « on va chercher des kebabs » et de l'odeur de viande suspecte qui va avec. Ce qui impliquait toujours d'avoir mon séjour envahi d'ados décérébrés qui comparaient la longueur de leurs cheveux – je n'avais pas d'autre pièce assez grande pour accueillir leurs envolées musicales.

– D'accord.

– C'est vrai ?

– Si je te le dis, lui répondis-je joyeusement, rongée par l'envie de lui faire plaisir.

– Je bosserai dimanche, t'inquiète.

– Je te fais confiance.

Il engloutit un morceau de sa pizza, sans me quitter des yeux.

– C'était bien, Saint-Malo ?

Je laissais échapper un soupir rêveur, et m'étonnai – ou pas, après tout – de penser à Pacôme en premier plutôt qu'à Nicolas et sa famille.

– Oui.

Il se tortilla sur sa chaise, il n'osait plus me regarder en face, malgré un petit sourire satisfait qu'il ne pouvait cacher.

– Je peux te demander un truc ? finit-il par dire.

– Bien sûr, mon Noé, tout ce que tu veux, enfin… dans la limite du raisonnable.

On rit un peu tous les deux.

– Je t'écoute, insistai-je.

– Euh… tu as quelqu'un, maman ?

Il était clairement gêné de me demander cela et j'étais tout aussi gênée qu'il me le demande. Je me sentis piquer un fard. Ce qui eut le mérite de déclencher son hilarité.

– À Saint-Malo ? précisa-t-il.

– Oui, confirmai-je d'une toute petite voix.

Il m'offrit son grand sourire de charmeur.

– Attention, cela ne veut pas dire que je t'emmènerai là-bas plus tôt.

– Je sais, je sais, le bac !

Il se leva, contourna la table et me fit un gros bisou sur la joue, avant de reprendre sa place.

– J'aime bien quand tu es heureuse.

Noé ne m'avait jamais empêchée d'avoir des aventures ou plus, il n'était pas le genre de fils unique à mettre des bâtons dans les roues de sa mère célibataire. Au contraire, je crois bien que, plus il grandissait, plus il aurait été soulagé que j'aie un autre homme que lui dans ma vie. Toutes les histoires que j'avais pu vivre ces dernières années s'étaient terminées, soit parce que je tombais plus souvent qu'à mon tour sur des charlots, soit à cause de mes craintes que cette liaison nuise à Noé, sans qu'il m'ait jamais fait part d'un quelconque mal-être à ce sujet. La seule grande histoire que j'avais eue, depuis qu'il était petit, s'était soldée par un échec, parce que je refusais d'avoir un deuxième enfant. Trop effrayée à l'idée que se crée une différence trop importante entre Noé et un demi-frère ou une demi-sœur, j'avais rendu la liberté à cet homme qui voulait des enfants à lui. Aujourd'hui, j'étais dégagée de cette peur, j'avais passé l'âge d'avoir un bébé et j'avais compris que Noé resterait Noé, quoi qu'il se passe dans ma vie. J'avais grandi trop vite, je n'avais pas eu le temps d'apprendre à mûrir mes décisions. Peu importait, désormais.

Alors impossible, ce soir-là, en voyant sa joie de découvrir sa mère toute chose, de ne pas lui parler de Pacôme. Sans entrer dans le détail, bien évidemment – mon fils n'avait jamais été et ne serait jamais mon confident –, je lui racontai l'appartement, les coffres de marin, la longue-vue, les livres d'aventures maritimes – en omettant tout de même *Ces messieurs de Saint-Malo* –, les remparts, le vent, la mer, les voyages. Je me repus des étoiles dans ses yeux.

Les jours suivants, j'eus l'impression de vivre dans un monde parallèle où j'aurais pu croire que les retrouvailles avec Nicolas faisaient partie d'un cauchemar, contrairement à ma rencontre avec Pacôme qui, elle, était réelle, tellement réelle que je me prenais à rêver. Noé ne me harcelait plus pour Saint-Malo, il s'était mis en tête qu'il devait se concentrer sur son bac d'abord, nous en reparlerions en juillet, je pourrais alors lui organiser la totale, rencontre avec Pacôme incluse.

Le plus difficile à gérer était ma famille. J'abrégeais les coups de téléphone avec mes parents, me contentant du strict minimum de nouvelles. Je laissais le répondeur prendre les messages de ma sœur, je lui écrivais quelques textos convenus lui garantissant que tout allait bien, m'excusant d'être débordée au boulot. Combien de temps allaient-ils se satisfaire de si peu ? Je craignais tellement le moment où je devrais leur apprendre, à eux aussi, que j'avais retrouvé Nicolas, où tout finirait par éclater au grand jour. Je savais qu'ils s'inquiétaient, mais c'était moins terrible que ce qui allait bientôt leur tomber sur la tête. Ils me manquaient, mais je refusais aussi de leur demander de l'aide, de faire appel à leur soutien, ils avaient déjà bien assez souffert de ma situation et de mes choix. Autant les épargner quelque temps encore. Au fil des jours, les moments où j'oubliais ce qui était en train d'arriver se firent de plus en plus rares ; je me réveillais en sursaut la nuit, en nage, le cœur battant à tout rompre, je n'arrivais plus à me regarder dans une glace. Je vivais depuis dix-sept ans dans le faux-semblant, mais j'étais désormais passée au stade supérieur, je n'étais que fausseté avec tout mon entourage.

Chaque matin, Pacôme m'envoyait une photo de la vue de son appartement et, chaque matin, il me demandait si je m'en lassais. Nous échangions quotidiennement pour le chantier des Quatre Coins du monde sur lequel il prenait de plus en plus la main. Il m'avait glissé ironiquement au cours de l'une de nos dernières conversations téléphoniques que Nicolas nous laissait jouer ensemble à la condition que cela ne lui coûte pas trop cher.

Pacôme et moi parlions le même langage ; ses expériences, ses périples faisaient de lui un homme ouvert, créatif, plein d'idées, qu'il fallait parfois canaliser, quitte à prendre le risque qu'il boude. Il ne supportait pas que quoi que ce soit puisse lui donner l'impression qu'on lui dicte sa conduite. Ses caprices me faisaient rire, il grognait au bout du fil, finissait par me dire qu'il allait prendre l'air – je commençais à en prendre l'habitude – et il me raccrochait au nez sans que j'aie le temps de prononcer un mot. Un quart d'heure plus tard, il rappelait, calmé. La première fois, je le fis mijoter avant de lui dire qu'il était pardonné. J'avais rarement eu des clients avec qui je partageais autant de points communs et avec lesquels je pouvais laisser s'exprimer ma fibre artistique sans craindre de réactions affolées. Avec lui, il n'était question que de la beauté de ses produits et de partage.

Je venais justement de raccrocher avec lui quand Paul débarqua à l'improviste dans mon bureau. Depuis mon deuxième voyage à Saint-Malo, je ne pouvais pas exactement dire que je le fuyais, mais je ne pouvais pas dire non plus que je recherchais sa compagnie. Il me facilitait les choses puisqu'il contait fleurette à une nouvelle conquête et avait donc de quoi s'occuper. Il fit quelques pas dans la pièce, son mug à la main, avant de venir se planter dans mon dos pour lire par-dessus mon épaule. Il ricana et vint s'installer dans le fauteuil en face de moi. Rictus moqueur aux lèvres, il posa sa tasse et entreprit d'inspecter ses ongles. Je perdis très vite patience.

– Tu voulais me parler d'un truc ?

– Ça avance, les Quatre Coins du monde ?

– Plutôt, oui.

Je fixai obstinément l'écran de mon ordinateur, en tapotant sur ma souris. Tout, plutôt que d'affronter Paul.

– Tu as prévu d'y retourner quand ?

– Dans trois jours, normalement.

– Ah… déjà.

Il semblait ennuyé à cette perspective, ce qui n'arrangeait en rien mes affaires.

– Tu as besoin de moi, ici ?

– Non, mais je me demandais si je n'allais pas t'accompagner. Comme le dossier avance vite, il faudrait que je repère les lieux. Tu ne crois pas ? C'est moi, le photographe, après tout.

– J'ai encore deux trois détails à peaufiner avant que tu te déplaces.

J'avais l'impression d'être une gamine qui essayait de rouler ses parents dans la farine pour aller voir un garçon en cachette. Pathétique, j'étais pathétique.

– Tu es sûre ? Si je venais, tu t'éviterais le dîner en famille, on se ferait un bon resto tous les deux. On ne se parle plus, ces derniers temps, c'est l'occasion. Qu'en dis-tu ?

Prise au piège, j'étais incapable de lui répondre. Il en profita pour enchaîner.

– Je vais réserver nos chambres !

Il avait bien préparé son coup, je n'avais rien à objecter pour le tenir à l'écart.

– D'accord, lui dis-je d'une petite voix. Je les préviens de ta présence.

Je levai les yeux de mon écran et je découvris un Paul au bord de l'apoplexie tellement il se retenait de rire.

– Si tu voyais ta tête ! explosa-t-il.

– Pourquoi tu te fous de moi ?

Il récupéra son sérieux aussi vite qu'il l'avait perdu.

– J'ai la réponse à ma question, en tout cas.

Je détournai les yeux.

– C'est avec Pacôme que tu passes tout ton temps au téléphone ?

– Effectivement, on avance, on travaille, tentai-je de me justifier.

– Reine, là, c'est toi qui te fous de moi !

– Pas du tout.

Ma voix s'éteignait de plus en plus.

– Tu as l'air d'oublier que je te connais !

Sa voix monta en volume. Je me ratatinai dans mon fauteuil.

– Je sais quand tu as un homme dans ta vie, surtout quand c'est un homme qui te rend heureuse. Tout le monde a le droit à ses bisous le matin, à ses petits compliments, j'en passe et des meilleures. Vu le contexte, il ne m'a pas fallu longtemps pour comprendre ce qui t'arrivait !

Je me tordis nerveusement les doigts. Il frappa mon bureau du plat de la main, je sursautai.

– À quoi tu joues ?

– Je n'en sais rien…

– Tu penses à ton fils ?

Pourquoi appuyait-il toujours là où ça faisait mal ? Sur la plaie qui ne cicatriserait jamais.

– Bien sûr, comment peux-tu me dire une chose pareille ?

– Désolé.

Il s'était rendu compte de sa bêtise, il s'en voulait, mais était incapable d'endiguer son flot de paroles.

– Tu as le don de te mettre dans des situations impossibles. Pourquoi tu ne m'en as pas parlé ? Je crois que ce qui me met le plus en rogne, c'est que tu vas atrocement souffrir.

L'art de mettre les mots sans prendre des gants.

– Tu crois que je ne le sais pas ! Tu crois que je n'ai pas conscience que le compte à rebours est enclenché ? Mais je gagne du temps pour tout. D'abord pour Noé. Et je gagne du temps pour moi ! Tu entends, Paul ! Pour moi !

Je me levai d'un bond, attrapai mon paquet de cigarettes et partis en courant sur la terrasse. Paul ne me suivit pas.

Gagner du temps. Compter les jours, les semaines, les mois avant que ma vie soit réduite à néant. Alors oui, je bouffais encore quelques miettes de bonheur. Je faisais rêver Noé en lui parlant de Saint-Malo, en lui parlant de Pacôme qu'il adorerait. Je voulais encore voir de la lumière dans les yeux de mon fils quand il était avec moi, avant de le voir me détester. C'était exactement comme lorsqu'il était petit et que je faisais tout pour qu'il croie au Père Noël le plus longtemps possible au mépris des moqueries de ses camarades de classe. Mais je sentais qu'il voulait encore rester dans le monde des enfants qui croient au fantastique, au merveilleux. Alors, nous menions notre vie tous les deux, comme avant, et peut-être avec quelque chose de mieux. J'étais saisie d'une urgence de profiter de lui, d'une frénésie de mon fils, d'être détendue en sa présence, de le rendre heureux, de lui fabriquer de derniers jolis souvenirs avec sa maman. Il me trouvait « cool » depuis quelques jours, m'avait-il dit la veille. Et pourtant, je n'arrivais plus à le regarder dans les yeux, dévorée par la honte et l'effroi. Paul avait raison, je faisais n'importe quoi. Je n'aurais pas dû me laisser aller avec Pacôme, je n'aurais pas dû m'autoriser à être déjà et totalement amoureuse de lui. Sauf qu'il m'éloignait de mes déchirures passées et à venir. J'engrangeais des respirations, des bouffées d'air auxquelles je pourrais me raccrocher dans quelque temps. Je n'étais pas assez courageuse pour y renoncer. Je ne l'avais jamais été, sinon je n'en serais pas là aujourd'hui. À quoi bon m'épuiser à changer maintenant ? J'irais au bout de mon processus d'autodestruction.

Trois jours plus tard, j'étais à nouveau à Saint-Malo, l'étau se resserrait. J'étais fatiguée, éreintée de jouer tous ces rôles, mais c'était comme une drogue, d'une certaine manière. Nicolas étant en pleine négociation de tarifs, je passai une magnifique journée en tête à tête avec Pacôme aux Quatre Coins du monde ; il me présenta plus en détail l'éventail de leurs produits, me fit une démonstration de torréfaction de café, une dégustation de différents thés. En les commentant, il me laissa feuilleter les albums photo de leur tour du monde, je pus y piocher quelques clichés vieillots, abîmés, qui transpiraient l'authenticité de leur démarche et que nous pourrions retravailler pour illustrer leur parcours, les rencontres qui avaient jalonné la création de leur entreprise. Il me faisait entrer dans sa vie à lui, j'oubliais presque la présence du père de mon fils, à proximité de moi.

Le soir, comme me l'avait promis Nicolas, je fus invitée chez eux, Pacôme était bien évidemment de la partie. En arrivant, j'eus la bonne surprise de découvrir que les enfants étaient déjà couchés, je n'aurais pas à les affronter et surtout à affronter ce qu'ils représentaient. Je pris sur moi pour fermer les yeux sur les ressemblances entre Noé et son père, elles m'apparaissaient de plus en plus nettement, tant dans certaines expressions du visage que dans la manière de se tenir. J'avais anticipé une nouvelle demande pour voir des photos de Noé – qui ne manqua pas d'arriver –, mon téléphone n'avait plus de batterie. Je me faisais horreur ; pour me préserver, je prenais le risque que Noé ne puisse pas me joindre durant plusieurs heures, sachant aussi qu'il pourrait se tourner vers Paul en cas de problème.

Sans avoir aucune idée de ce qui se jouait dans mon cœur et ma tête, Héloïse me facilita les choses en m'accueillant chez elle comme si nous étions de grandes amies, comme si je faisais partie de sa tribu. Je m'y sentais bien, trop bien. Étrangement à l'aise, malgré ma vigilance constante, avec l'impression d'être une autre que moi, une autre qui passerait une bonne soirée en compagnie d'un couple d'amis et d'un homme qu'elle commençait à aimer. Ce moment terriblement banal, mais que je n'avais jamais vraiment connu, me faisait tout oublier. Je gagnais du temps sur le malheur, une fois de plus.

Les heures qui suivirent, je continuai de me bercer d'illusions. J'étais contre Pacôme, dans son lit, nous venions de faire l'amour et je me demandais encore et encore pourquoi et comment il était possible que nous partagions une telle passion. Dans ses bras, j'oubliais qui j'étais, je me perdais.

– La prochaine fois que tu viens, il va falloir qu'on trouve une solution pour échapper au dîner chez eux, m'annonça-t-il en riant.

Je levai le visage vers lui, surprise.

– Cela me semble difficile. Tu ne crois pas ?

Il soupira, grognon.

– Je sais bien… À moins qu'on leur dise ?

Malgré ma gorge nouée par le chagrin à venir, je lui souris.

– À ton avis, ils s'en doutent ?

– C'est certain, mais ils ne sont sûrs de rien, crois-moi, ils me connaissent.

Je baladai un doigt distrait sur son torse pour me donner une contenance, pour ne pas lui montrer mes émotions.

– Ce n'est pas dans tes habitudes de faire ça, je veux dire de dîner chez eux avec une femme avec qui tu…

– Non. Jamais. En plus de dix-huit ans, ça n'a dû arriver que quelques fois… Je… je…

Il me fuit du regard et n'était certainement pas loin de dire qu'il avait besoin de prendre l'air. Mais je n'avais pas envie de me retrouver seule.

– Pacôme… j'ai compris le message, pas de fil à la patte. Pas d'attache.

J'avais mal de m'entendre prononcer ces paroles, j'aurais rêvé de le garder tout à moi, mais il n'avait aucune raison de s'inquiéter, je ne m'accrocherais pas à lui. D'ici peu, il retrouverait sa liberté. Nous n'avions pas d'avenir. Il caressa délicatement ma joue.

– Je n'ai pas été très subtil, pardonne-moi.

– Tout va bien.

Il me dévisagea avec douceur, comme hésitant.

– Je ne me sens pas enfermé, reprit-il d'une voix calme. Je respire, avec toi.

Je le crus, comme lui m'aidait à respirer. Il me sourit et poursuivit :

– Tu sais, j'ai envie de passer du temps avec toi. Je me disais même que j'aimerais qu'on voyage ensemble.

Bouleversée par sa proposition, je fus incapable de prononcer le moindre mot, il interpréta mon silence de travers.

– Je sais, tu as ton fils… rien n'empêcherait qu'il nous accompagne. Il est assez grand.

Tellement grand qu'il sauterait au plafond et achèterait lui-même les billets d'avion.

– Enfin, c'est toi qui décides… Tu veux qu'il vienne avec nous, il vient, et j'en serai heureux. Tu ne veux pas qu'il vienne, parce que tu trouves que c'est trop tôt, que ça n'a pas de sens parce que tu n'as pas entière confiance en moi, je le comprends et je l'accepte.

Il ne se rendait pas compte de ce qu'il faisait, il venait de m'offrir la clé de son cœur, il venait d'inclure Noé dans notre histoire, sans même le connaître. Ce que je ressentais était violent, j'étais traversée par un sentiment de bonheur absolu mêlé à la plus grande des souffrances. L'espace d'un instant, je fus à deux doigts de tout lui dire, tout lui avouer, lui parler de Noé, lui dire qui était mon fils, et pourquoi j'avais fait une telle chose. Le courage me fit à nouveau défaut. Moi qui retenais tellement tout depuis des semaines, je ne pus rien contre les larmes qui me montèrent aux yeux. Cela ne passa pas inaperçu. Pacôme blêmit, se redressa brusquement et me prit contre lui.

– Reine, que se passe-t-il ? me demanda-t-il, la voix paniquée. Dis-moi, j'ai fait quelque chose de mal ? Merde, je suis vraiment le dernier des cons.

Malgré mon chagrin, j'étouffai un rire contre sa peau.

– Tu n'as rien fait de mal, je te promets, au contraire.

Il attrapa mon visage entre ses mains et riva son regard au mien, pour être bien certain de ce que je disais.

– Ce serait merveilleux de faire un voyage ensemble.

C'était la stricte vérité. Cela n'aurait jamais lieu. Mais je ne pouvais pas le lui dire.

– Avec Noé ?

J'aimais l'entendre prononcer son prénom, il ne m'avait jamais semblé aussi doux que dans sa bouche.

– Avec Noé, chuchotai-je.

Il eut un sourire d'enfant un peu apeuré, mais diablement heureux. Je me noyais dans le grand bassin du mensonge, et lui faisait le grand plongeon dans l'engagement.

Ce matin-là, quand Paul me convoqua dès mon arrivée – tardive – dans son bureau, je n'en menais pas large. Je sentais qu'il n'allait pas m'offrir une tasse de café soluble histoire d'évoquer les derniers potins. C'était beaucoup plus grave. Il allait jouer au patron avec moi, ce qui n'arrivait jamais. Voilà pourquoi j'étais sur la réserve en m'asseyant face à lui. Je n'avais pas la force de parer à la moindre attaque. Il m'observa plusieurs secondes avant de se lancer, ce qu'il avait à me dire lui demandait visiblement un effort, il prenait sur lui, en proie à une tension qui ne lui était pas habituelle. Lui aussi semblait fatigué.

– Il faut que tu prennes un peu de recul avec le dossier des Quatre Coins du monde.

– Pourquoi ? bondis-je, sur la défensive.

– Parce que tes autres clients se plaignent, me répondit-il calmement, sans reproche dans la voix. Certains m'ont appelé pendant ton absence pour me demander ce qui se passait, tu ne leur réponds plus, tu ne fais plus ton job.

Je baissai les yeux, honteuse, je n'avais rien à lui rétorquer, il avait raison, je laissais tout le reste en suspens.

– Ce contrat avec Pacôme et le père de Noé, peu importe que ce soit eux, est important pour le Hangar, je ne vais pas le nier. Mais pas au point d'oublier les autres, on ne peut pas se permettre de perdre des clients.

– Excuse-moi.

Il balaya mes remords d'un revers de main.

– Tu as besoin de mettre de la distance avec eux, ce n'est pas sain que tu t'accroches autant, la situation est déjà bien assez compliquée, pour ne pas dire tordue. Tu es au bout du rouleau, tu fais peur à voir, ce matin.

J'esquissai un sourire triste.

– Je ne dors pas très bien, ces derniers temps.

– Je m'en doute, mais... Reine, tu es vraiment sûre que tu dois attendre ?

Mon corps se replia sur lui-même, je savais où il voulait en venir, mais je refusais. Il soupira et alla au bout de sa pensée.

– Parle à Noé, je t'en supplie. Tu vas finir par te rendre malade si tu continues à vivre toutes ces vies parallèles.

Je fus encore plus oppressée, l'air me manqua, mes yeux s'exhorbitèrent comme si on m'étranglait.

– Non, pas maintenant, je ne peux pas, Paul, dis-je dans un souffle de voix.

Il était de plus en plus désarçonné, me voir dans un tel état le désolait.

– Promets-moi d'y réfléchir.

Non...

Il fallait que je sorte, que je m'éloigne, que je me retrouve seule.

– Je peux y aller ? lui demandai-je, déjà debout.

– Tu n'as pas besoin de mon autorisation...

– Je les préviens qu'on va lever un peu le pied, sur leur dossier.

– On ne va pas vraiment lever le pied, c'est simplement le photographe qui commence son travail. Comme pour chaque dossier, tu me cèdes tranquillement ta place.

Alors que j'avais la main sur la poignée de la porte, j'eus un sursaut d'énergie, de mauvaise énergie.

– Tu vas les appeler ?

– Effectivement, j'ai déjà des choses à caler avec eux, vu le boulot que tu as abattu.

Une crainte totalement irrationnelle me saisit.

– Tu ne vas rien leur dire ? Tu promets ?

Il se leva, le teint livide, les poings serrés.

– Comment peux-tu imaginer une seule seconde que je te trahisse de cette façon ?

Je m'en voulais de l'avoir blessé. S'il y avait bien une personne en qui j'avais une totale confiance, c'était Paul, et à lui aussi, je faisais du mal. J'étais nulle, je ne valais plus rien.

– Pardon. Je n'aurais pas dû dire ça, mais j'ai peur de tout.

Il poussa un profond soupir, il était abattu. Paul, qui trouvait toujours des solutions à tous les problèmes, particulièrement les miens, était désarmé face à ma détresse et ma lâcheté. Je devais tellement le décevoir.

– Plus tu attends, pire ce sera. Laisse-moi t'aider.

– Non. Je dois affronter tout cela seule. C'est mon fils, ce sont mes mauvaises décisions.

Paul n'avait pas compris qu'en me retirant la main sur le dossier de Pacôme et Nicolas, il venait d'empirer les choses. Privée de ce qui m'avait absorbée, il m'était impossible de me concentrer sur mes autres clients, je perdais mes moyens, incapable de répondre à leurs demandes et de me replonger dans ce que j'avais délaissé ces dernières semaines, me reposant entièrement sur notre assistante. J'étais envahie par un vide qui laissait toute la place au reste, qui me mettait face à moi-même. Bien loin de réussir à me reposer, je me rongeais de plus en plus les sangs. J'échafaudais des scénarios pour tenter de m'en sortir sans me noyer. La seule solution qui finissait toujours par émerger était celle de Paul : dire enfin la vérité. Cela faisait dix-sept ans qu'il me suppliait de le faire. Pour Noé. Pour moi. Notre unique sujet de conflit, les seules fois où nous avions élevé la voix l'un sur l'autre. Fini de gagner du temps, cela n'avait plus de sens. Je n'avais plus une parcelle de bonheur à dévorer, j'avais simplement besoin de me préparer à tout faire voler en éclats.

Malgré tout, j'obéissais en me tenant à l'écart des échanges téléphoniques entre le Hangar et les Quatre Coins du monde. Autant Paul, dans sa logique, évitait soigneusement de m'en parler, autant Pacôme – qui, tout comme Nicolas, ne s'était pas étonné que mon associé photographe s'investisse davantage – profitait de nos appels fréquents pour m'en faire un compte rendu détaillé et enthousiaste : il aimait énormément sa vision des choses, il n'arrêtait pas de me dire que nous nous complétions, que Paul était un homme passionnant avec qui il pourrait échanger des heures. C'était étrange qu'ils s'entendent à merveille et je ne savais quoi en penser. Je feignais tant que possible l'entrain pour ne pas éveiller de soupçons, même si cela me demandait de plus en plus d'énergie. D'autant qu'il me manquait terriblement, lui parler n'était pas suffisant. Une semaine déjà que nous nous étions dit au revoir dans le secret de son appartement. Mon corps le réclamait pour respirer et je cherchais par tous les moyens à provoquer une occasion pour aller passer ne serait-ce qu'une nuit avec lui.

Mais de cet oxygène, je fus privée, sans que je voie le coup venir. Pacôme disparut du jour au lendemain, sans m'avertir. Je l'appris par un mail que Nicolas nous écrivit à Paul et moi au sujet d'un détail de leur dossier. Je restai tétanisée de longues secondes devant ses mots : *Ne vous fatiguez pas à écrire ou chercher à contacter Pacôme, passez directement par moi. Il est parti hier soir pour une durée indéterminée.* Moins de cinq minutes plus tard, Paul entrait en trombe dans mon bureau.

– Tu étais au courant qu'il partait ?

Il paraissait en colère, après moi, après Pacôme, impossible de le déterminer. Tout ce que je savais était que j'avais honte et que je n'avais aucune idée de ce que je devais lui répondre. Mon silence – certainement trop long – lui donna sa réponse.

– Ça va ? me demanda-t-il, la voix radoucie, mais toujours aussi sérieux.

Je dus lui offrir un sourire crispé.

– Parfaitement ! Pacôme est libre comme l'air. Vu la situation, c'est aussi bien. Non ?

L'ironie de mon ton me surprit et ne lui échappa pas. Il ronchonna et disparut en claquant la porte de mon bureau. Étais-je aussi en train de m'éloigner de Paul ? Pourquoi ne me confiais-je pas à lui ? D'où venait cette réserve ? Pourquoi n'arrivais-je plus à lui parler ? Pourquoi me semblait-il de plus en plus en colère ?

Les dix jours qui suivirent, où je ne reçus aucune nouvelle de Pacôme, me prouvèrent qu'il avait la faculté de se volatiliser sur un coup de tête. Il était très doué et détaché de tout engagement. Je ne devais pas m'en étonner, je l'avais senti, il m'avait prévenue. J'en faisais l'expérience pour la première fois et j'avais mal, très mal. J'avais encore plus de mal à accepter son silence, et le fait qu'il ait omis de me prévenir. Je repensais à ses jolis mots, sa façon bien particulière de me dire que je comptais pour lui, j'avais bêtement imaginé qu'il serait plus délicat avec moi qu'avec toutes les autres qui étaient passées dans sa vie. Malgré tout, je ne lui en voulais pas. Nous n'étions pas un couple à proprement parler, encore moins dans une situation où j'aurais pu lui faire une crise à son retour. Quand bien même, cela aurait été très malvenu de ma part, alors que je lui mentais outrageusement depuis notre rencontre. Au moins, lui était honnête, il m'avait mise en garde sur son mode de vie, en un sens. Pourtant, ça ne changeait rien à ma douleur, au manque de lui.

Ce soir-là, après le dîner, je m'installai dans le canapé, pour faire semblant de travailler, j'étalai des dossiers partout autour de moi. Noé, de son côté, bûchait dans sa chambre, j'étais sûre qu'il était plus concentré que moi. Pourtant, au bout d'un moment, je l'entendis dévaler l'escalier. Je plongeai le nez dans la première feuille qui me tomba sous la main. Il passa devant moi sans me jeter un coup d'œil.

– Ça va, maman ?

Je marmonnai volontairement pour lui faire croire que j'étais absorbée par ma lecture. Il disparut dans la cuisine pour fouiller dans les placards, le petit creux du soir… Il revint quelques minutes plus tard et zona dans le salon.

– Tu fais quoi ? me demanda-t-il, la bouche pleine.

Visiblement, il n'avait pas compris que j'étais occupée.

– Je travaille, lui répondis-je distraitement.

– Sur quoi ?

– Rien qui t'intéresserait.

Vaincue et certaine qu'il ne me lâcherait pas, je finis par lever le visage vers lui, il me fit un sourire timide.

– Qu'y a-t-il, Noé ?

– Tu ne vas plus à Saint-Malo ?

– Non. Pas pour le moment.

– Pourquoi ?

– Parce que j'ai d'autres contrats en cours, Paul m'a demandé de bosser à nouveau dessus.

– Il abuse. Il ne sait pas que tu...

Il devint écarlate.

– Il s'en doute. Et Pacôme est absent en ce moment.

Il tortilla sa bouche en regardant ailleurs.

– Quand il sera rentré, tu devrais y passer un week-end.

Je manquai de m'étouffer. Affolé par ma réaction, il enchaîna sans traîner :

– Sans moi ! T'inquiète, je ne te demande pas de m'emmener. J'imagine bien que tu n'auras pas envie de m'avoir sur le dos et lui non plus. Tu sais que tu peux me laisser deux jours et que je ne mettrai pas le feu à la maison.

– Tu veux te débarrasser de moi ? lui rétorquai-je en jouant les malignes pour dissimuler mon émotion.

– Non, maman, je veux que tu souries. Et depuis quelques jours, tu es triste, je comprends mieux, c'est parce que Pacôme te manque.

Mon fils me surveillait, mon fils s'inquiétait, mon fils me protégeait, mon fils prenait soin de moi et, moi, je le trahissais. Je réussis à lui sourire.

– C'est vrai qu'il me manque, mais je n'aime pas te laisser, tu le sais bien ?

– Maman, il va bien falloir qu'on s'habitue à moins se voir. Tu n'arrêtes pas de me dire que je grandis et je veux que tu penses à toi.

Pourquoi mûrissait-il si vite ? Pourquoi précisément, en ce moment ? Il avait pris ce ton de petit homme, de « chef de famille », qu'il endossait de plus en plus souvent. En d'autres circonstances, je me serais délectée de cet instant. C'est agréable pour une maman de se sentir couvée par son fils. J'avais perdu ce droit par ma faute.

– Je vais y réfléchir…

Il s'approcha de moi et me fit un bisou sur la joue.

– Bonne nuit, maman.

– Bonne nuit, mon trésor.

Il prit le chemin de l'escalier, je m'autorisai à retirer le grand sourire factice qui barrait mon visage ; le chagrin et l'inquiétude m'envahirent à nouveau. Je ramenai mes jambes vers mon buste pour me réchauffer de l'intérieur, pour rassembler les miettes de mon corps qui se brisait de plus en plus. Le silence m'interpella, Noé avait dû se retourner une dernière fois avant de prendre la direction de l'étage. Je ne bougeai plus, je ne pouvais pas l'affronter, pas maintenant, je n'étais toujours pas prête. Je l'entendis pousser un profond soupir, puis le bois des marches craqua.

– 8 –

Le lendemain, je m'enfermai dans mon bureau toute la journée, bien décidée à faire autre chose que ruminer. Je rêvais de m'abrutir dans le boulot pour enfin réussir à dormir, je ne demandais que quelques heures où je n'habiterais ni ma tête ni mon cœur. Ce qui m'éviterait de faire face au regard inquiet de Noé en découvrant mon teint blafard et mes cernes. Je déclinai l'invitation à déjeuner de Paul, je nous épargnerais une discussion stérile. Il n'insista pas, mais je vis à quel point il était blessé. Un gouffre s'était créé entre nous. Il me manquait terriblement. Depuis que nous nous connaissions, c'était la première fois que je prenais de la distance et je vivais mal d'être séparée de lui. Tout, mes repères, ma vie, mes petites et grandes joies, je perdais tout. Perdre Paul était de l'ordre de l'inconcevable.

Je carburai au café et à la cigarette pour tenir, même si mes nerfs étaient de plus en plus à vif. Personne n'osa franchir la porte de mon bureau, Paul avait dû donner des instructions pour que je ne sois pas dérangée, et être suffisamment convaincant, car personne ne tenta une percée.

Vers 18 heures, on prit le risque de frapper à ma porte, ce qui m'énerva passablement : je n'avais pas fini mon travail d'abrutissement, refusant de m'accorder la moindre pause.

– Quoi ? aboyai-je, mauvaise, sans lever le nez de mon écran.

– Reine ? m'interpella Paul.

– Que se passe-t-il ? enchaînai-je sans bouger.

– Quelqu'un te demande.

– Qui ?

Il soupira, exaspéré, sans que je comprenne pourquoi.

– Viens voir par toi-même.

Énervée par tant de mystère, je me levai d'un bond et franchis la porte de mon bureau, furibarde. Mon corps se relâcha à la minute où je vis son air boudeur et satisfait. Sa disparition aurait dû m'inciter à l'oublier, impossible. J'étais incapable de faire un pas vers lui, bouleversée par sa présence. Son visage creusé me frappa, il paraissait éreinté. C'était peut-être l'endroit, l'environnement qui ne lui convenaient pas. Pacôme ne pouvait être bien qu'au vent, à la mer. En tout cas, ailleurs que dans un Hangar en pleine ville saturée par les travaux et les bouchons. Il finit par avancer vers moi, je sentis un sourire naître sur mes lèvres.

– Surprise, murmura-t-il, une fois tout près de moi.

– Comment… pourquoi… et… bafouillai-je.

– Tu peux nous trouver un endroit à l'abri des regards ? me demanda-t-il, amusé.

Il avait raison, tout le Hangar avait les yeux rivés sur nous, l'air de rien.

– Viens dans mon bureau.

On croisa Paul, qui semblait inquiet et en colère, je ne le suivais plus.

– Merci pour la visite du studio, lui dit Pacôme.

Mon regard ahuri passa de l'un à l'autre.

– J'ai apporté des échantillons à Paul pour les futures photos, m'apprit Pacôme. Et il a eu la gentillesse de me montrer comment il travaillait.

Dire que Paul ne m'avait pas prévenue ! Je fixai mon associé, plus fermé que jamais. Pourtant, je ne ressentis aucune animosité de sa part à l'égard de Pacôme.

– Ah… Tu ne m'avais pas dit qu'il venait.

– C'est normal, il ne le savait pas. On s'est parlé ce matin et j'ai réalisé que Paul, contrairement à toi, n'avait jamais vu nos produits, je me suis dit qu'il fallait y remédier et j'ai sauté dans ma voiture.

– Je vous laisse, nous interrompit Paul.

Dès qu'il tourna les talons, j'attrapai Pacôme par la main et l'entraînai dans mon domaine, que je verrouillai sans tarder. Je me jetai sur lui et respirai à nouveau par sa bouche. Quand notre baiser prit fin, il se mit à rire.

– Il me fallait bien une excuse pour débarquer à l'improviste, je ne savais pas s'il était dans la confidence. Tu n'as rien dû lui dire, vu le temps qu'il a mis à te prévenir, non ?

– Depuis combien de temps es-tu là ?

– Plus d'une heure.

Paul, à sa manière, avait cherché à me protéger.

– Peu importe. Merci d'être là.

– C'est un peu égoïste, m'avoua-t-il avec son terrible sourire. J'avais envie de te voir.

– Quand es-tu rentré de voyage ?

– Hier, me répondit-il comme si cela ne me concernait pas.

Il caressa doucement mon visage et fronça les sourcils. Je ne devais pas être très belle à voir. Je ne voulais pas qu'il me pose de questions sur mon état, je voulais simplement profiter de sa présence.

– Serre-moi fort, s'il te plaît.

Sans attendre qu'il s'exécute, je me blottis contre lui, il referma ses bras sur moi. Je me sentais tellement mieux, d'un coup. Il créait une bulle autour de moi.

– Où étais-tu ? lui demandai-je.

J'avais envie qu'il me raconte, qu'il me fasse voyager.

– À l'étranger…

Je m'en serais doutée…

– Dis donc, toi aussi tu as vue sur mer, de ton bureau.

Je ris tout contre son torse, et lançai un regard dans mon dos. Vue sur la Seine. Il m'entraîna près de la fenêtre en me tirant par la main.

– C'est un peu triste, se moqua-t-il.

– C'est gris. Crois-moi, celle-là, tu t'en lasses très vite !

Il m'embrassa soudain avec fougue. Je voulais que le temps s'arrête, qu'il me garde contre lui, qu'il me touche pour que plus rien ne me touche, pour être une autre que moi, pour que les regrets, la honte ne fassent plus partie de ma vie. Un sursaut de bon sens surgit quand nos mains commencèrent à se faufiler sous nos vêtements.

– Merde, grogna-t-il. Un peu compliqué dans ton bureau, tout de même.

– Surtout quand il faudra en ressortir.

Nos fronts l'un contre l'autre, on échangea un sourire et un dernier baiser avant de reprendre une attitude décente et plus sage. Sur le canapé, il me prit malgré tout contre lui et je m'accrochai à sa taille de toutes mes forces.

– À quelle heure dois-tu retrouver ton fils ?

Mon corps se tendit instantanément.

– Pas de panique. Je ne suis pas venu pour que tu me le présentes. Je n'y connais rien, mais j'imagine que ça se prépare.

– Oui, lui répondis-je d'une toute petite voix.

– Tu commences à me connaître, j'ai agi sur un coup de tête, tu m'as manqué, je voulais te voir, alors je suis venu. Même si ce n'est qu'une heure, c'est déjà ça de pris.

– Merci.

– Alors, Noé ?

Malgré l'inutilité de mon geste, je regardai ma montre. Je devais coller au maximum à la réalité d'une maman d'un enfant de dix ans. Inventer un nouveau mensonge. Un énième mensonge. Je n'étais qu'une moins que rien. Pacôme, malgré son imprévisibilité, était parfait, compréhensif, il faisait des choses pour moi qui le dépassaient, il marchait sur des œufs en gardant le sourire, alors que j'étais certaine qu'au fond de lui-même, il paniquait. Il était certainement traversé par des envies de fuite mais, malgré cela, il allait de l'avant avec moi. En tout cas, il assumait son envie de me voir, je me doutais que ce n'était pas dans ses habitudes. Je salissais ce que nous vivions, alors qu'il franchissait une étape importante avec moi.

– Il faut que je sois à la maison dans vingt minutes, j'allais partir.

Il se méprit logiquement sur ma tristesse.

– Je te promets de m'y prendre un peu plus à l'avance, la prochaine fois que je débarque.

À peine étions-nous dehors que Pacôme emprisonna ma main dans la sienne. J'aurais pu rêver à cette réalité où l'homme que j'aimais, un homme qui n'avait jamais eu d'attaches jusque-là et qui me montrait clairement qu'il s'attachait à moi, serait venu me chercher au travail pour passer une bonne soirée avec Noé. On marcha sans se lâcher jusqu'à nos voitures garées l'une à côté de l'autre sur les quais. J'allais lui dire de faire attention sur la route quand une silhouette accrocha mon regard, au loin, derrière lui. Je luttai contre un vertige. Même au milieu de la foule, les yeux fermés, j'aurais reconnu mon fils. J'aurais voulu m'effondrer, mourir sur place, pour que tout s'arrête, que la torture prenne fin. Je n'en avais pas le droit. Pourquoi était-il là ? Je connaissais la réponse : il s'inquiétait pour moi. Mon trésor voulait me faire plaisir. De temps à autre, il me faisait cette surprise ; après une dispute, après une déception, en période de trop-plein de fatigue. Je savais ce qu'il avait en tête, il voulait qu'on aille faire des courses tous les deux pour cuisiner des burritos. Ce rituel remontait à quand il était petit. Depuis ses huit ans, la « soirée burrito » était un nom de code entre nous pour faire la paix ou se remonter le moral.

Hurlements dans ma tête. Le hasard se liguait contre moi et me détruisait un peu plus à chaque fois qu'il se manifestait. Quelle solution s'offrait à moi ? M'enfuir ? Partir en courant ? Pousser Pacôme dans sa voiture ? Non. Je ne pouvais faire qu'une chose. Subir. Laisser le sol s'ouvrir sous mes pieds et me faire happer par le précipice.

Noé avançait d'un bon pas vers nous. Je le distinguais de plus en plus nettement. J'eus l'impression qu'il n'avait jamais été aussi beau, aussi grand. Et qu'il n'avait jamais autant ressemblé à son père, jeune. Ce n'était plus qu'une question de secondes. Je plongeai, certainement pour la dernière fois, mes yeux dans les yeux gris de Pacôme. Je m'autorisai à le contempler une dernière fois en tentant de lui faire comprendre à quel point il comptait, à quel point je l'aimais. Je profitai une dernière fois de sa façon de me dévisager pleine de désir, pleine de tendresse et pleine de panique touchante. Plus que quelques mètres. Je me hissai sur la pointe des pieds et pressai douloureusement mes lèvres contre les siennes, luttant contre les larmes. Ma main parcourut son torse une dernière fois, elle passa sur son cœur que je sentis battre. Je me décollai de lui et reculai. Il fronça les sourcils, perplexe.

– Reine, que se passe-t-il ?

– Pardonne-moi, chuchotai-je.

Il n'eut pas le temps de prononcer un mot.

– Maman !

Pacôme se figea. Je détournai les yeux pour accorder toute mon attention à mon fils.

– Noé, qu'est-ce que tu fais là ?

Je ne sais pas où je trouvai la force de paraître gaie. En réalité, je savais d'où cela provenait. C'était mon ventre, c'étaient mes entrailles qui prenaient le relais.

– Je voulais te faire une surprise, mais…

Il ne me regardait pas, il fixait Pacôme, qui secouait la tête pour reprendre ses esprits. Son visage se ferma, il essayait de comprendre la scène à laquelle il assistait, il luttait contre l'évidence.

– Tu vois, mon trésor, tu n'es pas le seul à m'avoir fait une surprise, ce soir. Pacôme a eu la même idée.

Les yeux de mon fils s'illuminèrent en détaillant l'homme en face de lui. Il fit un pas vers lui avec son grand sourire et lui tendit la main.

– Je suis Noé, le…

– Le fils de Reine, réussit-il péniblement à articuler. Je sais.

Ils se serrèrent la main de longues secondes en se regardant droit dans les yeux. J'eus à nouveau envie de hurler.

– Je t'imaginais plus petit.

Noé ne perçut pas l'ironie dans sa voix, moi si. Je cherchai désespérément à attirer l'attention de Pacôme, il me l'accorda un bref instant, malgré la lueur féroce dans ses yeux : je le suppliai silencieusement de ne rien dire, de se taire. Ce n'était pas son problème, mais il devait protéger mon fils. Noé, tout à son bonheur et à sa curiosité, ne sentit pas la tension ambiante et meubla le silence qui devenait étouffant.

– Alors, vous arrivez de Saint-Malo ?

– Oui, mais j'allais repartir.

– Ah bon ! Déjà ?

La déception de Noé était palpable, tout comme l'envie de fuir de Pacôme.

– Pourquoi ?

Pacôme ricana :

– Ta mère n'avait pas l'intention de nous présenter si tôt.

Noé me donna un petit coup de coude et me dit d'un air moqueur :

– Trop tard !

Face au manque de réaction, il enchaîna en se dandinant d'un pied à l'autre :

– Je vous dérange peut-être. Je vais appeler Bastien et voir si je peux dormir chez lui.

Sa couleur écarlate m'attendrit.

– Non, lui répondis-je. Tu ne vas pas découcher chez un copain en semaine, je te rappelle que tu as cours à 8 heures, demain…

– Je dois rentrer, de toute façon, m'interrompit Pacôme. J'ai des rendez-vous tôt, demain matin.

– Bah, vous pouvez au moins manger à la maison, maintenant qu'on se connaît ! Hein, maman ?

La situation était complètement surréaliste, Noé jouait les entremetteurs. Je rassemblai tout mon courage pour affronter Pacôme, il ne cessait d'observer mon fils, son visage, sa dégaine d'ado, sa manière de se tenir. S'il n'avait pas encore compris, cela ne saurait tarder.

– Qu'en dis-tu ? lui demandai-je.

Dans ses yeux, je voyais combien il avait mal, combien il était en colère. Je remarquai à nouveau une profonde fatigue chez lui, ses traits étaient marqués, tirés.

– C'est toi qui vois, Reine.

Je ne sais pas ce qui me décida.

– Reste.

Il aurait sans doute aimé que je réponde le contraire.

– Cool ! On y va ! s'enthousiasma Noé. On se caille ici !

Il m'épatait par son aisance : il n'émettait aucune réserve sur Pacôme, il était lui-même, comme s'il avait senti qu'il pouvait lui faire confiance. Il avait raison, il pouvait davantage faire confiance à cet homme qui venait d'entrer dans sa vie qu'à sa propre mère.

– Tu nous suis ? lui demandai-je prudemment.

Sans m'accorder un regard, il hocha la tête en guise de réponse, mais Noé eut le droit à un sourire.

Sentir Noé à côté de moi dans la voiture m'évita de devenir folle. Je voulais que ce trajet ne s'arrête jamais pour ne pas avoir à affronter Pacôme et pourtant il ne m'avait jamais semblé aussi long. J'évitai tant que possible de jeter des coups d'œil dans le rétroviseur.

– Je suis désolé de m'être pointé, mais tu n'allais tellement pas bien hier et ce matin que j'ai voulu te remonter le moral.

– C'était une très bonne idée, merci.

– Ouais, mais… il n'est peut-être pas très content de me voir.

– Ne t'inquiète pas pour Pacôme, d'accord ? Il avait envie de te rencontrer, tu sais, c'est moi qui ne voulais pas aller trop vite.

Pour une fois, j'eus l'impression de dire la vérité.

– C'est bête, parce que tu vois, je crois que je vais bien l'aimer.

Avant de sortir de la voiture, je le retins deux secondes.

– J'ai juste une faveur à te demander.

– Quoi ?

– Tu veux bien nous laisser quelques minutes en tête à tête ?

Il gloussa, en levant les yeux au ciel.

– T'inquiète, je ne vais pas jouer au sale gosse jaloux qui colle sa mère pour faire dégager le méchant monsieur !

Noé s'extirpa de l'habitacle, fit un signe de main à Pacôme qui nous attendait déjà dehors et fila sans demander son reste. Je n'osais pas le regarder, je n'osais pas lui parler. Je l'entendais gronder en silence, sa présence sombre me terrorisait. Aussi pris-je moi aussi la direction de la maison. Il m'emboîta le pas sans dire un mot. En franchissant le seuil, j'entendis la porte de la chambre de Noé claquer à l'étage, rapidement suivie par le hurlement des basses de sa musique. Je balançai mon manteau, mon sac sur un fauteuil et avançai, avec la conscience de Pacôme dans mon dos, qui observait peut-être tout. Je le guidai jusqu'à la cuisine.

– Tu veux boire quelque chose ?

– Non.

Je me servis un verre de vin rouge et allumai en tremblant une cigarette à la fenêtre. Nous étions adossés chacun d'un côté de la pièce, j'étais incapable de l'affronter, terrifiée à l'idée des sentiments que je découvrirais.

– J'ai plusieurs questions, Reine, débuta-t-il sèchement après de longues secondes de silence. Mais comment être sûr que tu me diras la vérité ?

Mon regard embué se posa sur lui, son visage était dur, figé dans le marbre. J'eus mal, je le dégoûtais.

– Je n'ai plus rien à perdre. Je te demande simplement de ne pas faire d'éclats devant mon fils. Si tu ne te sens pas capable de te retenir, pars maintenant.

– Il n'est pour rien dans les saloperies de sa mère, je n'ai aucun intérêt à le faire souffrir.

Une grosse larme coula sur ma joue, je la sentis passer sous mon menton et s'écraser dans mon cou. Pacôme la suivit des yeux.

– Quel âge a-t-il ?

– Dix-sept ans, il passe son bac cette année.

Il sembla recevoir un coup.

– Qui est son père ?

Je regardai mes pieds.

– Je répète ma question, qui est son père ?

Son ton était tranchant, comme une lame.

– Nicolas.

Il serra le poing et se mit à tourner en rond dans la pièce, il avait envie de cogner, il écumait.

– Putain !

Il ferma fortement les yeux et appuya son visage crispé contre un mur, prêt à le frapper. Il avait l'air tellement accablé ; mue par une impulsion, je franchis la distance qui nous séparait et posai ma main dans son dos, prête à le caresser, prête à le réconforter. Il eut un mouvement sec des épaules pour se dégager, mon contact le répugnait. Affreusement blessée par son rejet, mais pas étonnée, je me reculai vivement et repris docilement ma place. Les minutes s'égrenèrent. Quand il dut estimer qu'il avait recouvré son calme, il s'adressa à nouveau à moi :

– Et dire que je n'ai jamais osé te demander ce qui s'était passé avec le père de ton fils pour ne pas te faire de peine ou remuer le couteau… Tu m'as vraiment pris pour un con ! Quand tu as débarqué aux Quatre Coins du monde, tu cherchais quoi ? À foutre la merde dans nos vies ? La mienne, je m'en branle, mais celle de Nicolas et Héloïse ?

– Pacôme, je te promets que je ne savais pas, sinon nous n'en serions pas là ce soir. Je n'ai jamais cherché à retrouver Nicolas, c'est même tout l'inverse. Tu crois que si j'avais su, j'aurais pu passer la nuit avec toi ?

– Tu es plutôt bonne comédienne, ricana-t-il, acerbe.

– J'ai été prise de court, Pacôme. Comment aurais-tu voulu que je balance à Nicolas qu'il a un fils de dix-sept ans ? Et puis… et puis…

– Quoi ?

Blanc comme un linge, il s'approcha de moi, hargneux, le corps tendu, mes yeux remarquèrent la veine de son cou saillante, il contenait difficilement sa fureur.

– Même si tu ne me crois pas, ce qui s'est passé entre nous n'a rien à voir, je n'ai jamais joué la comédie avec toi, mes sentiments sont sincères, crois-moi, je t'en prie…

Il me fusilla du regard.

– Ne parle plus jamais de ce qui s'est passé entre nous.

L'air me manqua comme jamais. J'avais toujours su que sa réaction serait radicale, ce n'est pas pour autant qu'elle était plus facile à encaisser. C'était même pire que tout ce que j'avais pu imaginer. Je suffoquai, une nouvelle larme roula sur ma joue, il resta indifférent.

– Noé… que sait-il ?

– Rien, il ne sait rien, il ne sait pas qui est son père. Je vais t'expliquer…

– Ce n'est pas à moi que tu dois justifier tes actes. Réserve tes explications aux deux principaux intéressés. Moi, tu m'oublies, je ne fais pas partie de ta vie.

La musique se tut au-dessus de nos têtes. Noé allait nous rejoindre d'un instant à l'autre. Je suppliai Pacôme des yeux de se contenir.

– Je ne lui ferai pas de mal.

Je me tournai in extremis pour ne pas que mon fils me voie en larmes.

– Ça va, maman ?

– Je vais préparer le dîner.

Pacôme devait le décortiquer sous toutes les coutures, traquant la moindre ressemblance avec Nicolas.

– Je peux vous poser une question sur Saint-Malo, Pacôme ?

– Tu connais ?

La surprise était perceptible, la tristesse aussi.

– Je rêve d'y aller, maman m'a promis de m'y emmener, elle traîne un peu.

– Que veux-tu savoir ?

– Plein de choses !

Je passai rapidement la main sur mon visage pour faire disparaître les dernières traces de larmes et endossai un masque de façade avant de leur faire face.

– Bon, tous les deux, vous filez dans le salon pendant que je fais à manger. Je n'ai aucune envie que vous me cassiez la tête avec vos histoires de corsaires !

Noé éclata de rire.

– Elle m'a dit que vous étiez un peu spécialiste, dit-il à Pacôme.

Un éclair d'amusement traversa son regard :

– Elle a forcément exagéré !

– Vous venez ?

– Si tu me tutoies… Parce que là, j'ai l'impression d'être un vieux.

Noé lui offrit un sourire radieux. Pacôme ne pouvait mieux se comporter pour lui faire plaisir et, dans ce monde idéal que je ne connaîtrais jamais, j'aurais été la plus heureuse des femmes. Avant de franchir le seuil de la cuisine, Pacôme me regarda par-dessus son épaule, accablé par le gâchis dont j'étais responsable.

Le dîner n'interrompit pas leur conversation. Bien au contraire, je crois que Pacôme faisait tout pour l'entretenir : au-delà d'être son sujet de prédilection, cela lui évitait surtout de s'adresser à moi. J'observais mon fils dont l'admiration enflait de seconde en seconde. Il buvait ses paroles, il le dévorait des yeux. Je voyais à quel point Pacôme était touché par l'intérêt que lui portait Noé. Quand mon fils prononça le titre magique, *Ces messieurs de Saint-Malo*, Pacôme sembla recevoir un coup de poing en plein cœur, son regard sur Noé se fit tendre, ému. C'était bon d'avoir rêvé à un lien entre eux, je ne m'étais pas trompée, ils avaient tout pour se rencontrer. J'aurais des histoires à me raconter pour m'endormir. L'espace de quelques instants, je me dissociai de mon corps, je n'étais plus à table avec eux ; je pensais à ce qui se passerait quand Noé découvrirait la vérité, je pouvais être rassurée, un peu. S'il me tournait le dos, il aurait avec Pacôme un homme qu'il admirait dans sa vie.

Mon fils se souvint que j'existais et m'envoya un sourire contrit :

– Désolé, je prends toute la place.

– Ne t'inquiète pas, je me doutais que vous vous entendriez bien.

– C'est pour ça que tu ne voulais pas nous présenter ? me charria-t-il.

Dans ma vision périphérique, je vis le poing de Pacôme se crisper jusqu'à en faire blanchir les jointures.

– Je vais vous laisser tranquille !

Noé se leva de table en débarrassant. Quand il revint après un passage express dans la cuisine, il s'approcha de Pacôme, qui se mit debout à son tour.

– J'espère te revoir bientôt !

– Peut-être pas tout de suite.

Mon sang se glaça d'effroi. Pacôme ne pouvait être en colère au point de faire souffrir Noé ? Il enchaîna sans que j'aie le temps d'intervenir d'une quelconque façon.

– Je risque de repartir prochainement en voyage.

– Ah ouais ! Où ?

D'ailleurs, je réalisais qu'il ne m'avait même pas dit où il était allé.

– Je ne sais pas encore.

– Maman me dira ! À bientôt !

Pour une fois, je n'avais pas à masquer mon chagrin. Il fuyait, il reprenait sa liberté. Noé tendit la main à Pacôme, un grand sourire aux lèvres. Celui-ci le fixa avec intensité, avant de soupirer profondément. Une vague de tristesse émana de lui.

– Fais attention à toi, Noé.

Mon fils me fit un clin d'œil, il était fou de joie. Il disparut à toute vitesse dans l'escalier. De longues minutes se passèrent sans que ni Pacôme ni moi ne bougions. Impossible de le regarder sans m'effondrer. Impossible de le regarder sans le supplier de me pardonner et de ne pas partir. J'étais effrayée à l'idée qu'il m'abandonne. Et pourtant, j'avais toujours su que cela arriverait. Il s'éloigna, attrapa son caban qu'il avait jeté sur le canapé. Il prenait déjà le chemin de la sortie, sans un mot, un geste pour moi. Je lui courus après.

– Attends !

Il s'arrêta net, mais resta de dos.

– Pacôme, s'il te plaît, regarde-moi.

– Je ne peux pas.

Je fis encore un pas, il le sentit, son corps se contracta davantage.

– Reste où tu es, Reine.

Il parlait tout bas, mais d'un ton sec et sans appel. Les larmes coulèrent à nouveau sur mes joues.

– Ça ne peut pas se terminer de cette façon… Nous…

J'avais conscience d'être pathétique, de quémander des miettes. Mais je m'en foutais.

– Considère qu'avec tes mensonges, ce nous, comme tu dis, n'a jamais commencé. Tu es rayée de ma carte. Ton seul mérite aura été de me faire comprendre de toujours rester maître de ma vie.

Il ouvrit la porte, franchit le seuil et disparut dans la nuit noire de mon jardin. J'étais tétanisée. Pacôme venait de se volatiliser. Définitivement.

La semaine suivante, je surnageai. Auprès de Noé, je jouais encore la comédie de la maman amoureuse et heureuse, j'avalais un cachet chaque soir pour réussir à dormir quelques heures et éviter d'avoir les traits ravagés par l'épuisement, le chagrin et l'angoisse devant mon fils. Je prenais soin de me préparer méticuleusement chaque jour, trouvais la force de me maquiller, malgré mes yeux pleins de larmes. Mes faits, mes gestes, mes paroles à la maison n'avaient qu'un objectif : continuer à faire croire à Noé que tout allait bien. Il me parlait souvent de Pacôme, me posant des questions sur lui, me demandant si j'avais eu de ses nouvelles. Ces moments où je l'évoquais tenaient à distance la douleur de l'avoir perdu, c'était un peu comme s'il était toujours là. J'entretenais un mythe.

Mais pour combien de temps encore ? Je dissimulais mes sursauts, mon esprit toujours en alerte, guettant le moment inéluctable où tout allait exploser, où Nicolas allait débarquer après que Pacôme lui aurait tout rapporté. J'étais dans le couloir de la mort. Combien de temps Pacôme mettrait-il avant de me faire monter sur le bûcher ?

Le vendredi soir, alors que j'étais encore au bureau, Noé me téléphona pour me demander s'il pouvait sortir et dormir chez un copain. C'était plus pour me prévenir que pour obtenir mon autorisation. J'avais beau détester qu'il découche, passer la soirée seule m'arrangeait. Je ferais une pause dans le faux-semblant. Je n'aurais pas à traverser les prochaines heures à observer mon fils tout en me demandant si c'était le bon moment de passer aux aveux.

J'enfilais mon manteau, prête à partir, quand Paul entra dans la pièce. Noé avait dû lui annoncer qu'il avait rencontré Pacôme, il avait compris le reste de lui-même sans qu'on échange le moindre mot.

– Tu y vas ?

– Il semblerait.

– Que fais-tu ce week-end ?

– Rien… peut-être un déjeuner chez mes parents dimanche midi, je vais avoir du mal à y couper. Noé a envie de voir la famille.

– Mets-les au courant.

Je ne lui répondis pas. À quoi bon me fatiguer inutilement ? Je n'avais plus d'arguments.

– Tu veux qu'on dîne ensemble ?

– Je te remercie, mais non… J'ai besoin d'être seule. Tu as mieux à faire que de t'occuper de moi.

J'en étais certaine puisque j'avais aperçu quelques jours plus tôt une femme qui l'attendait sur le parking du Hangar. Mais comme nous ne nous parlions plus, je n'avais plus droit aux derniers rebondissements de sa vie amoureuse. Je passai devant lui.

– Reine, attends.

– Je veux rentrer, laisse-moi partir.

– Je viens d'avoir Pacôme au téléphone.

Je me figeai, mes mains se mirent à trembler, mes yeux se remplirent de larmes.

– Comment va-t-il ?

– Difficile à dire, il n'a pas été très loquace. Il voulait juste me prévenir que Nicolas reprendrait à nouveau la main, les prochaines semaines.

– T'a-t-il donné une raison particulière à ce changement ?

– Il part demain matin en Asie.

Il mettait donc ses projets à exécution et des milliers de kilomètres entre nous. En revanche, si je voulais trouver une maigre consolation à son départ, le fait que Nicolas travaille avec Paul et, par voie de conséquence, plus ou moins avec moi signifiait que Pacôme n'avait rien dit sur ses découvertes. Pourquoi ce silence ?

– Merci de m'avoir prévenue, réussis-je à dire.

Mes jambes se remirent en marche.

– Attends !

Paul me rattrapa et me bloqua le passage. Je m'obstinais à éviter tout contact visuel avec lui, il posa ses mains sur mes épaules.

– Dis-moi quelque chose, je t'en prie. Tu te mures dans le silence, ces derniers jours. Confie-toi à moi, je t'en prie, ne reste pas ainsi.

– Que veux-tu que je dise, Paul ? Que je paie enfin pour toutes mes erreurs ? Que je souffre le martyre parce que j'ai perdu celui dont je rêvais depuis tant d'années et que ce n'est que le début ? Que, bientôt, je vais perdre mon fils ? Ce n'est plus qu'une question de semaines, si j'arrive à tenir le coup jusqu'à son bac. C'est ça que tu veux entendre, Paul ?

Il ne trouva rien à me répondre.

– Voilà, c'est exactement ce que je disais, il n'y a rien de plus à dire !

– Peut-être, mais je suis là pour toi.

– Ça fait dix-huit ans qu'on se connaît, Paul. Dix-huit ans que tu t'inquiètes pour moi, dix-huit ans que tu m'exhortes à avouer la vérité. Je ne veux plus te causer de soucis. Chacun sa vie, chacun ses emmerdes.

Il eut un sourire triste et tendre à la fois.

– Je ne peux pas me refaire… Je m'inquiéterai toujours pour toi et Noé.

– Il va bien, lui, pour le moment.

Il dut comprendre qu'il ne tirerait rien de plus de moi. Il me prit dans ses bras et embrassa mes cheveux. L'espace d'une seconde, je me sentis déchargée d'un fardeau, l'étreinte de Paul m'offrit un bref instant de paix. La disparition de son omniprésence dans ma vie m'affaiblissait.

– Je n'insiste pas pour le dîner ? murmura-t-il.

– Bon week-end.

Je passai la soirée allongée dans le canapé, grelottant sous une couverture, télévision allumée pour m'abrutir, pour ne pas m'entendre cogiter, m'angoisser. Les heures s'enchaînèrent, sans que je bouge, sans que je trouve la force de me traîner jusqu'à ma chambre. De temps à autre, je me levais pour remplir mon verre de vin. Je nourrissais l'espoir que l'alcool m'aiderait à somnoler un peu.

À plus de minuit, la vibration de mon téléphone sur la table basse me fit sursauter. Je bondis, paniquée à l'idée que Noé ait un problème. Ce n'était pas mon fils. C'était Pacôme. Je décrochai d'une main tremblante.

– Noé est là ?

– Non… il fait la fête avec ses copains. Pourquoi ?

– Tu peux m'ouvrir ? Je suis devant chez toi.

Chancelante, n'y croyant pas, pourtant c'était bien son ombre que je distinguais derrière la vitre, je lui ouvris.

On resta de longues secondes à se dévisager. Si moi, j'avais des cernes profonds, lui avait le visage ravagé. Je ne voulais qu'une chose : me blottir dans ses bras.

– J'ai besoin de comprendre, Reine. Je veux que tu m'expliques comment tu as pu en arriver là ? Et après, je pourrai partir et retrouver ma liberté.

Il était là pour lui, pour sa survie.

– Entre…

Je repris ma place sur le canapé, pelotonnée dans un coin, recroquevillée sur moi-même pour ne pas m'écrouler devant lui, froid et distant. Il restait debout, bras le long du corps, poings serrés, comme s'il ne savait pas où se mettre. Il semblait si grand, je me sentais si petite face à son jugement, face à sa présence.

– Paul m'a dit que tu partais.

– Je dois être à Roissy à 6 heures du matin.

– Si tu veux boire quelque chose, va te servir dans la cuisine, tu dois te souvenir du chemin.

Il revint quelques minutes plus tard avec une bière à la main et s'assit en face de moi.

– Pacôme, je n'ai aucune excuse pour ce que j'ai fait. J'en ai conscience. À toi de te faire ton avis.

Il paraissait tellement désabusé.

– Avant que tu me racontes ton histoire, je veux savoir pourquoi tu ne m'as rien dit ?

Je ravalai un rire amer mêlé de quelques larmes.

– Avant que Nicolas entre dans ton bureau la première fois, tout allait bien dans ma vie, je venais de te rencontrer, j'étais heureuse. Et tout a basculé dans l'enfer. À partir de là, j'ai été prise au piège de tous les côtés. J'aurais tellement préféré ne pas te mêler à cette histoire sordide, être capable de te résister, je n'ai pas pu… Si tu savais à quel point j'ai eu envie de tout te dire, de tout t'avouer, mais tu es le meilleur ami de Nicolas et…

– C'est bien pour cette raison que je me tire, je ne peux plus le regarder en face depuis que je sais.

Sous-entendu que moi, j'en suis capable, sans cas de conscience.

Un silence pesant se glissa entre nous, il était prêt à l'attaque pour se protéger et pour protéger son frère de cœur. J'étais forcément la méchante de l'histoire. J'allumai une cigarette et me servis un énième verre de vin. La colère s'empara de moi. Depuis combien de temps n'avais-je pas ressenti cette fureur contre la terre entière ? Qui était-il, au bout du compte, pour me juger, lui qui semble-t-il fuyait toute forme d'engagement par égoïsme ?

– As-tu la moindre idée de ce que cela fait de se retrouver enceinte à vingt-deux ans alors que son petit ami, que je croyais bêtement être l'homme de ma vie, est à l'autre bout du monde avec des inconnus qui lui retournent la tête ? Sais-tu ce qui se passe dans la tête d'une jeune fille amoureuse ?

Il eut un mouvement de recul, ne s'attendant certainement pas à une telle réaction de ma part. Il ne me pensait pas capable de hausser le ton, de rendre coup pour coup.

– Non…

– Tais-toi !

Je bondis de ma place et avançai vers lui, saisie par la rage, le corps tendu, prête à mordre. Je ne cherchais pas à justifier mes actes, mais je demandais juste un peu de respect.

– As-tu la moindre idée de ce que cela fait d'aller au planning familial pour avorter sans que personne ne soit au courant ? Tu crois qu'une femme décide de passer à l'aspirateur pour le plaisir ? Non, tu n'en sais rien ! Tu ne sais pas non plus ce que cela fait d'entendre une infirmière t'annoncer méchamment qu'il va falloir assumer. Que crois-tu qu'il puisse se passer dans la tête d'une fille de vingt-deux ans qui s'apprête à dire à son petit ami par téléphone qu'il va devenir papa quand ce même petit ami lui annonce qu'il est tombé fou amoureux d'une autre qui vit avec lui en Inde ?

Je n'étais pas loin de hurler, j'étais soulagée d'évacuer toute cette rancœur, tout ce chagrin. C'était Pacôme qui prenait, alors qu'il n'y était pour rien. Impossible de m'arrêter. Je devais aller au bout.

– Vas-y Pacôme, réponds-moi !

Il baissa la tête.

– Regarde-moi, lui ordonnai-je.

Il m'obéit.

– Tu veux savoir qui je suis ? Je suis une femme qui a cru devenir folle à lier, je suis une fille qui s'est retenue chaque jour pendant sa grossesse de frapper son ventre avec violence pour tuer son bébé.

Il ouvrit les yeux en grand.

– Tu peux être horrifié. Moi, je ne me le pardonnerai jamais, tu m'entends, jamais ! Pourtant, je dois vivre avec !

Vidée, je reculai et m'écroulai sur le canapé.

– À partir du jour où j'ai eu Noé dans mes bras, repris-je légèrement calmée, j'ai su que j'avais une raison de vivre, de me lever chaque matin, une raison de me battre. Mais j'ai surtout eu peur que quelqu'un me le prenne, Nicolas particulièrement. J'ai construit notre vie, toute seule. Je ne vais pas te faire l'article de la mère courage, tu n'en as rien à faire et je ne me plains pas. Je veux juste que tu saches comment tout s'est enchaîné pour Noé et moi. Je me suis enfoncée dans le mensonge, par manque de courage, pour protéger envers et contre tout mon fils de mes erreurs.

Il ne me quittait pas des yeux, ses mains tremblaient.

– Je le répète, Pacôme. Jusqu'il y a peu, pour moi le hasard n'existait pas. Crois-tu sincèrement, après ce que tu viens d'entendre, que j'aurais pris le risque de venir aux Quatre Coins du monde si j'avais su ce qui m'y attendait ?

Il semblait incapable de me répondre, il se contenta de hocher la tête.

– Des vies vont être gâchées et tout est ma faute. Je suis impardonnable, je le sais.

Maladroitement, j'essuyai mes joues baignées de larmes. Pacôme se frotta énergiquement le visage comme pour se réveiller d'un mauvais cauchemar. Il quitta le fauteuil et fit nerveusement les cent pas. Je ne le lâchais pas des yeux, en quête désespérée d'un mot, d'une réaction. Il souffla longuement, pour se détendre, comme s'il venait de décider quelque chose. Il vint s'accroupir devant moi et me regarda d'un air plus doux.

– Noé mérite de connaître Nicolas. Nicolas mérite de connaître son fils. Et toi, tu mérites d'être en paix.

Je suis d'accord.

– Reine, je suis navré, mais je vais te mettre le couteau sous la gorge. D'ici mon retour dans quinze jours, Nicolas doit être mis au courant, c'est à toi de le faire.

Je hoquetai de douleur.

– Si tu ne t'en charges pas, je m'en occuperai. À tes risques et périls. Ce qui implique que tu dises la vérité à Noé, il doit savoir qui est son père.

Je crus que ma poitrine allait exploser. Pourtant, je ressentais une certaine forme de sérénité. En dix-huit ans, c'était la première fois que quelqu'un me lançait un ultimatum. Lui irait jusqu'au bout, j'en étais convaincue.

– Je vais le perdre, lui annonçai-je.

– Non, il t'aime trop. Ton fils est fabuleux.

Ses yeux brillèrent d'un éclat particulier, d'une lumière que je n'avais encore jamais vue chez lui, avant. J'étouffai un sanglot.

– N'importe quel homme rêverait d'en avoir un tel que lui.

Je réussis à lui sourire.

– Je donnerais beaucoup pour t'avoir rencontré dans d'autres circonstances, Pacôme.

Il ferma fortement les yeux, son visage était marqué par la douleur.

– Moi aussi, me répondit-il en rivant son regard au mien quelques secondes plus tard. Mais Nicolas sera toujours entre nous.

– Je sais.

Peu importait ce que nous réservaient les prochaines semaines, peu importaient les réactions du père et du fils qui ne savaient toujours rien, nous ne pourrions plus jamais être ensemble, Pacôme et moi. Nicolas était pour toujours le père de Noé, j'étais la mère de Noé et Pacôme était l'ombre de Nicolas. Il l'avait compris, je l'avais compris, malgré l'amour indéniable qui aurait pu nous lier, qui nous liait déjà.

– Je vais y aller, murmura-t-il.

Il se rapprocha de moi, sa respiration s'accéléra, il me fixa en quête d'une autorisation, je la lui donnai en l'embrassant. Il m'allongea sur le canapé. Je ne pensais pas qu'il était possible de pleurer en faisant l'amour. Et pourtant c'était ce qui m'arrivait. Nos caresses n'étaient ni tendres ni douces. Pacôme m'aimait avec rage et désespoir, nous nous disions adieu, je voulais qu'il me marque, qu'il marque mon corps. On essaya de résister le plus longtemps possible pour rester encore et encore dans cette fusion qui nous était propre. Mais il fallut céder. Nos corps lourds se serrèrent à nous en faire mal de longues minutes en silence. On s'accrochait l'un à l'autre comme des naufragés. Je retins un sanglot quand il s'arracha à moi.

Il tituba en se rhabillant, je remontai la couverture sur moi. Épaules voûtées, il resta de dos, sans bouger.

– Reine, tu vas le faire ? Tu vas les réunir ?

Finalement, il n'y avait que lui qui pouvait me pousser à faire l'inimaginable.

– Je te le promets.

Il commença à marcher vers la sortie. Je m'enroulai dans mon plaid et le rattrapai.

– Attends, Pacôme.

Il se tourna vers moi, un sourire triste aux lèvres. Je ne voulais pas le laisser partir, j'avais tant de choses à lui dire encore…

– Je… je…

– Ne dis rien s'il te plaît. Sinon, je vais avoir envie de mentir moi aussi et d'enlever la belle inconnue et son fils pour nous enfuir à l'autre bout du monde.

Impossible de retenir mes larmes. Il continuait à me sourire.

– Souviens-toi de cette histoire pour t'endormir le soir, d'accord ?

Je hochai la tête. Il passa un doigt sur mes lèvres, hésita à franchir la mince distance qui nous séparait, mais se ravisa.

– Au revoir, Reine.

– Fais attention à toi, Pacôme.

Je déposai un baiser léger sur son doigt qui courait toujours sur ma bouche et il tourna les talons.

– 9 –

J'avais franchi la première étape : accepter de dire la vérité à Noé. Deuxième étape : préparer mes aveux.

Comme prévu, le dimanche suivant, on retrouva toute la famille chez mes parents, j'avais fait promettre à mon fils de ne pas souffler mot au sujet de Pacôme. Je savais qu'il m'obéirait rien que pour m'épargner l'interrogatoire qui découlerait d'une annonce pareille. Durant tout le déjeuner, je souris, je ris, je pris des nouvelles des uns et des autres. Pourtant, je me sentais ailleurs, comme enveloppée dans du coton, détachée de tout. Lorsque les hommes de la famille respectèrent leur rituel de la balade à vélo, je me tournai vers ma mère :

– Je peux aller fouiller au grenier ?

– Bien sûr ! Que cherches-tu ?

– Des bricoles que j'ai stockées ici, il y a des années.

Volontairement, j'évitai de regarder ma sœur.

– Pour une fois, je vais sécher la vaisselle !

Je sortais déjà de table, Anna me retint :

– Dis-nous ce que tu cherches et on vient t'aider, ça ira plus vite.

– Je te remercie, mais je vais m'en sortir.

Je quittai la salle à manger, les laissant à leurs messes basses. « Qu'est-ce qui lui prend ? », « Laisse ta sœur tranquille », « C'est vrai qu'elle est étrange depuis quelque temps, je pensais qu'elle avait rencontré quelqu'un, j'ai dû me tromper », etc., etc.

Petite fille, j'avais passé du temps dans ces combles, à me raconter des histoires, à imaginer ma vie de grande. C'était mon jardin secret et, logiquement, quand il avait fallu cacher des preuves pour qu'elles ne tombent jamais entre les mains de Noé, je les y avais entreposées. Sous prétexte qu'il y avait trop de choses dangereuses qui pouvaient leur tomber sur la tête ou les pieds, mon père avait interdit l'accès du grenier à ses petits-enfants. Je savais précisément où chercher. Une étagère, au fond, sous la lucarne. Un carton rangé le plus haut possible. C'était papa qui m'avait aidé à le mettre à l'abri, il l'avait fait sans dire un mot ni me juger. Il était tellement abattu de la tournure que la vie de sa petite dernière avait prise qu'il n'avait pas eu la force à l'époque de me secouer ni de m'imposer de faire ce que la logique et le bon sens auraient exigé. Je trouvai une caisse sur laquelle monter et récupérai mes souvenirs. Je m'assis à même le sol, dans la poussière, et je plongeai dans le passé.

Le passé heureux, le passé malheureux. Les moments de joie ; mes cartons à dessin, souvenirs de mes années à l'école d'art quand je voulais être décoratrice pour le théâtre, le bandeau à fleurs que j'avais toujours dans les cheveux et que je portais quand nous nous étions embrassés pour la première fois avec Nicolas, sur le palier des chambres de bonne voisines où nous vivions, les photos de nous amoureux transis à vingt ans. Progressivement, je tombai sur d'autres moments plus glauques ; les rares lettres qu'il m'avait écrites d'Inde, je les parcourus en diagonale, la première était une belle lettre d'amour maladroite, les suivantes plus distantes, mais un prénom – que je n'avais pas retenu à l'époque – retint mon attention. *J'ai rencontré un type, un Français, il s'appelle Pacôme, il a deux ans de plus que moi, il bourlingue depuis un an, je sais pas trop d'où il vient, il m'impressionne, il n'a peur de rien et peut partir en vrille d'une minute à l'autre, mais il est cool. Si un jour tu viens me rejoindre, tu le verras peut-être, à moins qu'il ne soit parti à Tombouctou ! Des bisous, ma Reine.* Ensuite, je retrouvai mes échographies de grossesse, j'y étais allée à reculons et je n'avais jamais regardé l'écran, j'avais toujours ostensiblement tourné la tête, pour ne pas voir cette petite forme qui grandissait dans mon ventre.

Je fis le tri dans ce que je voulais mettre de côté ; quelques photos pour montrer à Noé qu'il avait été le fruit de l'amour, même si nous n'avions pas eu conscience que nous le fabriquions, et les fameuses échographies pour les dates inscrites dessus, afin que Nicolas n'ait aucun doute.

Je m'apprêtais à remettre tout le reste en place quand la porte grinça dans mon dos.

– Tu t'en sors ? s'enquit Anna.

– Très bien.

– Tu cherches quoi, en fait ?

Je me tournai vers elle, mon paquet à la main, et le lui tendis. Fébrilement, elle parcourut les souvenirs.

– Pourquoi récupères-tu tout ça ?

Son ton était dur, je sentais l'angoisse qui la saisissait.

– Il est temps, Anna.

– Temps pour quoi ?

– Je vais tout dire à Noé.

– Non ! Tu ne peux pas faire ça !

Je soufflai doucement pour garder mon calme.

– Je n'ai pas le choix.

– On a toujours le choix ! Et je te rappelle que tu en as fait un qui a eu des conséquences sur toute la famille, il y a dix-huit ans. Tu ne peux pas revenir en arrière et changer d'avis sur un coup de tête !

Anna et son sens de la famille… on protège la famille, toujours. Ironique, je lui souris :

– Ce n'est pas un coup de tête et, je le répète, je n'ai pas le choix.

Exaspérée, elle leva les yeux au ciel :

– N'importe quoi !

– J'ai retrouvé Nicolas, il y a plus de trois mois maintenant.

Elle porta la main à son cœur.

– Comment ! Pourquoi tu ne nous as pas dit que tu le cherchais ?

– Parce que je ne l'ai jamais cherché ! Il m'est tombé dessus par le boulot.

– Quelle horreur ! Mais pourquoi tu n'as pas demandé à Paul de te décharger de ce dossier ? Fuis-le !

– Tu crois que je peux oublier que Nicolas vit à trois cents kilomètres d'ici ? Tu crois que je peux oublier la ressemblance entre lui et Noé et faire comme s'il n'existait pas ?

– Je m'en moque, de ta conscience ! Tu finis ton job et basta, tu coupes les ponts !

– Tu es cinglée ? Tu te rends compte de l'énormité de ta demande ?

– Reine ! Je t'interdis de faire ça !

– Parce que tu crois que je te demande l'autorisation ? Il est question de ma vie ! Pour qui te prends-tu ?

– Tu vas achever papa et maman !

J'étais soufflée, enfin peut-être pas tant que cela.

– J'ai toujours supposé que tu m'en voulais, mais pas à ce point…

Elle blêmit, se rendant compte qu'elle était peut-être allée un peu trop loin dans les reproches. Le mal était fait, quel besoin de revenir dessus ?

– Ce n'est pas ce que je voulais dire, bafouilla-t-elle. On va perdre Noé.

– C'est surtout moi qui vais perdre mon fils, nuance. Toi, tu ne vas rien perdre ! De toute façon, Anna, tu n'as pas ton mot à dire. Tout ce que je vous demande, c'est d'être là pour Noé.

Je la contournai et quittai le grenier, sans me retourner. Elle me suivit, exigeant que je l'écoute. Alors que j'arrivais au rez-de-chaussée, maman débarqua, affolée par les cris d'Anna.

– Que se passe-t-il, les filles ? Même enfants, vous ne vous hurliez pas dessus de cette façon !

– J'ai mes raisons, lui rétorqua Anna, hors d'elle. Vas-y, dis-lui quelle connerie tu t'apprêtes à faire !

Je me tournai vers ma mère, désolée de lui infliger une telle douleur.

– Maman, d'ici quelques jours, je vais retourner à Saint-Malo ; pas pour le travail, mais pour parler avec Nicolas.

Elle comprit immédiatement et chancela, je la rattrapai in extremis, mes yeux se noyèrent de larmes.

– Après, j'expliquerai tout à Noé. Il doit savoir qui est son père. J'ai mis du temps à le comprendre, mais maintenant, je suis prête. Pardon, maman.

Elle caressa délicatement ma joue.

– Ma petite fille… Tu vas beaucoup souffrir…

– Je le mérite.

– Non, ma petite chérie, tu ne le mérites pas. Et ne t'inquiète surtout pas pour nous. Seul Noé compte. Et nous portons tous notre part de responsabilité.

– Dis-lui quelque chose ! brailla Anna. Elle va mettre la famille à sac. Elle ne peut pas nous faire ça !

– Anna, stop ! On a toujours su qu'on faisait une erreur monumentale en cautionnant la décision de ta sœur, mais cela nous a bien arrangés, toi la première, on y a tous trouvé notre compte, tous autant qu'on est. Tu as été bien contente de jouer à la petite maman avec Noé et d'être un modèle pour ta sœur, ne dis pas le contraire.

Anna eut un mouvement de recul, blessée, son regard se perdit dans le vague : elle savait que maman avait raison. Elle finit par lever des yeux larmoyants vers moi.

– À l'époque, reprit maman, on a resserré le clan, et il va falloir continuer. Ne vous tournez pas le dos. Noé va avoir besoin de nous.

Elle s'adressa à nouveau à moi :

– Tu nous diras quand tu iras le voir ?

Je hochai la tête en guise de réponse.

– C'est un homme bien ?

– Oui, maman.

– Tant mieux.

Maman redevenait la maîtresse femme qui dirige sa tribu d'une main de fer dans un gant de velours. Méfiante, je m'approchai d'Anna. Je refusais d'être en froid avec elle, je l'aimais trop.

– Tu pourras me pardonner ? lui demandai-je.

Elle m'attrapa dans ses bras.

– C'est moi qui te demande pardon, sœurette, me glissa-t-elle à l'oreille. J'ai déraillé, mais j'ai peur pour toi et notre Noé. Je ne comprends pas comment on a pu en arriver là, je croyais que les choses ne changeraient jamais, que Noé serait toujours à toi, et un peu à nous aussi. C'est mon rôle de grande sœur de vous protéger tous les deux. Et puis, ça me dépasse, je te jure, alors je deviens un peu folle, tu me connais.

Je me dégageai délicatement de son étreinte pour plonger mes yeux dans les siens.

– Moi aussi, tu sais, je suis dépassée, mais il faut que je le fasse.

Ce fut à son tour de me caresser la joue.

– Je sais… Va cacher ton enveloppe dans la voiture avant que nos hommes rentrent, il ne faut pas qu'il tombe dessus aujourd'hui.

– Merci…

– Je vais t'accompagner et tu vas me payer une clope, papa n'est pas encore arrivé !

Toutes les trois, on partagea un fou rire – triste.

Les dix jours qui suivirent, je mis ma vie, mes affaires en ordre, et je calai un rendez-vous soi-disant professionnel avec Nicolas. Je me préparais, ne sachant que trop bien dans quel chaos je plongerais d'ici peu. Je me sentais étrangement calme. Je n'avais plus d'épée de Damoclès au-dessus de la tête. Elle était tombée, déjà. Ne me restait plus qu'à achever le travail. La fatalité me poussait à profiter des derniers instants de ma « vie d'avant » ; le temps de l'angoisse et de l'énervement était fini. J'étais forte du soutien de ma famille, à qui je ne mentais plus, même si je comptais ne rien leur demander de plus. J'étais sereine comme je ne l'avais plus été depuis des semaines Paul dut s'en apercevoir car il cessa de me surveiller. Pacôme ? Je pensais à lui chaque jour, chaque minute, il me manquait atrocement. Ma seule consolation était de savoir qu'il ne me détestait pas, il savait tout, il avait compris, du moins c'est ce qu'il m'avait fait entendre. À la maison, pour quelques jours encore, j'étais la maman que Noé avait toujours connue, on se chamaillait, on riait, on partageait de jolis instants. Peut-être que quand on se sait condamné, la sagesse nous envahit ?

La veille de mon départ, Paul fit une énième tentative d'approche.

– Je peux venir avec toi, demain… Ton retour seule, après, en voiture, c'est dangereux.

– Je tiendrai le coup, je n'aurai pas fini ce que j'ai à faire, alors fais-moi confiance une dernière fois, je serai prudente. Noé m'attendra à la maison, je rentrerai entière.

Il se faisait manifestement un sang d'encre pour moi. Il cherchait une confirmation, l'assurance que tout irait bien, sans doute vivait-il mal d'être exclu de ce qui m'arrivait et de ce qui était sur le point d'arriver à Noé. J'avais beau être centrée sur mes soucis, je ne pouvais m'empêcher de l'observer à la dérobée. Et Paul était de plus en plus souvent ailleurs, je sentais que Noé occupait toutes ses pensées. Le fait qu'il sache bientôt qui était son père aurait fatalement des conséquences sur leur relation. Anna m'avait dit que la famille craignait de perdre Noé. Mais Paul risquait de le perdre aussi. Comment le vivrait-il ? En même temps, je devais faire confiance à mon fils. Il ne pourrait pas tourner le dos à Paul, il comptait trop pour lui. Je ferais tout pour que ce ne soit pas le cas, Paul m'avait obéi, rien de plus, il n'avait jamais cautionné mes choix. C'était certainement maladroit de le tenir à l'écart, mais je ne cherchais qu'à le protéger. Alors qu'au fond de moi, j'aurais eu besoin de lui vingt-quatre heures sur vingt-quatre, je me serais contentée de sa simple présence. Je me blottis dans ses bras, il me serra fort contre lui.

– Merci d'être là, Paul, merci d'être dans ma vie.

Il tressaillit et inspira profondément avant de me lâcher :

– File voir ton fils, maintenant.

Je déposai un baiser sur sa joue, lui promis de lui donner des nouvelles et partis.

– Pourquoi tu as préparé des burritos, maman ? me demanda Noé en débarquant dans la cuisine ce soir-là.

Je ris face à sa mine inquiète.

– Je n'ai pas fait de connerie ? Si ?

– Non, mon Noé.

– Bah, alors ? On ne s'est pas disputés ?

– Non plus.

– Pourquoi tu en fais, alors ?

– Parce qu'on a raté une soirée burrito et je me disais qu'on pouvait la rattraper.

Il tordit sa bouche, perplexe.

– C'est bizarre.

– Ton ventre gargouille tellement fort que je l'entends de l'autre côté de la pièce.

Il éclata de rire.

– Tu as raison !

Plus tard, repus, on s'écroula dans le canapé et je cédai à ses demandes persistantes pour me faire découvrir la série sur les zombies qu'il adorait, totalement à l'opposé de mes goûts. Comme il en était à la saison cinq ou six, je n'y comprenais rien et le laissais m'expliquer ce qui se passait. J'en profitai pour l'écouter, l'observer, le dévorer des yeux. Et quand ce qui se passait à l'écran devenait franchement trop rude pour moi, je me cachais dans son épaule, ce qui invariablement le faisait glousser. Je réussis à endurer deux épisodes avant de lui dire qu'il était l'heure d'aller se coucher. En soupirant comme le grand bêta de dix-sept ans qu'il était, il éteignit la télé.

– Au fait, demain, je fais un aller-retour à Saint-Malo dans la journée, lui annonçai-je.

Légèrement taquin, il me jeta un coup d'œil.

– Pacôme est rentré ?

– Non, j'y vais pour autre chose.

Là, il fut clairement stupéfait :

– Tu n'attends pas qu'il soit là pour y aller ? Va passer le week-end avec lui, maman. Je t'ai déjà dit que je me débrouillerais très bien tout seul.

– Je sais, mais de toute manière, il va être crevé à son retour. On se verra plus tard.

– Comme tu veux, mais c'est très bête.

Il bâilla à s'en décrocher la mâchoire, extirpa son grand corps du canapé, s'étira et prit la direction de l'escalier. Il s'arrêta à mi-chemin et se retourna vers moi, un grand sourire aux lèvres :

– C'était génial, maman, ce soir.

– Je trouve aussi, mon Noé.

– On recommencera plus souvent ?

Le pincement au cœur était de retour. Je me levai pour le rejoindre.

– Si tu veux, lui répondis-je en repoussant sa mèche de cheveux.

Il me fit un gros bisou sur la joue, je le respirai tant que je pus.

– Je t'aime, maman.

– Je t'aime aussi. Fais de beaux rêves.

Il disparut à l'étage en sifflotant. Une dernière fois, il m'avait dit qu'il m'aimait. Une dernière fois, je lui avais dit que je l'aimais en étant convaincue qu'il me croyait. Dans vingt-quatre heures, il me haïrait. Il ne me resterait plus que les souvenirs.

– 10 –

En longeant Intra-Muros, je me retins d'aller faire un tour des remparts pour passer sous les fenêtres de l'appartement de Pacôme, j'eus peur que ces jolis souvenirs me fassent flancher et je ne voulais pas les abîmer avec ce qui allait suivre.

Je restai enfermée dans ma voiture de longues minutes devant les Quatre Coins du monde en fixant la pluie battante. Je ne cherchais pas à gagner du temps ni à me dérober. Je me mettais en condition. En condition pour l'insoutenable. Briser des vies, les ruiner, les piétiner. Je pensais aux enfants de Nicolas – ses trois petits qui n'avaient rien demandé à personne –, ils avaient dû partager leur petit déjeuner le matin même avec un papa joyeux, un papa heureux. Quel papa allaient-ils retrouver ce soir ? Un papa détruit ? Héloïse avait dû embrasser un mari épanoui ce matin en partant au travail. Quel mari découvrirait-elle ce soir ? Un mari perdu. J'étais profondément et sincèrement triste de faire du mal à Nicolas, il avait tellement compté pour moi, il m'avait rendue heureuse, je m'étais épanouie à ses côtés. On ne souhaite pas faire souffrir son premier amour. Et quand je voyais l'homme qu'il était devenu, cela ne faisait que renforcer ma culpabilité et l'impression de gâchis.

Nicolas m'accueillit avec un grand sourire chaleureux.

– Comment vas-tu, Reine ?

Son ton était plein de sollicitude – il allait me parler de Pacôme –, rien ne me serait épargné. Je bottai en touche, sans renvoyer le traditionnel « Ça va », qui n'aurait aucun sens.

– Et toi ?

– Débordé, mais tout va bien. La routine !

Quelques minutes plus tard, nous étions face à face, confortablement installés dans les fauteuils de son bureau, un café à la main. Prêts pour une conversation de salon.

– Tu n'étais pas obligée de venir, tu sais ? On pouvait régler ça par mail ou Skype.

– C'était important que je sois là.

Je voyais bien qu'il tournait autour du pot, ses yeux se posaient partout, sauf sur moi.

– Tu as profité que Pacôme soit absent ? hasarda-t-il.

– Oui... Non... Je ne sais pas...

– Écoute, Reine, on a bien compris avec Héloïse qu'il se passait quelque chose entre vous... Je ne vais pas te mentir, c'était un peu étrange pour moi de vous imaginer ensemble, mais... tu lui faisais du bien. Il était plus posé depuis qu'il t'avait rencontrée, il partait moins dans tous les sens. Et même si je ne te connais pas encore totalement aujourd'hui, je me disais qu'il te rendrait heureuse aussi...

Arrête, Nicolas, je t'en prie. Ne rends pas les choses plus compliquées !

J'accusai le coup.

– Je ne sais pas ce qui lui a pris mais, à première vue, il a tout foutu en l'air et j'aurais préféré que ce soit avec une autre que toi.

Je ne pensais pas que cela se passerait de cette manière, ni que cela arriverait aussi vite, mais il fallait bien faire le grand saut.

– Nicolas, je t'arrête tout de suite, Pacôme n'a rien fait de mal… Tout est ma faute et c'est moi qui dois m'excuser. Tu n'as pas à l'accabler.

Je le défiai du regard pour qu'il n'ait aucun doute. Il dut comprendre le message, l'expression de son visage se durcit.

– Qu'est-ce que tu lui as fait ?

Ils étaient bien pareils tous les deux ; à la vie, à la mort.

– Il a découvert quelque chose…

Je levai les yeux au ciel pour empêcher les larmes de couler. Cela ne servit à rien.

– Quoi ? Qu'a-t-il découvert, Reine ?

Son ton s'était brusquement adouci, Nicolas avait toujours été très sensible aux pleurs, cela déclenchait chez lui des élans protecteurs, une occasion de jouer au sauveur, il n'avait vraiment pas changé.

– Il a rencontré mon fils.

– Ça ne s'est pas bien passé entre eux ? Laisse-leur du temps… Pacôme, sous ses airs irresponsables, est absolument génial avec les enfants.

– Ils ont tout pour s'entendre, je crois même qu'ils étaient faits pour se rencontrer, ne pus-je m'empêcher de lui répondre.

– Je ne comprends rien. Explique-moi, je voudrais t'aider, vous aider.

Dans une seconde, je ne pourrais plus faire machine arrière.

– Noé n'a pas dix ans, Nicolas.

Il fronça les sourcils, désarçonné. Je cherchai mon souffle au plus profond de moi en disant adieu à ma vie, à tout ce que j'avais construit.

– Noé a dix-sept ans.

Il resta stoïque de longues secondes, il me dévisageait sans me voir, j'étais certaine qu'il faisait des calculs. Nicolas avait toujours été perspicace. Il fut parcouru d'un frisson, d'une décharge électrique serait plus exact. Il se leva si brusquement que son fauteuil alla cogner contre le mur derrière lui.

– Comment… Comment peux-tu avoir un fils de dix-sept ans ? Et pourquoi avoir menti ?

Il faisait méthodiquement les cent pas dans la pièce en s'acharnant sur son pouce qui serait bientôt en sang. Je me levai et avançai lentement vers lui.

– Nicolas, regarde-moi, s'il te plaît.

Malgré sa réticence, il s'exécuta en me lançant de furtifs coups d'œil apeurés.

– Nous n'aurions jamais dû nous revoir, toi et moi.

– Quel est le rapport avec moi ? s'énerva-t-il en haussant le ton.

C'est affreux de lutter contre l'évidence.

– Quand tu m'as quittée, j'étais enceinte de trois mois…

Son monde parfait, ordonné, sans cadavre dans le placard, auquel il avait dû consacrer tellement d'énergie, venait de s'écrouler.

– Noé est ton…

Il franchit la distance qui nous séparait et m'empoigna par le bras, les yeux fous.

– Tais-toi ! Je t'interdis de dire…

– Noé est ton fils…

Je l'avais dit. C'était fait. Me sentais-je plus légère pour autant ? Non. Nous nous affrontions du regard, nos visages à peine séparés de quelques centimètres. Sans s'en rendre compte, il serrait mon bras de plus en plus fort, il haletait, de panique, de colère.

– Tu me fais mal.

Il me lâcha comme si je le brûlais. Il recula et leva les mains en l'air, en signe de reddition.

– Reine, je suis désolé pour toi si tu as des problèmes dans ta vie, mais je n'y peux pas grand-chose.

Il me prenait pour une folle, j'avais anticipé beaucoup d'attaques, mais pas celle-ci. Il se métamorphosait sous mes yeux, son expression devenait agressive, hautaine.

– Écoute-moi, s'il te plaît, le suppliai-je pour tenter de le faire revenir à lui-même.

– C'est n'importe quoi ! Pourquoi tu ne m'en aurais pas parlé à l'époque ! Je croyais que nous deux c'était bien, qu'on se disait tout… J'ai dû me tromper.

Son ton sarcastique abîmait nos souvenirs, réduisant à néant notre histoire.

– Ne va pas sur ce terrain-là ! J'ai cherché à te joindre des jours et des jours et, quand tu as daigné me rappeler, tu m'as annoncé que tu avais rencontré Héloïse, tu n'as pas fait de mystère du fait qu'elle était la femme de ta vie. Voilà pourquoi tu n'en as jamais rien su.

Son regard se voila, le germe du doute venait de s'insinuer en lui. Mais il se reprit très vite, se redressa, l'œil mauvais.

– Que lui as-tu dit, à ce pauvre garçon ?

J'eus un mouvement de recul face à sa condescendance.

– Noé ne sait pas qui est son père, lui avouai-je.

Il plissa les yeux, affligé, presque écœuré.

– Tu es monstrueuse. Comment as-tu pu faire ça à ton fils ? Une mère ne se comporte pas de cette manière. En même temps, tu ne te souviens peut-être même pas de qui te l'a fait, ce môme !

Une gifle ne m'aurait pas fait moins mal. Il me prenait pour une traînée, une mauvaise mère.

– Quand tu as débarqué ici, tu t'es dit : la bonne aubaine ! Nicolas va faire un père idéal !

La honte, le chagrin s'abattirent sur moi, je cherchais ma respiration.

– Non, sanglotai-je. Comment peux-tu imaginer une horreur pareille ? Tu as oublié qui j'étais. Il n'y avait que toi dans ma vie, je te le promets.

Il rit amèrement.

– Tu voudrais me faire croire ça alors que la première chose que tu fais en arrivant ici, c'est de coucher avec mon meilleur ami.

Tout se retournait contre moi.

– Maintenant que tu as fini ton sketch, tu t'en vas.

J'étais épuisée, il fallait pourtant que je provoque une réaction, une autre réaction que de l'agressivité.

– Je n'ai pas fini, lui annonçai-je. Je ne m'en irai pas, tant que tu ne m'auras pas écoutée.

Je m'étais promis de ne pas parler de *ses autres* enfants, mais je n'avais plus le choix, je devais produire un électrochoc.

– Il a la couleur dorée de tes yeux, cet épi indomptable, cette façon de… Adam lui ressemble tellement…

– Ne prononce pas le prénom de mes enfants, hurla-t-il. Je te l'interdis ! Laisse-les en dehors de tout ça ! Je t'interdis de les salir !

De toutes mes forces, je pris sur moi pour ne pas m'écrouler sous sa méchanceté, me convainquant que ce n'était que la peur qui lui dictait ses paroles odieuses.

– Noé est ton fils, tu ne pourras rien y changer, lui répétai-je doucement. Souviens-toi des derniers mois que nous avons passés ensemble avant ton départ, souviens-toi de moi, comment aurais-je pu te tromper ? Tu le sais bien, au fond de ton cœur…

Il s'arrêta net, chancela en blêmissant, la bouche entrouverte.

– Impossible, murmura-t-il.

– Arrête de lutter, s'il te plaît.

Il secoua la tête en signe de déni. Il refusait l'évidence, encore et encore.

– Tu te rends compte de la merde que tu fous dans ma vie ? Ça va détruire Héloïse, ma famille… Comment je fais, moi, pour oublier ce que tu viens de me dire ?

– Tu n'oublieras pas.

Il déglutit péniblement.

– Ce soir, je vais tout raconter à Noé, nous, sa conception, sa naissance et qui tu es aujourd'hui… Je tenais à ce que tu le saches.

L'expression de son visage se durcit.

– Je suis désolé pour lui, désolé que tu aies eu un enfant à élever seule. Mais tu n'as aucune révélation à lui faire, je ne suis pas son père, je n'ai pas de fils de dix-sept ans.

J'étais face à un mur. Il y avait quelques fissures, mais il restait inébranlable.

– Sors d'ici tout de suite et ne reviens jamais.

Je fouillai nerveusement dans mon sac à main à la recherche de l'enveloppe que j'avais préparée pour lui avec des preuves et plusieurs photos de Noé, je la déposai sur son bureau.

– Quand tu seras prêt, tu pourras découvrir son visage et constater que je ne te mens pas.

– Reprends tout ça, je n'en veux pas.

– C'est à toi.

Avec des gestes très lents, j'enfilai mon trench, nouai mon foulard autour du cou, mis mon sac sur l'épaule. Je décidai de l'affronter une dernière fois.

– Nicolas, je n'ai pas changé… J'ai simplement dû mûrir plus vite pour assumer, pour élever seule Noé. Je ne te blâme pas, je suis l'unique fautive. Tu ne m'accorderas jamais ton pardon, je l'ai toujours su.

Il fuyait ostensiblement mon regard.

– Pourtant, je m'excuse du plus profond de mon cœur, j'aurais dû avoir le courage de t'annoncer que j'étais enceinte à l'époque quand tu étais en Inde, je n'aurais pas dû me laisser envahir par la douleur de t'avoir perdu. Je suis terriblement désolée pour les conséquences sur ta famille, sur Héloïse et les enfants, ils ne le méritent pas. Personne ne le mérite, Noé le premier. Tout ce que je te demande, c'est de ne pas oublier qu'il n'y est pour rien. Moi, tu peux me détester, avoir envie de m'arracher les yeux, je m'en moque. Lui, apprends à le connaître, tu ne peux que l'aimer.

Il détourna le visage. Je quittai son bureau et refermai la porte sans bruit. Je traversai une dernière fois les Quatre Coins du monde, sous le regard gêné des employés – aux premières loges de notre dispute – et sortis sur le parking en espérant secrètement qu'il me rattrape, qu'il ne me laisse pas partir de cette façon. Sous la pluie toujours battante, j'attendis une demi-heure dans ma voiture, pour rien. Je pris la route vers la fin de mes aveux.

– 11 –

Je ne sais pas comment je réussis à rentrer saine et sauve à Rouen. Paul n'avait pas tort quand il m'avait dit que c'était dangereux. Je roulai comme une folle furieuse, le visage ravagé par les larmes, laissant s'échapper parfois des cris ; je frappais le volant de rage, de douleur. Je savais que j'allais provoquer un séisme en annonçant à Nicolas qu'il avait un quatrième enfant de dix-sept ans, mais jamais je n'aurais pu imaginer qu'il se défende avec une telle violence, cela lui ressemblait si peu, du moins cela ne ressemblait en rien à celui que j'avais connu ni à celui que j'avais cru retrouver. De toutes mes forces, je tentai de faire le vide, de tenir à distance cette passe d'armes entre lui et moi, pour me concentrer sur Noé. Arrivée à destination, j'envoyai un message à Paul pour le rassurer. Je ne répondis pas à ceux qu'il m'envoya les uns à la suite des autres.

Noé remarqua immédiatement que la situation était grave. Par rapport à la veille, c'était comme s'il avait une étrangère en face de lui. Il me bombarda de questions : « Que s'est-il passé ? Tu as un problème ? C'est Paul ? Pacôme ? Dis-moi, je veux savoir ! »

– On dîne et, après, je te parle.

C'était stupide, inutile, l'instinct animal de protection, mais je tenais à ce qu'il mange, je voulais prendre soin de lui une dernière fois. Peu de choses lui coupaient l'appétit, c'était de son âge. Alors il avait beau ne pas me quitter des yeux, traquant la moindre information sur mon visage, il engloutit son assiette de pâtes. De mon côté, j'avalai péniblement le contenu d'une fourchette que je faillis vomir immédiatement.

– Va m'attendre dans le salon, s'il te plaît. Je vais chercher quelque chose et j'arrive.

– Tu vas enfin me dire ce qui se passe !

Il était rongé d'inquiétude, je m'approchai de lui et caressai sa joue.

– Tu me fais peur.

– Pardonne-moi. Je te rejoins dans deux minutes.

Il m'obéit en traînant des pieds, tout en se retournant toutes les deux secondes pour me jeter des coups d'œil de plus en plus affolés. Je m'y prenais mal, forcément, il n'y avait pas de méthode pour ce que je m'apprêtais à faire. Je m'étais pourtant préparée, j'avais imaginé chacun de mes mots ; devant le fait accompli, ces mêmes mots se dérobaient, ils me semblaient tous ou trop ou pas assez, ou dénués de sens et de réconfort. Je récupérai dans ma table de nuit – lieu sacré qu'il n'aurait jamais fouillé – l'enveloppe préparée pour lui dix jours plus tôt chez mes parents. En haut de l'escalier, je marquai un temps d'arrêt. Dans quelques minutes, j'allais mourir. Mon cœur allait bientôt cesser de battre.

En arrivant dans le salon, je trouvai Noé en train de se ronger les ongles dans le canapé, il me lança un regard terrifié.

– Tu es malade, maman ?

Le sanglot qui déchira sa voix me broya le ventre, je courus et lui attrapai les mains.

– Non, mon trésor, ne t'inquiète pas. Je vais bien.

Il ne parut pas rassuré pour autant.

– Je te le promets, insistai-je.

Je m'assis en face de lui sur la table basse.

– Noé, je veux que tu saches que je t'aime plus que tout au monde, que ma vie n'aurait pas de sens si tu n'étais pas là.

– Moi aussi, je t'aime, maman, mais là, ton délire me fait flipper.

Je décachetai l'enveloppe et y récupérai une photo de Nicolas et moi, j'avais vingt ans et lui deux de plus. Nous étions sur une plage en Normandie au coucher du soleil, en plein hiver, emmitouflés dans nos manteaux, radieux, heureux, confiants en l'avenir.

– C'est quoi ?

Je la lui tendis, il l'attrapa, je mis quelques secondes à la lâcher. Nicolas, pour la première fois, se matérialisait entre mon fils et moi. Il me reconnut, un sourire tendre apparut sur ses lèvres – peut-être le dernier qu'il m'accordait – et ses yeux dévièrent, son visage se figea, il fronça les sourcils.

– C'est qui ? me demanda-t-il, la voix enrouée.

Évidemment, il ne l'avait jamais vu, mais il avait compris…

– Ton père.

Il semblait hypnotisé par la photo, ses mains tremblaient autour du papier glacé.

– Je lui ressemble, en fait…

– Beaucoup même.

– Pourquoi tu me le montres, maman ? Tu sais bien que je ne veux pas en entendre parler…

Le timbre de sa voix était empreint de douleur.

– Noé, regarde-moi, s'il te plaît…

Il m'obéit et me parut si fragile, d'un coup.

– J'ai fait beaucoup d'erreurs, mais la plus grosse est de ne jamais t'avoir dit la vérité sur Nicolas. J'ai cherché à te protéger, mais surtout à me protéger, moi.

– Quelle vérité, maman ? Tu veux que je sache que vous avez été amoureux ?

– Oui…

– Bon, bah, voilà, maintenant je sais, m'interrompit-il. Ça ne changera rien.

Il me refourgua la photo dans la main et se leva brusquement du canapé. Un gouffre venait de se créer entre lui et moi.

– Je n'ai pas envie d'en parler, me supplia-t-il. Tu le sais, non ?

– Je ne te donne pas le choix et tu te trompes, beaucoup de choses vont changer pour toi, après que tu m'auras écoutée.

– Bah voyons ! Tu vas me dire qu'il voulait de moi, qu'il ne nous a pas abandonnés, finalement ? C'est ça ?

– En réalité, il n'a jamais eu cette possibilité… Ton père n'a jamais su que j'étais enceinte.

Il s'écroula dans le fauteuil derrière lui et se prit la tête entre les mains.

– Qu'est-ce que ça veut dire ?

Je m'approchai de lui, luttant contre mes larmes, luttant contre mon envie irrépressible de le serrer entre mes bras.

– Quand j'ai appris que je t'attendais, il était en Inde, Avant que j'aie pu lui annoncer que tu existais, il m'a quittée pour une autre et je ne lui ai rien dit. Je t'ai gardé pour moi, pour moi toute seule.

– Je ne comprends pas, maman…

Je sais, mon trésor, tu ne peux pas entendre que je t'ai trahi de cette façon. Nicolas a raison, une mère ne fait pas une telle chose à son enfant.

Face à mon silence, il poursuivit, en quête de réponses. La boîte de Pandore venait de s'ouvrir.

– Pourquoi tu te décides à me le raconter maintenant ? Ma vie ne va pas changer…

Ses grands yeux me fixaient, ses grands yeux remplis de larmes, remplis de désespoir et d'espoir. D'incompréhension.

– Jamais je ne pensais le revoir, je ne savais pas ce qu'il était devenu, ni où il vivait, je n'ai jamais cherché à le retrouver, parce que j'avais peur de tout te dire, j'avais peur qu'il te prenne.

– Tu sais où il est ?

Il semblait aux abois, mon cœur se déchira.

– Il y a trois mois, j'ai rencontré Pacôme, qui m'a présenté son associé qui est son meilleur ami et…

– Mon père ?

– Oui, mon Noé, c'est lui… l'associé de Pacôme.

– Il habite à Saint-Malo…

Il parlait tout bas, peut-être pour se convaincre, ou l'aider à réaliser que son père, qu'il avait peut-être toujours attendu au fond de lui, était si près.

– C'est même lui que je suis allée voir aujourd'hui.

– Tu lui as parlé de moi ? Il sait que j'existe, maintenant ?

Je hochai la tête en guise de réponse, incapable de prononcer le moindre mot, saisie par le manque qu'il avait toujours ressenti, sans m'en parler, jamais. Il soupira, j'eus le sentiment qu'il était soulagé. Ce fut furtif car, sitôt après, il rentra la tête dans ses épaules.

– Il a une famille ?

Je fuis son regard blessé.

– Nicolas est marié… et… il a trois enfants. Deux filles et un garçon.

Ses yeux se perdirent dans le vague, un sourire triste se dessina sur ses lèvres.

– J'ai deux sœurs et un petit frère, murmura-t-il.

Il était loin. Imaginait-il à quoi ces enfants ressemblaient ? Se demandait-il s'il les rencontrerait un jour ?

– Maman…

Je l'affrontai à nouveau.

– Qu'est-ce qu'il a dit, pour moi ?

J'aurais tellement aimé lui dire autre chose, pouvoir broder une histoire, mais je n'avais plus le droit de lui mentir. Mon fils méritait la vérité, il l'avait toujours méritée.

– Je ne sais… Ce n'est pas… Il a été… choqué d'apprendre ton existence…

– Il ne te croit pas ?

– C'est compliqué à admettre pour lui… Il ne m'a pas vue depuis dix-huit ans et, là, il apprend cet après-midi qu'il a un fils aîné de dix-sept ans, il va lui falloir du temps…

Il inspira profondément, visage fermé, puis il s'arracha au fauteuil et prit la direction de l'escalier.

– Noé, dis-moi quelque chose, parle-moi…

– Jusqu'il y a une heure, mon père n'existait pas, à part dans les histoires que je me racontais quand j'étais petit. Je vais recommencer comme avant, je n'ai pas de père. Tu m'as toujours dit qu'il nous avait abandonnés : au fond, tu avais raison, rien n'a changé, il ne veut pas de moi.

Ma respiration s'accéléra.

– Peut-être qu'un jour il fera un geste vers toi, maintenant qu'il sait.

Sans me jeter un regard, il haussa les épaules.

– Je vais me coucher.

– Noé…

– C'est bon, maman.

Je ne le lâchai pas des yeux pendant qu'il montait à l'étage, je me levai pour ne pas le perdre de vue. Son grand corps d'adolescent courbé sous le poids des révélations. Cette sidération, ce mutisme, cet abattement… J'aurais tout donné pour qu'il explose, pour que sa rage s'exprime. Ce calme apparent n'était pas bon, n'était pas sain. Noé n'avait jamais été un enfant colérique, c'était plutôt la force tranquille, pour autant, au vu des circonstances, j'aurais tout donné pour des cris et des larmes.

Je n'arrivai pas à fermer l'œil, cette nuit-là, je tournai et virai dans mon lit, rongée par la haine et la colère, dévorée par l'inquiétude et le remords. N'en pouvant plus, je descendis dans le salon fumer une cigarette à la fenêtre. Puis deux. Trois. Quatre… Quand ma gorge commença à me faire souffrir, je retournai à regret dans ma chambre. En passant devant la porte de Noé, je collai mon oreille contre le battant. J'entendis ses sanglots étouffés. J'eus mal dans mon corps, comme si on me poignardait sans répit. J'entrai sans faire de bruit et distinguai dans la pénombre son corps en position fœtale. Ce fut plus fort que moi, je me glissai près de lui. Il n'avait plus l'âge où une mère peut dormir avec son fils, mais je m'en foutais éperdument. Tel qu'il était, il n'était plus un jeune homme de dix-sept ans, il était un enfant, un bébé qui souffrait le martyre. Par ma faute. Je refermai mes bras sur lui, il essaya de se dégager.

– Laisse-moi.

J'approchai ma bouche de son oreille.

– Non, mon Noé, c'est à cause de moi que tu es malheureux, je dois t'aider, je suis là pour toi.

Brusquement, il se retourna et se jeta dans mes bras. Il se colla contre mon corps, le visage dans mes seins, les mains repliées entre nous et il pleura, fort, si fort. Sa souffrance était telle qu'il en criait presque. Mes larmes étaient silencieuses. J'avais l'impression de le tenir contre moi comme lorsqu'il était tout petit, qu'il n'arrivait pas à dormir et que j'avais peur de ne pas réussir à le rendre heureux. Cette nuit, je prenais conscience d'un fait indéniable, j'avais réussi une chose, j'avais réussi à rendre mon fils malheureux. Très malheureux. J'avais échoué au plus grand défi de ma vie. Je le berçai comme je pouvais en murmurant des « Chut, mon bébé, chut, mon Noé ». Son chagrin sortait pour la première fois, c'était violent, c'était dur, c'était déchirant et j'étais démunie.

– Pardonne-moi, mon Noé, pardonne-moi…

Toute la nuit, je somnolai par vagues de quelques minutes, sursautant au moindre soubresaut de Noé, il pleura beaucoup, même dans son sommeil. Quand il fut l'heure de se réveiller véritablement, il sortit de son lit, sans dire un mot, sans me regarder. Il récupéra des vêtements dans son placard et, comme un automate, partit à la salle de bains.

En le retrouvant à la table de la cuisine un peu plus tard, j'eus l'impression d'avoir un adulte en face de moi, pas un petit adulte en devenir, plutôt un adulte prématurément marqué par les épreuves.

– Noé, dis-moi quelque chose… Si tu veux, j'appelle le lycée et tu sèches aujourd'hui.

Il riva son regard fatigué au mien.

– C'est bon… on oublie… D'accord ?

– Non…

– S'il te plaît, maman ! Je sais, maintenant. Je vais vivre avec, je te promets.

Il avala ses céréales en quelques minutes, puis se leva, fit les mêmes gestes que chaque matin ; mettre son bol au lave-vaisselle, puis, dans l'entrée, enfiler ses baskets, son sweat à capuche, jeter son sac à dos sur son épaule et passer son casque autour du cou. Il respecta ses rituels, finissant par un baiser rapide sur ma joue.

– À ce soir.

La porte d'entrée se referma sans bruit.

– 12 –

Le calme avant la tempête. Là où le temps s'arrête. Là où il ne se passe rien, alors que les vents se déchaînent à proximité et montent en intensité jusqu'au point de non-retour. Impossible de me délester de cette impression.

Je ne savais plus où j'étais, je ne savais plus dans quel monde je vivais. Je ne savais plus ce que je devais faire. Noé était étrangement lui-même. Certes, il était moins gai que d'habitude, moins bavard, moins souriant. Pouvais-je le lui reprocher ? On l'aurait été à moins. Je m'attendais à ce qu'il ne m'adresse plus la parole, qu'il soit en colère, même froide, même contenue à sa manière. En somme, je m'attendais à ce que mon fils aille mal. Très mal. Pourtant, non. Rien. Étrange et inquiétante normalité.

Les premiers temps, si je le questionnais sur sa petite mine, il me répondait en se justifiant de travailler trop tard le soir : le bac approchait à grands pas. Il avait raison, les semaines défilaient à toute vitesse. Je n'avais pu m'empêcher de le surveiller, au début. Mais il s'était montré de plus en plus exaspéré par mon attention permanente et, à mesure que le printemps avançait, j'avais dû non sans réticence relâcher la bride. Par moments, je sentais qu'il m'observait, quand je relevais le visage, il esquissait un sourire qui n'atteignait jamais ses yeux et me disait : « J'étais dans la lune. » Il occupait ses week-ends comme d'habitude ; répétitions avec son groupe, sorties avec les copains, révisions. Si j'évoquais mes aveux, il me répétait de ne pas m'en faire, que finalement rien n'avait changé. J'appris par ma mère que toute la famille l'avait eu au téléphone sans qu'il ne dise rien de particulier, sans qu'il ne pose de questions, il avait fait en sorte de rassurer ses grands-parents et sa tante.

Quand j'étais au Hangar, je traversais des passages où j'aurais pu avoir l'impression de me réveiller d'un mauvais cauchemar où je n'aurais pas recroisé Nicolas. Saint-Malo n'aurait été qu'une ville que j'aurais promis à Noé de visiter, un jour. Les Quatre Coins du monde, une expression de langage. Et Pacôme, un fantasme d'homme idéal. Parfois, mes yeux se posaient sur leur dossier, cela me semblait irréel, comme si on m'avait raconté une histoire pour me faire peur, pour me faire pleurer. Aussi finis-je par l'archiver pour qu'il ne me nargue plus.

J'avais beau attendre des nouvelles de Nicolas, je nourrissais très peu d'espoir. De temps en temps, pour me rassurer, pour me convaincre que cette situation de statu quo ne perdurerait pas, je me persuadais qu'après quelque temps, il chercherait à en savoir plus sur son fils, tout du moins qu'il chercherait une confirmation ou alors qu'il voudrait par tous les moyens me contredire. Il pouvait exiger un test de paternité, je me soumettrais à toutes ses demandes, à toutes ses questions, pourvu qu'il fasse signe à Noé. Peu importe lequel. J'endosserais tout, j'assumerais tout, du moment qu'il se passe quelque chose, du moment que je puisse faire réagir mon fils.

À plusieurs reprises, je fus tentée d'appeler Pacôme pour lui annoncer que j'avais respecté ma promesse.

Je renonçai à chaque fois, par peur de nous faire du mal, peur et douleur de lui parler sans espoir de plus... À quoi bon ? Il était forcément au courant, il devait ramasser les morceaux de la vie brisée de son ami, tenter de le réparer, de le calmer. J'étais convaincue qu'il le soutenait envers et contre tout, malgré ses sentiments pour moi et son attachement instinctif et spontané pour Noé. C'était normal, je le comprenais, je ne lui en voulais pas.

Des jours et des jours de néant, des semaines de non-réaction. Comme chaque lundi, je déposai Noé au lycée. Durant le trajet, il évoqua distraitement ses vacances en Corse avec ses copains en juillet et la fin définitive des cours dans la semaine. Noé, mon Noé, en somme. Je craquai, malgré le fait que cela ne soit pas le bon moment.

– Attends deux secondes s'il te plaît, le retins-je alors qu'il avait déjà un pied à l'extérieur.

– Quoi ?

– On doit crever l'abcès. Arrête de faire comme si de rien n'était, il faut qu'on en parle tous les deux.

Il leva les yeux au ciel, presque amusé.

– Je te l'ai déjà dit, je vais bien.

– Tu dois avoir des questions ?

– Non... je te promets...

Il me fit son grand sourire de charmeur, cherchant très clairement à m'embobiner.

– C'est difficile à croire.

– Tu te prends la tête pour rien, je te jure. Je peux y aller, maintenant ?

Je cédai en soupirant. J'eus droit à mon traditionnel baiser sur la joue, et il fila.

– À ce soir, lui lançai-je.

La portière claqua. Comme chaque lundi, je le fixai dans le rétroviseur pendant qu'il récupérait sa guitare pour son cours du soir. Il traversa la route et rejoignit ses copains sans me jeter un regard. Comme chaque lundi, j'eus du mal à m'en aller. Je me revis quelques mois plus tôt, à cette même place, j'avais remarqué une fille qui lui lançait des regards timides. Les regards timides avaient fait place à des regards inquiets et amoureux, que Noé lui rendait. Il avait donc une amoureuse, je n'en avais rien su. Rien d'anormal, mais au-delà du pincement au cœur d'avoir la preuve que c'était un homme, le gouffre s'agrandissait. Il prit sa main et haussa les épaules sans la quitter des yeux. Son profil me semblait si triste. Elle fit un signe dans ma direction, il secoua la tête et l'entraîna vers l'entrée du lycée, en m'ignorant.

Ce midi-là, quand Paul essaya une fois de plus qu'on déjeune tous les deux, j'acceptai, ne pouvant plus rester éloignée de lui. Je ne comprenais plus pourquoi je l'avais tenu à distance. Les terrasses sur les quais rive droite étaient saturées, le soleil printanier brillait sur la Seine, qui n'était plus grise, elle avait même de jolis reflets bleutés. Avec nostalgie, je pensai aux printemps précédents, j'adorais quand tout le monde réinvestissait l'extérieur, cet air de vacances qu'on s'accordait le midi.

On parla de la pluie, du beau temps, en se fuyant du regard.

– Tu étais au courant qu'il avait une copine ? lui demandai-je à la fin du repas.

– Ah… il a réussi ! me répondit-il, pas peu fier de Noé. Je savais simplement qu'il y avait une fille qui lui plaisait beaucoup, mais vraiment beaucoup, c'est tout, Reine… Il te l'a dit ?

– Non… je les ai vus tous les deux, main dans la main devant le lycée.

Il esquissa un sourire taquin.

– Tu survis ?

Je ris, cela faisait longtemps que cela ne m'était pas arrivé. C'était agréable, éphémère mais agréable.

– Je donnerai n'importe quoi pour jouer les mères folles de jalousie, prête à découper en petits morceaux la petite pétasse qui me vole mon fils…

– C'est toujours pareil ?

– Il ne dit rien, il est normal… ou presque…

– Noé a toujours été fort et réfléchi… Il va peut-être mieux que tu ne le penses…

Je ne sais pas qui, de lui ou moi, il essayait de convaincre.

– Je sens que quelque chose va arriver… Je ne peux pas me défaire de ce pressentiment.

– Tu serais rassurée si j'essayais encore une fois de passer un peu de temps avec lui ?

Je hochai la tête en guise de réponse, désespérée de ne pas réussir à soutenir mon fils. Paul me sourit, tristement, sans trop d'espoir.

– Je ne te garantis rien.

Il était le seul que Noé battait froid, il ne répondait à aucun de ses appels, aucun de ses textos. Il n'avait même pas pris la peine de le prévenir qu'il n'irait plus à l'escalade. Paul l'avait attendu plusieurs fois, et avait dû capituler. Je lui pris la main par-dessus la table, il en caressa le dos avec son pouce, le regard perdu au loin.

En rentrant à la maison, je fus saisie par l'atmosphère anormale. Il faisait froid, les lumières disséminées dans chaque pièce n'éclairaient pas comme d'habitude. Tout était silencieux, trop silencieux, un silence étrange, comme lorsqu'il y a une coupure d'électricité et que tous les appareils sont éteints. Un silence auquel on n'est pas habitué, un silence troublant et angoissant. Pourtant j'avais beau observer autour de moi, rien n'avait changé, j'étais chez nous, tout était à sa place. J'allais préparer à dîner et Noé rentrerait d'un instant à l'autre de son cours de guitare. Je me le répétai en boucle pour m'en convaincre. Rien à faire. Impossible de me détacher de cette sensation d'étouffement. Pour tenter de canaliser ma respiration, je m'assis dans le canapé, inspirai et expirai profondément. Échec. Je n'arrivais pas à rester en place. Tout me semblait dérisoire, inutile. D'une main tremblante, je fumais à la fenêtre de la cuisine, en jetant régulièrement des coups d'œil à ma montre, incapable de me défaire de cette impression de basculement imminent et de plus en plus convaincue d'être passée à côté de l'essentiel.

21 heures. Noé n'était toujours pas rentré. C'était fréquent que cela s'éternise, mais pas à ce point-là. Pas sans prévenir. Téléphone sur messagerie. Ne pas céder à la panique. Appeler son professeur de guitare. Noé était bien venu et il était reparti depuis un bail. Peut-être avait-il fait un crochet chez un copain ? Je fis taire la petite voix qui me disait que je me berçais d'illusions. Mais je devais en avoir le cœur net. Tout essayer. Tout tenter. Aussi les appelai-je les uns après les autres. Personne ne l'avait vu. Un d'entre eux finit par céder et me lâcher le téléphone de sa copine, une certaine Justine. Elle décrocha à mon grand soulagement.

– Bonsoir Justine, je suis la maman de Noé.

Elle bégaya, j'aurais aimé rire de jouer à la mère possessive, rire et être touchée par la timidité de cette fille, mais je n'avais pas le temps de m'éterniser.

– Est-ce qu'il est avec toi ?

– Non, Madame.

Ma respiration commença à s'emballer.

– Sais-tu où il est ?

– Non, je l'ai accompagné à son cours et on s'est dit à demain… Pourquoi ? Il va bien ?

Son inquiétude immédiate me toucha.

– Je ne sais pas.

Je raccrochai. Sans réfléchir, je composai le numéro de mes parents, je pris sur moi pour ne pas hurler en entendant la voix normale de ma mère, je ne devais pas les affoler, surtout pas. En fixant l'horloge où les minutes s'égrenaient inexorablement, je trouvai la force de lui parler de tout et de rien, elle me parla de son poulet pour dimanche prochain et me demanda des nouvelles de Noé. J'avais ma réponse, il n'était pas parti se réfugier chez eux. Je trouvai un prétexte fallacieux pour vérifier chez ma sœur. Idem. Le dernier sur la liste : Paul.

– Noé a répondu à ton message ?

– Non. Pourquoi ?

Je balançai mon téléphone sans lui répondre, montai quatre à quatre l'escalier et entrai en trombe dans sa chambre. Son lit était fait. Ce n'était pas normal. J'ouvris son armoire, en un quart de seconde, je vis qu'il manquait des vêtements. Son ordinateur avait disparu de son bureau, ainsi que le contenu de sa cachette à billets que son grand-père lui donnait en douce. Je redescendis aussi vite au rez-de-chaussée et retournai le tiroir de la console de l'entrée, sa carte d'identité s'était volatilisée. Impossible. Jamais il ne me quitterait. Nous ne pouvions pas être séparés. Nous ne formions qu'un depuis près de dix-huit ans. Il allait ouvrir la porte d'une minute à l'autre, Marshall autour du cou, me faire son grand sourire enjôleur sans même réaliser qu'il m'avait fait la peur de ma vie. Une vibration dans ma main me fit sursauter. Un message de Noé. Je l'ouvris en tremblant et suffoquai en le lisant : « Laisse-moi. Je ne veux plus te voir. »

Je m'écroulai par terre en appelant mon fils, comme un animal blessé. J'étais vide, mon ventre était vide, mon cœur brisé, démantelé. Noé, l'amour de ma vie, m'avait tourné le dos, il était parti. Sans ciller, il m'avait regardée droit dans les yeux ce matin, alors qu'il savait que c'était la dernière fois qu'il me voyait, il n'avait pas répondu à mon « À ce soir », et il ne s'était pas retourné. Il m'avait déjà expulsée de sa vie. Comment avais-je pu passer à côté ? Ne pas sentir qu'il préparait son départ ? N'étais-je donc pas capable de voir la réalité ? De prendre la mesure de mes actes, à défaut de bonnes décisions ? J'avais tout fait pour éviter le pire. Et le pire s'était produit. J'avais perdu mon fils. Personne n'était venu me le prendre. Il était parti de lui-même, pour ne plus me voir, pour ne plus avoir la coupable de la pire des trahisons sous ses yeux chaque jour. Qui étais-je, sans mon fils ? Personne. J'étais née en même temps que lui. Il était ma force et ma faiblesse. Certes, je ne vivais pas par procuration à travers lui, je m'y étais toujours refusée, mais il faisait battre mon cœur. Une mère sans son enfant était-elle toujours une mère ? L'avais-je jamais été alors que je n'avais pensé qu'à moi, à me protéger, à le garder pour moi, faisant fi de sa souffrance, du manque d'un père ? J'entendais en boucle la voix de Nicolas me cracher « Une mère ne fait pas ça à son enfant ». Oui, il avait raison. Je revoyais aussi le regard sidéré de Pacôme quand il avait tout appris, quand il avait compris. Même lui qui ne connaissait rien à la vie de famille, à ce que signifiait être parent, ne m'avait pas laissé le choix, je devais les réunir, tout dire et affronter. Et Paul, mon Paul qui me connaissait si bien, n'avait cessé de me mettre en garde. Pourquoi ne l'avais-je jamais écouté ? Devais-je me contenter de la chance d'avoir eu Noé dans ma vie dix-sept ans durant ? Devais-je me contenter de savoir qu'il vivait quelque part dans la rancœur de sa mère, dans le rejet de sa mère ? J'avais tout fait pour me détruire. Mourir, en restant vivante. Avoir si mal qu'on n'a plus la force de hurler, plus la force de pleurer. Être tétanisée, devenir aveugle, sourde, insensible à la douleur physique. Avoir l'impression que tout se fige autour de soi.

– Reine, m'appela doucement Paul.

Mes yeux se posèrent sur lui, je voyais trouble. Je ne savais pas qu'il était là. Il fronçait les sourcils, terriblement inquiet.

– Que se passe-t-il ?

Il me parlait comme à une enfant, doucement, précautionneusement.

– Où est Noé ?

La douleur se raviva si violemment qu'un hurlement déchirant s'échappa de ma bouche, sans que je réussisse pour autant à prononcer un mot. Avec des gestes saccadés, je lui tendis mon téléphone, il découvrit le message et devint pâle comme la mort. Le brouillard m'envahit, je me sentis aspirée dans un trou noir.

Je repris connaissance, la tête sur les genoux de Paul, nous étions par terre, il me passait un linge humide sur le visage et caressait délicatement mes cheveux. Je découvris son expression douloureuse, rongée par l'angoisse. Quand il remarqua que j'étais à nouveau dans le monde des vivants, il souffla de soulagement, des larmes perlaient au coin de ses yeux.

– Tu m'as foutu les jetons, Reine, ne me refais jamais un coup pareil.

Il parlait tout bas, si peu sûr de lui.

– Pardon, lui répondis-je d'une voix éraillée.

– Arrête de t'excuser pour tout, s'il te plaît. C'est inutile, c'est Noé qui a décidé de partir, tu ne l'as pas mis à la porte que je sache.

Les pleurs redoublèrent, je recommençai à appeler mon fils en murmurant, comme une litanie. Paul me força à le regarder pour empêcher que je reparte loin, ailleurs.

– Il a laissé quelque chose, un mot, une lettre ?

– Juste ce texto… Où est-il, Paul ? Il doit être en danger, on est en pleine nuit ? Où va-t-il dormir ?

– Noé est débrouillard, il va s'en sortir, tenta-t-il de me rassurer. Le connaissant, il a bien préparé son coup… Reine, au fond de toi, tu sais où il est parti… et ce n'est pas à l'autre bout du monde…

Je me redressai péniblement, Paul me tint contre lui, ma tête tournait encore un peu. Je tâtonnai autour de moi et finis par mettre la main sur mon téléphone.

– Tu veux que je le fasse ? me proposa-t-il.

– Non.

Il ne décrocha qu'après ma sixième tentative.

– Qu'est-ce que tu me veux ? Fous-moi la paix !

– Nicolas, écoute-moi, s'il te plaît… Noé a disparu, il va certainement chercher à te voir. Préviens-moi si…

– Je t'ai déjà dit que je n'étais pas son père ! Démerde-toi avec ton fils !

Il raccrocha. Je n'avais plus de larmes pour pleurer sur sa méchanceté, je n'avais plus de voix pour m'énerver après lui.

– J'aurais dû m'en douter, finis-je par lâcher.

Paul jura de toutes ses forces, ce qui était extrêmement rare, la veine sur sa tempe battait furieusement. Il extirpa son portable de sa poche et chercha à appeler Nicolas à son tour, tout en me serrant de plus en plus fort contre lui, comme s'il cherchait à me protéger d'une agression violente.

– Connard ! gueula-t-il. Il a tout éteint.

– Ne t'énerve pas, il ne le mérite pas… Je sais ce qu'il me reste à faire.

À mon regard triste et déterminé, il comprit.

– Je ne serai pas loin si tu as besoin de moi… Je passe la nuit ici…

Je déposai un baiser sur sa joue pour le remercier. Il me lâcha, se leva, vérifia que j'étais bien calée contre le canapé et partit dans la cuisine. Je fixai l'écran de mon téléphone, effrayée à l'idée de l'accueil qu'il allait me réserver. Il était mon seul et dernier espoir. Il décrocha immédiatement.

– Reine, que se passe-t-il ?

Sa voix était inquiète. Le simple fait de l'entendre me donna envie de pleurer, mais je pris sur moi.

– Pacôme, je suis désolée de… de te déranger à cette heure-là, mais…

– Quoi ? Dis-moi ! Tout va bien ?

– Noé… Noé est parti. Je pense qu'il va chercher à venir à Saint-Malo. Je ne sais pas, je me trompe peut-être, mais je ne vois que cette possibilité… J'ai essayé de prévenir Nicolas… il ne veut entendre parler ni de lui ni de moi… Tu es le seul qui connaisse Noé… alors si jamais…

– Je vais le chercher Reine, ne t'inquiète pas, je suis là.

Le silence se glissa entre nous, j'entendais sa respiration saccadée.

– Tu n'es pas toute seule chez toi ?

– Paul est là.

– Tant mieux…

Le soulagement dans sa voix était perceptible.

– Je te donne des nouvelles si j'en ai…

Il raccrocha sans ajouter un mot de plus. Je fis taire le manque de lui.

Ce fut la plus longue et la pire nuit de toute ma vie. Paul et moi la passâmes en grande partie à essayer de joindre Noé – en vain. À force de lui laisser des messages, sa boîte vocale finit par saturer, nous obligeant à nous rabattre sur les textos et les réseaux sociaux. On resta dans les bras l'un de l'autre, sur le canapé, j'étais épuisée, pourtant la fatigue n'avait pas de prise sur moi. Paul tenta vainement de me forcer à dormir ne serait-ce qu'une heure, mais mon organisme ne céda pas au sommeil. De son côté, il s'assoupit malgré lui quelques minutes et se réveilla en sursaut. J'enchaînai les cigarettes, assaillie d'images de mon fils seul, dans la nuit, perdu, en colère, livré à lui-même. Pourquoi ne m'avait-il pas parlé ? Pourquoi ne m'avait-il pas hurlé dessus ? Autant de questions sans réponses. Pourquoi avoir préféré l'évitement à l'affrontement ? Aux premières lueurs du jour, je réalisai que j'allais devoir déclarer sa disparition à la police, je savais qu'on me dirait qu'il était trop tôt, on banaliserait cette fugue d'adolescent. Mais je devais agir, j'étais restée passive trop longtemps, cela ne pouvait plus durer.

À 7 h 04, je ne comptais déjà plus les cafés ingurgités mécaniquement ; je tremblais de tous mes membres, j'avais la bouche pâteuse, la voix rauque de tabac, les yeux injectés de sang et brûlants. Paul insista pour que j'aille prendre une douche, je prenais le chemin de la salle de bains quand mon téléphone se manifesta enfin. Je me jetai dessus. Pacôme.

– Je l'ai trouvé, m'annonça-t-il sans attendre.

Le vent se déchaînait autour de lui, j'aurais pu le sentir, le bruit était assourdissant.

– Quoi ? Où ? Comment va-t-il ? Dis-moi ! Passe-le-moi, j'en prie.

– Reine, chut… calme-toi.

Mon cœur battait de manière incontrôlée, désordonnée, Paul me soutint par la taille. Pacôme avait tourné dans la ville toute la nuit, alternant entre la gare, les points de rencontre de covoiturage et la maison de Nicolas. Vers 6 heures, il avait eu besoin de boire un café avant de poursuivre sa ronde. En arrivant devant les Quatre Coins du monde, il avait trouvé Noé somnolant, recroquevillé sur lui-même devant l'entrée de l'entrepôt. Pacôme s'en voulait de ne pas avoir eu l'idée de vérifier à l'entrepôt plus tôt. Noé avait passé plusieurs heures sous la pluie à attendre.

– Ne t'inquiète pas, il est juste exténué et il a froid. Je l'ai mis dans ma voiture et je le ramène chez moi.

– J'arrive, je prends la route immédiatement.

– C'est hors de question ! Tu es épuisée ! Tu vas te tuer.

– Je dois le voir, je dois le ramener à la maison.

Les tremblements me saisirent à nouveau, Paul m'arracha le téléphone des mains.

– Pacôme, c'est Paul. J'ai dormi une heure ou deux…

Ce qui était complètement faux, mais lui aussi avait besoin de voir Noé.

– Ne vous inquiétez pas pour elle, je vais conduire… Oui… Ah… Très bien… Non… On arrive dans quelques heures…

Paul raccrocha en me fuyant du regard.

– Je t'emprunte ta douche et on y va.

– Qu'a dit Pacôme ?

– Rien.

– Paul ! Que t'a-t-il dit ?

Il soupira profondément avant de poser ses mains autour de mon cou en me regardant droit dans les yeux.

– N'imagine pas que Noé va te sauter dans les bras en te voyant. Il est déterminé.

Je secouai la tête de droite à gauche, en larmes, refusant ce qu'il était en train d'essayer de me faire comprendre.

– Je vais le ramener à la maison. Je suis sa mère.

– Très bien…

Il n'y croyait pas. Moi, je jetais mes dernières forces dans cette bataille.

Paul roula pied au plancher, pour évacuer, pour se défouler. Intérieurement, je le remerciai. Chaque kilomètre englouti me rapprochait de mon fils. Quand je ne fumais pas, je me rongeais les ongles. Le temps était exécrable en arrivant à Saint-Malo, il pleuvait des larmes, le vent soufflait le chagrin et la souffrance, et je sentais mon cœur se disloquer un peu plus. L'austérité des lieux me terrifia pour la première fois, mais moins que la perspective de découvrir Noé, de l'affronter, de faire face, peut-être, à sa haine.

La porte s'ouvrit sans bruit sur Pacôme. Nos yeux se trouvèrent immédiatement. Le temps s'arrêta quelques secondes, où j'aurais pu croire que tout irait bien, où je respirai un peu mieux. Je me noyai dans son regard gris qui voulait me rassurer, qui voulait me prévenir, qui voulait m'aimer. Il était éreinté, j'aurais tant aimé qu'on se repose ensemble. Nos corps se rapprochèrent instinctivement, mais je stoppai mon geste, il n'était pas ma priorité. Je décidai de briser la bulle dans laquelle nous étions en train de plonger.

– Où est-il ?

– Il dort.

Il remarqua Paul derrière moi et lui fit un signe de tête en guise de bonjour. Il se décala pour nous laisser entrer. Mes pas me guidèrent automatiquement vers la fenêtre, vers la vue dont on ne se lasse pas.

– Il t'a dit quelque chose ? lui demandai-je sans cesser de fixer la mer.

Je pouvais sentir dans mon dos les échanges de regards inquiets entre lui et Paul.

– À part qu'il ne voulait plus me voir, bien sûr, complétai-je.

Il n'eut pas le temps de me répondre.

– Si tu le sais, pourquoi es-tu là ?

Je me retournai brusquement. Noé. Mon Noé était là devant moi. Son visage fermé, ses cheveux en bataille. Son regard dur et froid. Son teint cadavérique. C'était comme si je ne l'avais pas vu depuis des siècles. J'avançai vers lui, les mains tendues.

– Mon trésor…

– Ne m'appelle plus comme ça ! rugit-il.

Je m'arrêtai net, luttant contre un vertige. Qu'était-il arrivé à mon fils pour qu'en à peine vingt-quatre heures, il se transforme en inconnu dévoré par la rage ? Comment avait-il pu contenir pendant des semaines les sentiments violents qui l'agitaient, pour finalement exploser d'une manière si radicale ? Je croisai le regard de Paul pour l'appeler à l'aide. Noé le respectait plus que quiconque, il lui avait accordé une autorité naturelle, Paul était le seul homme qui pouvait lui faire entendre raison.

– Noé, que tu sois fou de rage, tout le monde peut l'entendre, mais…

Mon fils se tourna brusquement vers lui, le visage déformé par la haine.

– Tu n'as rien à foutre là, toi !

J'aurais pu entendre le cœur de Paul cesser de battre, il recula d'un pas, démoli par le coup que Noé venait de lui asséner. Paul était venu à mon secours, je devais aller au sien.

– Noé, Paul n'y est pour rien. Écoute-moi, s'il te plaît.

Il se boucha les oreilles.

– Non, je ne t'écouterai plus jamais ! Je ne veux plus te voir ! Tu m'entends ! Plus jamais !

Il franchit la distance qui nous séparait et me toisa, mauvais, les poings serrés. L'image de Nicolas se superposa à celle de Noé, en face de moi, ils avaient l'un et l'autre le même dégoût dans le regard, le même sentiment de trahison. Je me sentis minuscule face à mon fils, il me surplombait de toute sa taille, bouillonnant de colère.

– Va-t'en ! me balança-t-il, hargneux.

Je n'étais pas loin d'avoir peur de lui, c'était insupportable, je le sentis violent pour la première fois de sa vie, je tremblais de tous mes membres, je sanglotais, cherchant désespérément à retrouver la douceur de ses iris dorés. Pacôme vola à son tour à mon secours et se glissa entre nous, il posa une main solide sur le cou de Noé et emprisonna son regard.

– Calme-toi.

Mon fils gémit de colère et de chagrin mêlés.

– Je veux qu'elle parte. Je la déteste.

Sa phrase claqua, s'imposant dans le silence du grand appartement.

Chaque seconde, je mourais un peu plus. Les larmes aux yeux, il fixait Pacôme et s'accrochait à lui comme à une bouée de sauvetage. Sans lâcher Noé, Pacôme fit signe à Paul qui s'avança précautionneusement vers nous, en étouffant lui-même sa détresse.

– Et à moi, Noé, tu me parlerais ?

Sa mâchoire se tendit un peu plus, si tant est que ce soit possible.

– Foutez-le camp, tous les deux.

Je tentai de me rapprocher de mon fils, j'avais besoin de le sentir, de le toucher.

– Noé, je t'en prie.

Son visage se crispa en une expression dévastée, il se dégagea de l'emprise de Pacôme et traversa l'appartement en courant pour aller s'enfermer dans une des chambres. Paul, incapable d'en rester là, le suivit aussitôt. Pacôme m'attrapa dans ses bras avant même que j'esquisse le geste de les rejoindre et me serra contre lui. Je me débattis quelques secondes en essayant de le frapper pour qu'il me lâche, il m'enlaça plus fort encore, murmurant des mots rassurants et délicats à mon oreille. Nos corps étaient tellement collés que nous ne formions plus qu'une seule et même personne. J'avais le sentiment que Pacôme tentait d'absorber ma souffrance. Je cessai de lutter, mes jambes se dérobèrent, il me soutint plus fermement, je m'accrochai davantage à lui, la bouche grande ouverte dans un cri silencieux, coincé au fond de ma gorge. Je n'avais jamais eu aussi mal. Quelque chose venait de s'ouvrir, une plaie qui devenait à chaque instant de plus en plus profonde, une cicatrice qui resterait béante, à jamais. Je sombrais, je partais, mon esprit s'en allait, je quittais mon corps, mon être tout entier s'engourdissait.

– Reine, ne me laisse pas, reste avec moi, chuchota Pacôme.

J'étais de plus en plus aspirée, sa voix s'éloignait, même lui n'avait pas le pouvoir de m'empêcher de me faire engloutir par le vide de mon fils. Sans me lâcher, une de ses mains attrapa mon visage, mon regard, à nouveau trouble, rencontra le sien. Il me soutint fermement.

– Tu n'as pas le droit d'abandonner Noé. Tu n'as pas le droit de m'abandonner, moi… Tu m'entends… je ne veux pas que tu me laisses. J'ai besoin de toi.

Je secouai la tête doucement de droite à gauche pour lui dire qu'il avait tort. Qui avait besoin de moi ? Personne. Je faisais du mal à tout le monde, je gâchais la vie des personnes que j'aimais. Je ne voulais pas le faire souffrir plus que je ne le faisais déjà. Il vivrait mieux sans moi. Comme Noé serait plus heureux sans moi. Il devait me laisser partir. D'ailleurs, je m'en allais déjà. Je ressentais la même sensation que lorsqu'on m'avait anesthésiée pour la naissance de Noé, je perdais pied dans la réalité, mon processus d'autodestruction allait prendre fin. Être dans le coma… j'aurais voulu dormir, dormir pour ne plus avoir mal, pour ne plus me battre contre moi-même, contre mes erreurs, mes regrets. Pacôme en décida autrement, il posa ses lèvres contre les miennes. Un bouche-à-bouche pour me faire respirer. Un bouche-à-bouche pour me sauver de la folie qui m'agrippait.

– Je t'aime, me dit-il dans un souffle. Je ferai tout ce qui est en mon pouvoir pour que tu ne te perdes pas.

Pacôme n'était pas le genre d'homme à dire « Je t'aime », il était vraiment prêt à tout pour que je reste, pour que je ne me délite pas. Ma bouche, mon cœur auraient aimé lui dire que je l'aimais, mais je ne pouvais pas, je n'en avais plus le droit. Comme une poupée de chiffon, il me tourna face à la fenêtre et enroula ses bras sur mon ventre. Il formait une barrière de protection autour de moi, prêt à recevoir les coups à ma place, il me contenait en me berçant délicatement.

– Maintenant, tu vas regarder la mer et attendre Paul.

Ma tête se renversa sur son épaule, ma respiration se calma peu à peu en se calant sur la sienne.

Après un temps qui me sembla infini, des pas firent craquer le parquet. Je reconnus le soupir de Paul. Pacôme ne bougea pas d'un pouce, ne desserra pas son étreinte.

– Il ne veut pas rentrer, annonça-t-il d'une voix accablée en nous rejoignant près de la fenêtre.

Mon corps se crispa immédiatement, Pacôme souffla un « chut » réconfortant.

– Je lui ai proposé de le déposer chez tes parents, chez ta sœur, je lui ai dit qu'il pouvait venir vivre chez moi. Rien à faire. Il part du principe que tout le monde l'a pris pour un imbécile depuis sa naissance. Je suis désolé, je pensais réussir à le convaincre.

Je réalisai que j'avais retrouvé la capacité de parler.

– Tu n'y es pour rien, Paul… J'aurais dû t'écouter depuis le début… Tu as toujours su, tu as toujours senti la catastrophe arriver.

– Il va rester avec moi, nous annonça Pacôme. Je vais m'occuper de lui.

Je me détachai de ses bras protecteurs, il semblait serein, déterminé, cela me semblait incroyable.

– Je ne peux pas t'imposer mon fils…

Il repoussa délicatement les cheveux de mon front, avec un léger sourire aux lèvres.

– Tu me fais confiance ?

– Oui…

– Vous allez rester dans le salon tous les deux, je vais aller chercher Noé et on va…

– Prendre l'air ? le coupai-je.

Le regard qu'il me porta fut d'une tendresse infinie.

– Exactement. Pendant ce temps-là, vous pourrez partir tranquillement et rentrer à Rouen.

– Je ne veux pas vous laisser…

– Il le faut, pourtant.

– Tu n'as pas le choix, me dit Paul. Pacôme a raison.

– Mais son bac ? me défendis-je inutilement. Il doit rentrer à la maison.

– On trouvera une solution. Et puis, ce n'est peut-être que l'affaire de quelques jours. D'accord ?

Les larmes roulèrent sur mes joues, je baissai les yeux, capitulant face à l'inévitable. Je devais laisser mon fils, le confier à Pacôme. Pour la première fois de toute notre vie, ce n'était pas moi qui prendrais soin de lui.

– Que vas-tu faire pour Nicolas ? demandai-je d'une toute petite voix.

– J'en fais mon affaire, me répondit-il d'une voix dure.

Il ne me laissa pas le temps de chercher à en savoir plus, il pressa fortement ses lèvres sur mon front et s'éloigna, non sans échanger un regard entendu avec Paul. Avant de fermer la double porte du salon qui menait au couloir, Pacôme me fit un dernier sourire.

Le son de leurs voix étouffées parvenait jusqu'à nous, Pacôme n'eut pas à demander deux fois à Noé de sortir, je fermai les yeux pour mieux les entendre, pour écouter le bruit de leurs pas. En moins de deux minutes, ils quittèrent l'appartement, sans que Noé cherche à me dire au revoir, à me revoir tout simplement. Il avait tiré un trait sur sa maman. Je m'approchai de la fenêtre et mis la main sur la vitre comme si j'allais pouvoir le toucher. Ils apparurent côte à côte sur les remparts, Noé marchait tête basse, dos voûté. Pacôme lui jetait des coups d'œil, sans parler. Il posa une main que je savais protectrice sur son épaule. Après quelques mètres, Noé s'arrêta, le corps agité de spasmes, Pacôme le prit dans ses bras, face au large. Cela sembla durer une éternité. Mon fils finit par se calmer et ils reprirent leur marche.

– Cet homme est surprenant, commenta Paul.

Je poussai un profond soupir de fatigue et de tristesse.

– Je sais.

– Il fait pour Noé ce que personne, moi le premier, n'a été capable de faire pour lui.

– Que veux-tu dire ?

– Il prend spontanément la place vide, la place que personne n'a eu le courage d'endosser pour lui, malgré ses demandes…

La culpabilité et l'abattement de Paul achevèrent de me déchirer. Sans perdre de vue Noé et Pacôme, je cherchai à attraper sa main, il me la donna. Lui qui avait toujours refusé de répondre aux demandes de Noé par honnêteté, par respect pour son histoire, à cause de mes mensonges, se trouvait aujourd'hui rejeté, au même titre que moi.

– 13 –

Paul prévint ma sœur sur le trajet du retour, sans que je comprenne le moindre mot échangé entre eux. Je n'avais pas la force, ni même l'envie, de l'en empêcher. J'avais simplement posé ma tête sur son épaule. La route avait réactivé mon état de sidération, j'étais incapable d'ouvrir la bouche de peur de crier, de pleurer, de perdre la raison. J'étais en état de choc depuis près de vingt-quatre heures. Je m'étais légèrement apaisée grâce à Pacôme, à sa façon de me murmurer ses mots réconfortants, sa façon de me tenir contre lui. Mais Pacôme n'était pas là, Pacôme était avec Noé. D'une certaine manière, c'était un peu comme s'il s'occupait de moi à travers mon fils. Pour autant, cela n'atténuait en rien ma douleur, j'étais amputée d'une part de moi-même.

Anna nous attendait chez moi, anormalement calme, mais elle prit les choses en main, malgré ce qu'elle devait ressentir de son côté. Je l'observai évoluer dans ma maison, elle avait le mérite d'occuper l'espace laissé vacant. Elle disparut dans la cuisine avec ses sacs du traiteur italien, ensuite elle tendit un verre de vin à Paul et lui ordonna d'aller dans le canapé, nous avions à faire toutes les deux. Sans me demander mon avis, elle m'attrapa par le bras et m'entraîna à l'étage. Elle me fit asseoir sur mon lit et partit dans la salle de bains. L'eau se mit à couler dans la baignoire et très rapidement, un parfum d'huile essentielle de lavande envahit l'atmosphère. Elle revint et déballa des paquets, que je n'avais pas remarqués, elle en ressortit un magnifique peignoir en éponge et un joli pyjama qu'elle déplia avec soin sur mon lit. Puis elle vint s'asseoir à côté de moi et m'attrapa la main qu'elle cajola tout doucement.

– Sœurette, le bain moussant et tout mon bazar doivent te sembler bien futiles et tu as sans doute raison, mais je me dis que tu dois en avoir besoin. Je prends soin de toi comme je peux. Au pire, ça ne te fera pas de mal. Lave-toi de toute cette journée et de cette nuit épouvantables.

Je pressai sa main pour la remercier de ses délicates attentions.

– Je peux te laisser toute seule ? Pas de bêtises ?

Je la rassurai d'un sourire mouillé.

– Je vais aller voir où en est Paul, il n'a pas l'air plus glorieux que toi.

Elle m'embrassa furtivement et me laissa seule.

Je ne croyais pas être capable de ressentir une quelconque notion de détente et de plaisir, et pourtant, en me plongeant dans l'eau brûlante et la mousse qui envahissait la baignoire, je gémis de bien-être. Je ne pouvais pas me laisser aller, mais elle avait raison, cette douceur mettait un léger baume sur mon cœur. Je m'autorisai à fermer les yeux. Que pouvaient bien faire Pacôme et Noé en ce moment même ? Pour ce que j'en savais, Pacôme ne s'était jamais occupé de quelqu'un d'autre que lui, comment allait-il s'en sortir avec un adolescent en pleine crise existentielle ? Il avait réagi impulsivement en décidant de prendre en charge Noé, sans réfléchir à ce que cela signifiait. En étais-je réellement sûre ? Non. Peut-être savait-il au contraire dans quoi il s'engageait, cela ne semblait pas lui faire peur. Noé avait d'instinct eu confiance en lui, Pacôme devait être la seule personne au monde sur laquelle mon fils pensait pouvoir compter. C'était terrible, mon fils se tournait vers un étranger pour sa survie. Un sourire triste se dessina sur mon visage ; j'aurais tellement aimé les voir, être une petite souris cachée dans l'appartement de Saint-Malo.

En rejoignant le rez-de-chaussée, emmitouflée dans l'éponge moelleuse, je trouvai Paul et Anna sur le canapé, tous les deux extrêmement silencieux. Le regard de Paul était perdu au loin, comme s'il n'était pas là. De quoi Noé avait-il bien pu l'accuser ? Que lui avait-il reproché pour que Paul soit si mal ? Quand il remarqua ma présence, il bondit de sa place, me rejoignit en deux enjambées et me détailla de la tête aux pieds. Il hocha la tête, satisfait.

– Tu as meilleure mine.

– Ma sœur est merveilleuse.

Anna rougit, touchée par mon compliment et gênée à la fois d'être remerciée alors que ce n'était pas la priorité.

– Pas faux ! confirma-t-elle. À table !

Elle avait installé un joli couvert, mon verre de vin n'attendait que moi, tout était chaud, prêt à être dégusté. Sa bienveillance m'émut aux larmes. Elle nous força à nous asseoir. Elle puisait dans son pire défaut, son hyperactivité, pour tenir le coup, ne pas s'effondrer à son tour. Quand elle allait mal, qu'elle avait des soucis, elle devenait incontrôlable. Je la connaissais assez pour le sentir. Elle ne voulait pas ajouter à l'ambiance plombante et plombée. Sous son œil intraitable, on picora plus qu'on ne mangea. Paul me faisait face, visage fermé. Parfois, nos regards se croisaient, je voyais dans le sien une souffrance similaire à la mienne, nous n'arrivions pas à nous parler. Je sentais les yeux inquiets d'Anna passer de l'un à l'autre.

Paul se décomposait au fil des minutes, ce spectacle désolant m'inquiéta et me força à réagir. Enfin.

– Rentrez, vous êtes crevés.

– Je peux rester cette nuit ? me proposa-t-il.

– C'est bon, Paul, va te reposer, enchaîna ma sœur. Je vais dormir ici.

Je les regardai, déterminée à tenir le coup.

– Je vous remercie, vous en avez déjà bien assez fait pour moi, pour nous… Je ne suis pas une malade qu'on doit veiller… Je vais me mettre au lit et tenter de dormir. Tout est ma faute, je dois assumer et je ne veux surtout pas que vous vous fassiez du souci pour moi. Compris ?

Je dus être suffisamment convaincante puisqu'ils obtempérèrent sans trop de difficulté. Devant la porte d'entrée, je pris Anna contre moi en la remerciant, en lui demandant pardon, elle me glissa à l'oreille de ne pas se préoccuper des parents, « Je les gère », ajouta-t-elle. Elle fila à sa voiture et nous laissa en tête à tête avec Paul qui, lui, ne se résolvait pas à partir.

– Tu es sûre que ça va aller ? s'enquit-il après de longues secondes de silence.

– Je te promets.

– Reste chez toi demain.

– Oh non ! Je viens au boulot, je vais tourner dingue enfermée ici, sans Noé.

– Je suis tellement désolé de ne pas avoir réussi. Je m'en veux tellement, si tu savais…

– Tu as fait ce que tu as pu, c'est déjà énorme… Que t'a-t-il dit pour te briser à ce point le cœur, Paul ?

Il donna un coup de pied dans le vide et renifla un coup, avant de se retourner vers moi. Je ne l'avais jamais vu dans un tel état, j'avais mal pour lui, si mal. Sa douleur était palpable, je la ressentais, je fus submergée par sa souffrance à lui, qui s'ajoutait à la mienne. Un déchirement supplémentaire dans mon cœur.

– En fait... il pensait, malgré ce que j'ai pu lui dire, que je le considérais comme mon fils, et tu sais que c'est le cas... Maintenant qu'il a appris que je lui mens depuis sa naissance, il s'est mis en tête que je ne l'aime pas... que je ne l'ai jamais aimé. Il pense que je me fous de lui depuis toujours.

– Ce n'est pas juste, Paul. Tu es...

Il m'interrompit en me prenant dans ses bras, il enfouit sa tête dans mon cou de longues secondes.

– À demain.

Il partit vite, sa voiture démarra en trombe, je ne pouvais pas le retenir. J'aurais dû le garder près de moi, il avait besoin de moi, comme moi j'avais besoin de lui.

Je ne me couchai pas dans mon lit, mais dans celui de mon fils. J'aperçus camouflé derrière sa table de nuit son ours en peluche. Le premier cadeau que je m'étais décidée à faire à mon bébé, la veille de sa naissance. J'avais eu un premier sursaut de culpabilité et je m'étais dit qu'acheter un doudou ne m'engageait pas à grand-chose. Son Teddy ne l'avait jamais quitté, même en grandissant il ne l'avait jamais relégué dans le garage, il le planquait dans un coin de sa chambre à l'abri des regards curieux, mais jamais loin de lui. Pas cette fois. Désormais, ce petit ourson était mis de côté, comme moi, sa mère. Aussi le pris-je dans mes bras, le serrai-je contre moi en m'enfouissant dans la couette de Noé, humant son parfum, il y avait quelque chose de très animal dans ma façon de m'enivrer de son odeur de sommeil. Les minutes défilaient lentement sous mes yeux, sans que je m'endorme, sans que mon corps m'accorde la moindre minute de repos. Mon esprit me jouait des tours, j'entendais ses bruits dans la maison, j'aurais même pu entendre un grattement de guitare. À plus de minuit, mon téléphone vibra. Pacôme.

– Je te réveille ?

– Non…

Je soupirai profondément, de soulagement, j'avais un lien – même ténu – avec mon fils.

– Comment va-t-il ?

Je l'imaginais dans son salon, avec pour seule lumière les lampes au-dessus de la bibliothèque, le regard tourné vers la mer, malgré la nuit noire. Il parlait tout bas de son ton de conteur d'histoire ; il me raconta comment Noé, en voulant m'oublier, l'avait assailli de questions sur Saint-Malo et les corsaires. Pacôme l'avait épuisé à coups de tours de remparts et de marches sur la plage du Sillon, je voyais nettement mon fils courir à en perdre le souffle sur le sable, je le vis découvrir les brise-lames et s'y accrocher en pleurant pour ne pas s'écrouler de chagrin et de colère.

– Il est fort, franchement, Reine. Ton fils est costaud. Il encaisse. Et… il fait tout pour ne pas m'emmerder. Je te jure.

Je souris.

– Il m'a aidé à préparer à dîner, on a trouvé le moyen de se marrer. Ça n'a pas duré longtemps, mais ça lui a fait du bien. Il s'est installé dans mon ancienne chambre, quand j'avais son âge. Je lui suis allé le voir, avant de t'appeler, il s'est endormi avec son casque sur les oreilles.

J'essuyai mes joues baignées de larmes, rassurée et plus que jamais en manque de mon fils.

– Merci de ce que tu fais pour lui.

– Ne me remercie pas.

– Et pour Nicolas ?

Il grogna, sans me répondre.

– Il sait que Noé est chez toi ?

Son long silence équivalait à une réponse positive.

– On s'est engueulés, c'est monté dans les tours.

J'étais folle de rage après Nicolas qui était responsable, il faisait souffrir Noé encore et encore. Mais j'en étais malade aussi. Pacôme et lui étaient comme les doigts de la main et se déchiraient à cause de nous. Qu'il prenne ma défense et plaide la cause de mon fils me bouleversait, mais j'étais encore responsable d'une relation dévastée.

– Tu ne devrais pas t'occuper de Noé et de moi. Nicolas est trop important pour toi.

– Arrête de dire des bêtises. Je ne comprends pas ce qui lui arrive. Je ne le reconnais plus. Mais ne te préoccupe pas de lui, d'accord ? Fais juste attention à toi.

Le silence se glissa entre nous, je me revis dans ses bras l'après-midi même, je sentais encore ses lèvres sur les miennes, j'entendais ses mots auxquels je n'avais pas pu répondre.

– Maintenant, tu vas dormir et faire de beaux rêves.

– Je vais me raconter une histoire, lui dis-je, espérant qu'il comprenne le message.

Je l'entendis sourire.

– Moi aussi.

Là, je sentis une profonde tristesse dans sa voix. Une tristesse que je ne lui connaissais pas, qui ne lui ressemblait pas. Il raccrocha.

Je me réveillai à plusieurs reprises dans la nuit, réalisant de plus en plus douloureusement dans quel lit j'étais. Je ne parvenais à retrouver le sommeil qu'en pensant à Noé et Pacôme qui dormaient au même endroit. Cette seule pensée me rassurait, m'apaisait.

Le lendemain matin, Pacôme m'envoya une photo de sa vue, comme avant. Seulement cette fois, on y voyait mon fils de dos. Noé avait pris ma place à la table près de la fenêtre et contemplait le paysage. Son ange gardien glissa au passage : « Il te ressemble tellement. »

Étranges jours suivants. Je me levais comme un automate, enfilais les premiers vêtements qui me tombaient sous la main, attachais mes cheveux à la va-vite, ne prenais plus la peine de me maquiller et partais de la maison, avec l'impression déstabilisante de renouer avec le même laisser-aller, le même manque de respect de mon corps et de moi-même que pendant ma grossesse. Mon fils me rendait coquette, mon fils me rendait belle. Mon fils n'était plus là.

Je travaillais au Hangar comme si de rien n'était, je mettais tout en œuvre pour renouer avec un travail efficace. Paul me surveillait discrètement, sans être intrusif, il me laissait venir à lui. De son côté, impossible de savoir ce qu'il ressentait, malgré mes questionnements incessants sur son moral. Mais je n'étais pas aveugle ; son visage était en permanence fermé, il avait l'esprit ailleurs, il fallait souvent que nos collaborateurs l'appellent à plusieurs reprises avant qu'il réagisse. Quand je sentais que je perdais pied, je fonçais dans son bureau, l'un contre l'autre, sans parler, on avalait une tasse de son immonde soluble – qui me réchauffait le cœur malgré son goût épouvantable ; le simple fait d'être ensemble nous faisait un peu de bien et je repartais. Tant que j'étais là-bas, j'étais normale, je pouvais croire que Noé était à Rouen, qu'il révisait, avec ses copains, au lycée, à la bibliothèque. Dès que je sortais du Hangar, je tenais plus difficilement le coup. Le midi, je déjeunais avec Anna. Le soir, je dînais chez mes parents, pour ne pas me retrouver devant la chaise vide de Noé à table. Ma mère me préparait de bons petits plats, papa ne me faisait pas de remarque lorsque je sortais fumer, se contentant d'un « ma petite fille » en m'attrapant par le cou d'une manière bourrue et tendre. Noé leur manquait affreusement, je fus soulagée pour eux lorsqu'ils m'apprirent qu'il leur avait envoyé un message, pour s'excuser, tout en disant qu'il avait besoin de prendre le large. Ces quelques mots avaient suffi à leur faire du bien, leur petit-fils ne les rejetait pas totalement.

Chaque matin, Pacôme m'envoyait une photo, chaque soir, il me racontait l'histoire de la journée. Noé marchait beaucoup, parlait peu, avait régulièrement ses copains et Justine au téléphone, révisait ses cours, jouait de la musique, et relisait *Ces messieurs de Saint-Malo*. Quand Pacôme me l'apprit, il s'enflamma :

– C'est fou, il bouffe ce livre, comme moi quand j'avais son âge. Ce bouquin a changé ma vie, Reine.

Il me raconta le jour où sa grand-mère le lui avait mis entre les mains, il avait l'âge de Noé et il avait immédiatement su qu'il voulait devenir l'un de ces messieurs de Saint-Malo ; les voyages, l'Inde, les épices et tout le reste en étaient la suite logique. Seuls manquaient les bateaux pour faire de lui un armateur de la grande époque. J'étais tellement touchée par ce qu'il me confiait. Je comprenais mieux son tempérament rêveur, passionné, conquérant et voyageur.

– Hier soir, on en a parlé pendant des heures, il veut que j'achète un mainate pour chez moi et que je l'appelle Cacadou.

– Hein ?

Il ne se rendit même pas compte que j'avais parlé.

– Qu'est-ce qu'on a ri en imaginant les Gali Gala !

– Les quoi ?

– Tu ne peux pas comprendre !

La complicité que je devinais entre eux m'emplissait autant de bonheur que d'inquiétude. Pour l'un comme pour l'autre. Nicolas restait un sujet tabou, mais pour combien de temps encore ? Pacôme bottait en touche quand je tentais d'en apprendre plus sur son associé. Pourtant, ils devaient se voir, se côtoyer puisqu'il me faisait comprendre qu'il passait une grande partie de ses journées aux Quatre Coins du monde. Il voulait laisser le temps à Noé de s'apaiser, j'étais d'accord avec lui, mais… Quelle place revendiquerait Nicolas s'il se réveillait ? Et il se réveillerait, c'était certain. Comment ? Quand ? Aucune idée. Noé trouverait peut-être ce qu'il cherchait – sans le savoir – depuis toujours. Mais Pacôme… que lui resterait-il une fois Nicolas dans son rôle de père ? Quand je voyais les dégâts peut-être irréversibles causés chez Paul, je ne pouvais que m'inquiéter pour Pacôme.

Six jours maintenant que j'étais seule, six jours que ma famille et Paul jouaient les baby-sitters. Cette situation ridicule n'avait que trop duré. Aussi pris-je le risque d'un tête-à-tête avec moi-même ce soir-là. Je devais affronter le vide de Noé. Plus facile à dire qu'à faire. En me retrouvant enfermée entre mes quatre murs, je tournais en rond. Je me postai devant la porte-fenêtre. Il faisait beau, le printemps rayonnait en ce début juin, pourtant, je n'avais pas le cœur à m'installer sur la terrasse. Rien ne me faisait envie, rien ne me motivait. J'avais le sentiment d'être inutile. J'aurais dû me forcer à manger quelque chose, je n'avais faim de rien. Je me rabattis sur un verre de vin, espérant que l'alcool m'engourdirait. Ravitaillée, j'allais reprendre mon poste d'observation, quand on sonna. Je ne sus qu'en penser. Étais-je soulagée que quelqu'un s'inquiète pour moi et vienne me tenir compagnie jusqu'à ce que je me traîne dans mon lit ? Où étais-je furieuse parce qu'on ne me faisait plus confiance pour m'en sortir toute seule ? Toujours est-il que mon surveillant du soir s'impatientait.

La sonnette retentit encore et encore, le temps que je réagisse. Finalement, c'est plus énervée que touchée par la sollicitude de mon entourage que j'allai ouvrir en traînant des pieds. Si tant est que ce soit possible, je me tendis davantage encore en découvrant l'identité de mon visiteur.

J'aurais pu tout imaginer, mais certainement pas me retrouver face à Héloïse. Elle aussi venait me tomber dessus ; j'étais si fatiguée, je n'avais aucune envie de me justifier, de lutter. Certes, je me doutais que sa vie avait pris une tournure effrayante, mais j'avais ma dose. On resta à se dévisager de longues secondes. Ni l'une ni l'autre n'ayant l'intention de baisser la garde la première. À la voir simplement couverte d'une veste légère, ses clés et son téléphone à la main, on aurait pu croire qu'elle habitait à deux pâtés de maisons de là et qu'elle passait dans le coin à l'improviste. En tout cas, pas qu'elle venait de rouler près de trois heures pour débarquer chez moi. J'aurais pourtant dû me douter qu'elle viendrait exiger des explications. Je la connaissais peu, mais j'avais d'emblée senti qu'elle avait du caractère et, surtout, c'était une mère, une femme. Sa famille, son clan comptait plus que tout. Elle aussi devait se sentir trahie par moi, à qui elle avait généreusement ouvert sa porte. Je ne pouvais décemment pas lui claquer la mienne au nez. Pourtant Dieu sait que j'en avais envie ! Sans ouvrir la bouche, je lui tournai le dos et avançai dans ma maison, à elle de décider si elle me suivait ou non. Elle mit du temps à franchir le seuil. Je récupérai mon verre et m'adossai contre le mur du séjour. Ses yeux balayèrent la pièce. C'est sûr qu'en comparaison de sa jolie maison bourgeoise, ma petite maison de mère célibataire devait lui sembler bien simple, mais c'était chez moi ; elle était sur mon territoire. Elle tenait ses bras serrés contre elle, dans un geste de protection ou comme si elle avait froid. Elle traversa brusquement le salon pour se figer devant le

Théâtre de Noé & maman qui contenait plusieurs photos de Noé petit garçon. Elle porta la main à la bouche, dans une expression d'effarement.

– Je n'ai plus aucun doute, maintenant, chuchota-t-elle. Nicolas n'a pas voulu me montrer la photo que tu lui as laissée.

Je n'en avais rien à faire, ce n'était pas mon problème.

– Pourquoi es-tu là ? demandai-je froidement.

Elle se tourna vivement vers moi, le visage marqué par la colère.

– Tu me poses la question ! Mais parce que ma vie est un enfer !

Je me redressai, mauvaise.

– Eh bien, on est deux dans ce cas !

Nous nous défiâmes à nouveau du regard, aussi tendues l'une que l'autre, chacune avec son existence détruite.

– Je n'ai aucune envie qu'on se hurle dessus, Héloïse, cela ne nous fera pas avancer.

Ses épaules s'affaissèrent.

– Tu as raison. Je ne suis pas venue pour qu'on s'engueule.

On baissait les armes, je sentais la même fatigue chez elle que chez moi, il fallait renoncer à se battre. Je poussai un profond soupir, nous allions devoir jouer cartes sur table, en mettant tout en œuvre pour conserver notre calme.

– Je te sers quelque chose à boire ?

– Je veux bien.

Je récupérai la bouteille et un verre pour elle, et lui fis signe de me suivre sur la terrasse. On s'installa l'une en face de l'autre à la table de jardin. La nuit tombait tranquillement, mon esprit s'envola à Saint-Malo. Noé et Pacôme avaient-ils dîné ? Marchaient-ils sur les remparts ? Je n'arrivais pas à entamer la conversation, aussi allumai-je une cigarette. Je fixai la fumée qui montait dans le ciel, cherchant l'énergie suffisante pour me lancer.

– Je t'en pique une, au point où j'en suis.

Je lui jetai un coup d'œil, elle était dépitée de craquer après dix ans d'abstinence, pourtant, je sentis le soulagement furtif qu'elle éprouva en tirant sur sa cigarette.

– Tu crois que je l'ai fait exprès ? lui demandai-je.

Elle me balança un sourire ironique et planta ses yeux dans les miens.

– Ne te fatigue pas à me raconter toute l'histoire ! Je suis au courant de tout ! Tu as trouvé un ardent défenseur en la personne de Pacôme ! Je ne te cache pas que j'étais la première surprise, j'étais persuadée qu'il prendrait mon parti et celui de Nicolas, mais non… c'est bien la première fois qu'il me gueule dessus. J'espère que c'est la dernière, je n'ai aucune envie d'en repasser par sa colère. Enfin… il ne prendrait jamais le risque de perdre son meilleur ami pour une femme, quels que puissent être ses sentiments pour elle. C'est donc qu'il pense que t'accuser de tous les maux n'est pas juste. Je me suis dit que ses raisons devaient être bonnes et qu'il fallait que je l'écoute. Il m'a raconté ton histoire et celle de ton fils.

Je me levai et marchai sans but précis dans le jardin, Pacôme me défendait envers et contre tout, j'en étais bouleversée, mais cela ne devait pas me fragiliser face à elle. Nous n'étions pas au beau milieu d'une conversation entre filles sur des histoires de cœur.

– Cela a-t-il changé ton état d'esprit ?

Elle rit amèrement.

– On peut le dire… Je me suis mise à ta place.

Je la fixai, elle en fit autant. Elle prit son temps pour poursuivre, elle observait la cigarette entre ses doigts, cherchant peut-être du courage.

– En toute honnêteté, démarra-t-elle après un dernier soupir, je ne sais pas ce que j'aurais fait si je m'étais retrouvée enceinte, toute seule. Peut-être aurais-je réagi comme toi. Impossible de le savoir. Tout ce que je sais, c'est que pendant que tu te débattais, je filais le parfait amour avec le père de ton fils et que nous vivions notre grande aventure sans nous soucier de ce que nous avions laissé derrière nous.

Là, je devenais franchement perplexe.

– Vous ne pouviez pas savoir… Écoute, je n'ai aucune envie que tu me parles de l'Inde, de ce que vous y avez fait, de comment vous êtes tombés amoureux.

Elle me rejoignit dans mon bout de jardin, la mine triste, mais déterminée à poursuivre.

– Détrompe-toi, cela a son importance pour moi. Si Nicolas avait appris que tu étais enceinte à l'époque, il serait rentré en France pour assumer. Je l'aurais perdu, Pacôme l'aurait perdu. Alors, ça peut paraître complètement dingue, mais depuis que je sais tout, j'ai paradoxalement l'impression d'avoir une sorte de dette envers ton fils et toi.

Je secouai la tête en levant les yeux au ciel, complètement sidérée par ses propos. Où voulait-elle en venir ?

– De quoi tu me parles ?

– Ton sacrifice, en quelque sorte, nous a offert la chance d'essayer de construire notre couple et notre famille, à Nicolas et moi. Et à lui et Pacôme de lancer les Quatre Coins du monde. Tous autant qu'on est, depuis que tu nous as appris qui était Noé, quelle était ton histoire, tu fais partie de la nôtre. Et c'est comme ça.

Je m'éloignai d'elle, allumai une seconde cigarette, déstabilisée par le poids qu'elle mettait sur mes épaules ; même si ce poids était valorisant, je n'en voulais pas. Elle liait trop nos vies. Pour moi, élever seule Noé n'avait pas été un calvaire, encore moins un sacrifice, malgré les épreuves, bien au contraire.

– Je suis très touchée par ce que tu me dis, mais je ne vois pas les choses de la même façon…

Elle se rapprocha à nouveau de moi, se resservit généreusement de vin, en avala une grande gorgée, sa main crispée sur le verre. Nous étions l'une et l'autre dans un ascenseur émotionnel, nous calmant et nous énervant tour à tour. Elle posa un regard plus dur sur moi.

– Attention, Reine, cela ne veut pas dire que je ne suis pas en colère, tu ne peux pas imaginer à quel point je le suis.

Sa voix tremblait de fureur contenue.

– Toi et ton fils arrivez en intrus dans notre vie. Comment je fais pour vous faire une place ?

– Qu'est-ce que j'y peux ? Tu te fous de moi ! À croire que je mène une vie de rêve. Il va falloir arrêter de me prendre pour une conne !

Je haussai le ton, je ne me contrôlais plus, je pouvais entendre sa colère, mais j'avais la mienne, moi aussi, nous tournions en rond.

– Pourquoi es-tu venue ? Je ne comprends toujours pas ! Que cherches-tu, à la fin ?

Elle tremblait des pieds à la tête, son regard était plein de larmes, pourtant sa voix se fit plus affirmée.

– Nicolas va mal, il va très mal. Je ne sais plus quoi faire pour qu'il se ressaisisse. J'ai perdu mon mari, mes enfants ont perdu leur père. On n'arrête pas de s'engueuler tous les deux parce que, d'une certaine façon, je prends ta défense. Les enfants assistent à nos scènes. Pacôme et lui ne sont pas loin d'en venir aux mains.

Je fis un pas en arrière, choquée par ses propos, il fallait que je m'éloigne.

– Reine, je veux retrouver l'homme que j'aime !

C'était un appel au secours, j'aurais pu le comprendre, mais pas alors que j'étais concernée, pas alors que Noé était concerné. Son expression passa de douloureuse à ironique.

– Et le comble, c'est que c'est à toi que je demande de l'aide.

J'hallucinais, elle me demandait d'aider Nicolas, de l'aider à retrouver son mari et que leurs enfants retrouvent leur gentil papa. J'eus un rire mauvais, je m'approchai d'elle, vibrante de colère.

– Et Noé, là-dedans ? m'énervai-je. Tu penses à mon fils ?

À son tour, elle eut un mouvement de recul.

– Aujourd'hui, il sait qui est son père. Et ce même père le rejette, encore et encore ! Quand Noé a disparu la semaine dernière, Nicolas n'a pas daigné lever le petit doigt… Tu me parles de toi, tu me parles de ton mari, tu me parles de tes enfants, moi je te parle de mon fils, mon fils qui souffre le martyre !

Elle leva les mains en signe de paix.

– N'imagine pas que je suis venue ici pour plaider sa cause… mais il a tout le monde sur le dos, il est acculé, aux abois.

– Je me fous qu'il aille mal ! Nicolas irait peut-être mieux s'il se bougeait. Qu'est-ce qui l'empêche d'aller voir Noé ? Il sait qu'il habite chez Pacôme, non ?

– Il est terrifié…

– Par quoi ?

Son visage s'adoucit, elle allait essayer de me faire flancher.

– Cela va te sembler impossible, mais mets-toi à sa place deux petites secondes… Tu as vu comment il est, à vouloir tout réussir, à vouloir être un bon père, investi auprès des enfants… Il a accepté qu'il était le père de Noé, mais il est rongé par la culpabilité d'avoir raté tant de choses avec un de ses enfants… Il m'a avoué à quel point il a été odieux avec toi, il en a honte… en même temps, il n'est pas très doué pour présenter ses excuses…

Je ricanai, me souvenant parfaitement de sa propension à vouloir toujours avoir raison.

– Je me contrefous de ses excuses, tout ce que je lui demande, c'est de faire un geste envers Noé…

– Il ne sait pas comment s'y prendre, il est perdu, il est maladroit… S'il a besoin de toi pour faire le premier pas, tu l'aideras ?

– Pas pour lui, mais pour Noé… Ma priorité, c'est mon fils.

Elle commença à sourire, gagnée par l'espoir.

– Ne te réjouis pas trop vite, Héloïse, Noé ne veut plus me parler, pour le moment je suis impuissante. Pourquoi crois-tu qu'il est chez Pacôme ?

– Je sais… Je te promets de tout mettre en œuvre pour secouer Nicolas. Je ne retrouverai pas mon mari, et les enfants leur père, tant qu'il ne connaîtra pas son fils, ce fils aîné qui est le tien.

À ma plus grande surprise, je découvrais que nous étions du même côté. Pour nos enfants, nous étions prêtes à tout. Pour que les siens retrouvent un semblant d'équilibre dans leur vie, et que le mien sache d'où il venait.

– Il sait que tu es ici ?

– Oui… Il en est malade de nous savoir toutes les deux, j'en suis certaine. Il se débrouille avec nos trois petits et il se retrouve face à lui-même et ses responsabilités, cela ne peut que lui faire du bien.

Elle rit tristement en l'imaginant se débattre avec tout le fardeau actuel de son existence.

– Et vos enfants, Héloïse ? Tu me dis qu'ils entendent tout, mais jusqu'à quel point ? Que vas-tu leur dire, à eux ? Cela les concerne aussi, non ?

Soudainement très lasse, elle s'écroula sur une chaise, but encore un peu de vin et me demanda d'un regard si elle pouvait se servir dans mon paquet de cigarettes, je lui fis signe que oui, en profitant au passage pour en allumer une autre. J'avais arrêté de compter. Elle resta silencieuse. Évidemment, elle voulait protéger ses enfants, je ne pouvais pas lui en vouloir.

– Noé sait que Nicolas a une famille ?

– Oui… Il a été bouleversé d'apprendre…

– Qu'il a un frère et deux sœurs ?

Cela lui faisait mal de prononcer cette phrase, là aussi, je la comprenais, je me souvenais de la déflagration que cela avait produit sur moi quand j'avais réalisé que Noé avait une autre famille que la nôtre. Pour l'une comme pour l'autre, il était étrange et douloureux d'intégrer que nos enfants avaient une fratrie dont nous n'étions pas la mère. Je me sentis moi aussi épuisée, je n'avais plus envie de m'énerver, de crier ; cette souffrance, nous pouvions la partager. Aussi, plutôt que de rester debout à la toiser, m'assis-je à mon tour.

– C'est le seul moment où il a souri quand je lui ai tout avoué.

– C'est compliqué, je ne vais pas te le cacher, mais… eux aussi méritent de connaître leur grand frère… Je n'ai aucune idée de comment faire, quand on sera prêts, on leur parlera clairement de Noé… Je ne sais pas quand, mais on le fera.

Elle s'avachit et renversa sa tête en arrière, les yeux clos.

– On est sur la même longueur d'onde ? me demanda-t-elle.

– Je crois bien…

Nous avions vidé nos sacs, nous avions fait ensemble l'état des lieux.

– Je suis éreintée, m'annonça-t-elle.

– Moi aussi.

Elle commença à rire, un peu, puis de plus en plus, pour finir pliée en deux. Sans même réaliser ce qui m'arrivait, je la suivis. On riait nerveusement, tout en pleurant à chaudes larmes.

– J'ai l'impression de vivre dans une dimension parallèle, finit-elle par me dire en reniflant. Qu'est-ce que je fais là, avec le premier amour de mon mari, à qui il a fait un enfant sans même le savoir ?

– Il y a de quoi devenir dingue, lui répondis-je.

– Complètement folle, oui…

Nos rires s'estompèrent, pour finir par disparaître, nous nous regardions, avec nos larmes, notre fatigue, notre désarroi, en parfait miroir.

– Comment fais-tu, Reine, pour tenir le coup sans Noé, à la maison ?

– Justement, je ne fais pas, Héloïse, je ne fais pas du tout…

– Parle-moi de lui.

Cette soirée complètement surréaliste m'apportait une dose de sérénité. Étrangement, je me sentais mieux, renouant avec une énergie et une forme de confiance en l'avenir qui m'avaient fait défaut depuis de nombreuses semaines. Je ne retrouverais jamais ma vie telle qu'avant, mais aurais-je envie de reprendre une vie de mensonges ? En aucun cas. Être soulagée de l'imposture, malgré le chagrin et les souffrances inévitables, était un sentiment trop précieux. Je ne voulais plus subir les conséquences de mes erreurs, je les affronterais et je ferais tout pour réparer les choses. Peut-être qu'un jour, je pourrais reconstruire ce que j'avais détruit ? Peut-être qu'une nouvelle vie s'offrirait à Noé et moi ? Une porte venait de s'ouvrir sur du mieux… La venue d'Héloïse, notre conversation, notre honnêteté mutuelle me donnaient de l'espoir. J'allais me battre pour réparer le lien avec mon fils. Je verrais ce que me rapporterait Pacôme les prochains jours, mais je m'autorisais à tenter à nouveau de parler à mon fils. J'exigeais que Nicolas se secoue. Que faisais-je, de mon côté ? Rien. Je venais d'en prendre conscience. Je subissais, je restais passive, attendant un retour improbable de Noé à la maison, sans agir ni me manifester. De toute manière, il fallait que quelqu'un lui fasse entendre raison et qu'il rentre à Rouen pour passer son bac dans quelques jours. Ma faiblesse, ma culpabilité, la fatalité m'avaient empêchée de réagir, m'avaient empêchée de me battre pour garder mon fils. J'avais tellement toujours imaginé qu'il me rejetterait violemment – j'avais raison – que j'avais laissé faire les choses sans lui rappeler à un seul moment que j'étais sa mère : j'étais partie battue d'avance.

Héloïse dormit sur le canapé. Le lendemain matin, sans échanger un mot, on avala un café pour combattre la gueule de bois. Nous n'avions plus rien à nous dire, les choses étaient claires, chacune de notre côté, nous allions tenter d'apaiser la situation. Ce moment que nous avions partagé ne se reproduirait plus. Nous ne serions jamais amies, nous ne serions jamais de la même famille, mais nous devions être des alliées, et nous respecter. Nous ne menions pas la même guerre et, pourtant, nous partagions le même objectif.

Nous nous sentions aussi bêtes l'une que l'autre devant nos voitures. Comment se dire au revoir ? Comment se souhaiter bon courage ? À ma grande surprise, elle me prit dans ses bras.

– Fais attention à toi, lui dis-je sans même m'en rendre compte.

– Merci, toi aussi.

Un peu plus tard dans la matinée, Paul vint me trouver alors que j'étais en pleine conversation avec notre graphiste. Comme avant.

– Reine ?

– Oui !

Face à son silence, je me retournai ; il me regardait, stupéfait.

– Quoi ?

Il m'invita à le suivre dans son bureau. Une fois la porte fermée, il me détailla de la tête aux pieds.

– Que s'est-il passé, depuis hier ? Tu as eu des nouvelles de Noé ?

– Non… Pourquoi ?

– Écoute, tu es là, enfin, je veux dire, ton corps est là et ton esprit aussi. J'avais oublié l'effet que ça faisait. Et tu t'es reprise en main ! Te revoilà perchée sur tes talons, maquillée et presque souriante.

Il avait raison, ce matin en m'habillant, j'avais mis de côté la tenue passe-partout déprime des derniers jours. Je devais me reprendre en main pour mieux renouer avec mon fils.

– J'ai bu trois bouteilles de vin avec Héloïse, hier soir, lui répondis-je du tac au tac.

Il resta pantois en m'écoutant lui raconter la soirée de la veille et lui annoncer que j'avais repris espoir, sans pouvoir m'en expliquer les véritables raisons.

– C'est quoi, la prochaine étape ?

– Parler à Noé, lui rappeler qu'il aura beau me rejeter, je resterai toujours sa mère.

Paul me sourit, soulagé, ému.

– Tu devrais plus souvent forcer sur l'alcool !

Je ris de bon cœur, d'autant plus heureuse de rire avec Paul et de retrouver ses taquineries.

– J'attends de voir ce que me dit Pacôme de son état et, en fonction, j'irai bientôt à Saint-Malo les voir tous les deux.

– Tous les deux ? me reprit-il avec un petit sourire en coin.

– Noé. J'irai voir Noé.

– Tu as le droit d'être heureuse à l'idée de revoir Pacôme.

– C'est une autre histoire…

Autant la journée passa vite, autant la soirée me parut interminable. Incapable de faire quoi que ce soit, je tenais mon téléphone serré dans ma main, assise sur le canapé. Quand enfin il se manifesta, le soulagement m'envahit.

– Tu attendais de nos nouvelles ? se moqua-t-il gentiment.

Je souris au son de sa voix.

– Vous m'avez manqué, hier soir.

Je n'arrivais plus à les dissocier. Il ne m'avait pas appelée la veille, j'avais supposé qu'il était au courant de la présence d'Héloïse chez moi et qu'il voulait nous laisser régler nos comptes, sans intervenir d'une quelconque manière.

– Il va bien, ne t'inquiète pas. Vu tout ce qu'il a étalé un peu partout, il a révisé toute la journée. Il a attendu que je sois rentré pour qu'on aille marcher tous les deux sur la plage. Il faisait beau aujourd'hui, alors je l'ai défié d'aller se baigner.

– La mer doit être horriblement froide ?

– Quinze degrés.

J'étais frigorifiée rien que d'y penser.

– Tu es fou !

– On y est allés tous les deux. C'était bien. Un vrai Malouin, ton fils ! Quand il est ressorti de la flotte, j'ai eu l'impression qu'il avait reçu un électrochoc !

– Une hydrocution, plutôt !

Il éclata de rire.

– Ce que je veux dire, c'est qu'il avait l'air un peu moins en colère. Ne t'inquiète pas pour lui, une bière, une platée de pâtes et il était requinqué.

L'émotion m'étrangla. L'émotion d'apprendre que, peut-être, Noé allait mieux. L'émotion d'entendre une fois de plus combien Pacôme s'occupait merveilleusement bien de lui.

– J'aurais aimé vous voir tous les deux dans l'eau.

Son rire s'éteignit, je l'entendis respirer profondément.

– Reine… je… Non rien…

Une forme de tristesse dans sa voix teintait ses hésitations, je m'inquiétai immédiatement.

– Et toi ? lui demandai-je. Comment vas-tu ? Que voulais-tu me dire ?

Il laissa quelques secondes de silence entre nous.

– L'histoire du soir devient vraiment compliquée…

– Je suis d'accord, j'y pense beaucoup aussi.

– Ce n'est pas notre priorité. Fais de beaux rêves… je t'embrasse, Reine.

Je posai mon téléphone près de moi, consciente brusquement de la parenthèse dans laquelle nous nous laissions bercer ces derniers jours Pacôme et moi. On aurait pu croire que… La réalité finirait par nous fracasser, le salut de Noé en valait la peine, même si cela ferait atrocement mal. Encore. Une fois de plus. Mes yeux se posèrent sur l'écran de mon portable, ni l'un ni l'autre nous n'avions raccroché. Ce fut plus fort que moi, j'écoutai et la voix de Noé parvint à mon oreille. Depuis le temps que je ne l'avais pas entendue ! Émue, je pouvais entendre le bois grincer sous leurs pas. Je fermai les yeux, les imaginant très nettement ensemble au milieu des meubles anciens, des coffres de corsaire, Noé caressait peut-être distraitement la longue-vue, à moins qu'il ne feuillette leur livre fétiche. Pacôme devait l'observer d'un regard tendre et attentif.

– C'est à ma mère que tu parlais ?

– Noé, ne fais pas semblant de ne pas savoir.

– Tu lui parles tous les soirs ?

Pacôme ne répondit pas.

– Vous êtes toujours ensemble ?

Que cachait cette question ? De l'inquiétude ? De la curiosité ? De l'intérêt ? Une envie particulière ? Qu'allait pouvoir lui répondre Pacôme ? Qu'étions-nous, aujourd'hui, l'un pour l'autre ? Nous ne le savions pas, incapables de mettre des mots sur ce qui nous arrivait, sur ce que nous vivions. Nous passions notre temps à renoncer, à nous quitter, à nous retrouver parce que c'était plus fort que nous, plus fort que tout.

– Ce qui se passe entre elle et moi ne te regarde pas.

– Comment va maman ?

Maman… Il avait dit maman… Ce mot, le mot le plus doux qui soit, était sorti de sa bouche. Mon cœur se gonfla d'espoir.

– À ton avis ? lui renvoya Pacôme d'une voix tout aussi douce. Réfléchis un peu et tu auras ta réponse.

Pacôme lui parlait sans détour, il n'avait pas peur de le pousser dans ses retranchements. Brusquement, je réalisai ce que j'étais en train de faire, je les espionnais. Je n'en avais pas le droit. Ils avaient tissé un lien bien à eux et je n'y avais pas ma place. Je coupai brusquement la communication, ce n'était pas de cette façon que je voulais avoir des nouvelles de mon fils. Ma décision était prise.

– 14 –

Pacôme m'attendait devant la porte Saint-Vincent, il tirait furieusement sur une cigarette. Il ne fumait jamais seul, n'avait jamais de paquet sur lui. C'était mauvais signe. Tout comme ses traits tirés que je devinais même de loin. M'aurait-il dissimulé le véritable état de Noé pour me préserver ? Il me repéra, ne bougea pas, me laissant venir jusqu'à lui. On resta à se regarder un temps infini, je me perdis dans ses yeux, leur gris pour la première fois me parut triste. Je crevais d'envie de me reposer dans ses bras, mais je sentais une distance entre nous, une distance forcée, une distance de raison.

– Tu es venue le chercher ?

– Je n'ai pas tant d'espoir… Lui parler serait déjà une petite victoire. Il est chez toi ?

– Non, il doit être sur la plage. Viens.

On commença à marcher côte à côte, en se frôlant, très vite sa main chercha la mienne, elles jouèrent toutes les deux quelques instants avant que nos doigts s'entrelacent. Nous étions incapables de résister l'un à l'autre. Les rues d'Intra-Muros sentaient le printemps, presque un air d'été. Les premiers touristes de la saison flânaient, des adolescents se baladaient en groupe, les cours étaient finis, les premiers sourires de drague de vacances commençaient déjà à fleurir sur leurs visages. Je n'arrivais pas à savoir s'il faisait chaud ou froid, le ciel était bleu, immaculé, sans nuage, mais il y avait toujours ce petit air frais qui donne la chair de poule alors qu'on sent sa peau chauffer au soleil. Il me fit traverser la porte des Bés et on s'accouda à une rambarde au-dessus d'une plage, la plage de Bon-Secours, elle m'était familière, avec sa piscine d'eau de mer dans laquelle on pouvait nager malgré le courant, et le Grand-Bé, accessible à marée basse. Nos yeux se rencontrèrent et d'un même mouvement, ils se levèrent vers les remparts, l'exact endroit où nous nous étions embrassés pour la première fois. J'abandonnai mon visage contre son épaule, sa tête trouva sa place sur mes cheveux. Mon regard se perdit dans le vague, j'étais déchirée entre mon besoin viscéral de retrouver mon fils et la nécessité de vivre chaque instant avec Pacôme, comme si c'était le dernier, ce que je sentais inéluctable. Une silhouette, cette silhouette que j'aurais reconnue entre mille, retint mon attention. Une silhouette assise dans le sable, casque sur les oreilles, visage tourné vers le large. Mon corps pencha instinctivement vers *lui*.

– Va le rejoindre, murmura Pacôme.

Il me souriait, encourageant, mais toujours avec cette inexplicable pointe de mélancolie.

– Que fais-tu, toi ?

– Je vais aux Quatre Coins du monde. On a prévu de bosser avec Nicolas, on s'est promis de ne pas se gueuler dessus.

Un rictus se fraya un chemin sur son visage fatigué, ça me fit du bien.

– Tu me tiens au courant ? me demanda-t-il. Si vous repartez ce soir, ensemble ou pas ?

– Tu as envisagé tous les scénarios, on dirait…

Il jeta un coup d'œil dans la direction de Noé, caressa ma joue et s'en alla sans un mot de plus.

Je pris mon temps pour descendre l'escalier raide et sablonneux, sans jamais quitter mon fils des yeux, m'imprégnant des bruits de la plage ; les cris étouffés des baigneurs intrépides, les éclaboussures après un saut du haut du plongeoir de la piscine, le tintement des rires insouciants, les chariots à bateaux de l'école de voile roulant sur la cale. Je retirai mes chaussures et plongeai mes pieds dans le sable froid, pas encore réchauffé par le soleil. J'avançai à petits pas, savourant tranquillement la vision de mon fils. Je n'avais aucune idée de la façon dont il allait m'accueillir, mais le simple fait de le savoir, de le voir si près me rassérénait. Il ne savait pas que j'étais là, aussi en profitai-je pour me repaître de lui, de son profil, son allure, son air lointain et détaché, malgré les filles qui le reluquaient un peu plus loin. Je fus frappée par son changement, en une semaine. Il avait grandi, mûri, il paraissait plus grave, plus sérieux, plus dur. Cela me rappela les quelques fois où, petit garçon, il était parti en vacances sans moi avec mes parents ou ma sœur. À chaque retour, le cafard et la culpabilité me saisissaient, comme si j'avais raté des moments importants et que je ne reconnaissais plus celui que j'avais dévoré de bisous larmoyants en lui disant au revoir. À chaque fois, j'avais le sentiment de l'irrattrapable. Aujourd'hui, il n'avait pas pris de centimètres supplémentaires, mais il avait vieilli dans son esprit. J'avais véritablement un homme en face de moi. Mon fils était un homme. Je devrais désormais me le répéter quotidiennement. Est-ce que cela se passait de cette façon pour chaque mère ? Est-ce qu'un beau matin, on se réveille, on voit son enfant et on réalise qu'à partir de maintenant, c'est d'égal à égal, d'adulte à adulte ? On réalise qu'on a perdu son bébé, même si au fond de notre cœur, il le reste jusqu'à la fin de nos jours, simplement on n'a plus le droit de le lui dire, de lui en faire la démonstration, sous peine de le vexer, sous peine qu'il revendique plus fort son indépendance.

Je finis mon parcours et vins m'asseoir à côté de lui. Je ne le regardai pas, il ne me regarda pas. Nous fixions la mer, sans dire un mot. Malgré ma furieuse envie de le toucher, de le prendre contre moi, de le sentir contre mon corps comme lorsqu'il était petit, je ne fis pas un geste. Étrangement, j'étais sur son territoire, davantage encore qu'au lycée. J'avais déjà la chance qu'il ne me hurle pas dessus, qu'il n'exige pas que je m'en aille sur-le-champ. Il n'y avait définitivement pas de petite victoire, chaque parcelle de lien reconquise valait tout l'or du monde. Après de longues minutes, il ramena ses genoux contre son torse et les entoura de ses grands bras comme pour se protéger, se contenir. Je m'autorisai à le contempler en mettant tout en œuvre pour ne pas être trop intrusive. L'air malouin lui avait fait du bien, il avait de belles couleurs. Pourtant, mon cœur se serra, ses yeux étaient prêts à déborder de larmes, il déglutissait péniblement pour ne pas craquer. Il tenait le coup. S'il voulait me montrer sa force de caractère, c'était réussi.

Ma patience finit par payer, il se redressa et retira son Marshall de ses oreilles, il revenait au monde. Ma bouche s'ouvrit sans que je le réalise :

– Tu écoutes quoi, en ce moment ?

Il me tendit son casque sans me jeter un regard. Je le posai sur mes oreilles. Un morceau de soul d'Esther Phillips se transforma à mon plus grand étonnement en rap entêtant. La voix de Russ était agréable, envoûtante malgré son agressivité. J'écoutai *Goodbye*, jusqu'à la fin, cherchant à comprendre ce que mon fils trouvait dans cette chanson. Enivrant, addictif. Je lui rendis son bien.

– Tu ne dois pas beaucoup aimer, me dit-il, toujours sans me regarder.

– J'aime la puissance, le son que ça dégage, moins les paroles…

Silence. Long. Lourd. Chargé de tant de sentiments contradictoires.

– C'est Pacôme qui t'a demandé de venir ?

– Non, je suis venue de moi-même.

Il prit une profonde inspiration comme pour se donner du courage. Il tourna enfin le visage vers moi et riva ses yeux aux miens, il les emprisonna, il m'hypnotisa.

– Pourquoi ?

– Je suis ta maman, quoi qu'il se passe. Peu importe ce que tu me dis. Je tenais à te le rappeler. Quand tu auras envie de parler, je serai là, je serai toujours là pour toi.

Il détourna le regard, mâchoires crispées.

– Je ne peux pas.

Ça fait mal.

– Ça fait trop mal, poursuivit-il.

Je m'oubliais, je n'avais pas le choix, devant me contenter de ce qu'il m'avait offert l'espace de quelques minutes.

– Je vais te laisser tranquille et rentrer à Rouen. Je vais chercher une solution pour que tu puisses passer tes épreuves, sans devoir être à la maison, si tu préfères. Je passerai par Pacôme pour te prévenir, de cette façon, tu n'auras pas à me parler…

J'avais une dernière chose à lui dire avant de partir, avant de le laisser seul sur cette plage, des paroles qu'il devait entendre. Une personne dont il devait se rappeler, la personne qui s'inquiétait le plus pour lui, qui l'aimait le plus, après moi.

– Noé, Paul… il est toujours là pour toi, lui aussi.

Il se recroquevilla davantage. Je fixai ses poings serrés sur ses genoux, j'avais tellement envie de poser ma main dessus, juste pour sentir le grain de sa peau. Non. Malgré mon désir profond et vital, je ne lui imposai pas mon contact. Je me levai, gagnai encore un tout petit peu de temps près de lui en époussetant le sable sur mes vêtements. Il ne réagit pas.

Sois forte. Pour lui. Je t'aime, mon Noé.

– Au revoir, mon…

Ma voix se brisa. Je ployai sous le chagrin, je m'arrachai à lui et le laissai derrière moi. Les larmes inondaient mes joues. J'avais mal dans tout le corps.

– Il ne veut toujours pas me rencontrer ?

Je m'arrêtai net, les pieds enfoncés dans le sable. Je me rapprochai de lui, il resta de dos, raide, son attention toujours fixée sur la mer.

– Je ne sais pas.

Il hoqueta et renifla, mon instinct maternel prit le dessus, je franchis la distance qui nous séparait, prête à l'attraper dans mes bras, il le sentit et rentra la tête dans les épaules pour se protéger de moi, comme si j'allais le frapper. Je reculai. Il tremblait. Il allait tellement mal, il souffrait si fort. Je ne pouvais plus rester sans rien faire. J'avais laissé tout le monde exprimer sa colère, ses sentiments, le temps nécessaire à la prise de conscience.

Ça suffit !

Je partis en courant, remontai l'escalier à toute vitesse sans me retourner. Je n'avais pas le droit de m'effondrer, Noé demandait de l'aide, il était en train de se perdre à cause de la connerie d'adultes incapables de prendre leurs responsabilités, moi la première. Je continuai à courir pieds nus dans les rues, mes chaussures à la main. Pacôme avait imprimé dans mon esprit le plan de la ville. Je rejoignis les remparts au niveau de l'école de la marine marchande, slalomai en pleurs entre les touristes, mon regard se posa sur le Fort National, la mer était basse, je descendis quatre à quatre l'escalier et pris le même itinéraire qu'il avait fait emprunter à Noé. Porte Saint-Thomas. Plage de l'Éventail. Le Sillon. Ce fut à mon tour de courir à en perdre le souffle dans le sable, le vent – pas bien fort – fouettait mon visage, séchait mes larmes, embarquait dans le ciel bleu mes gémissements de douleur aux jambes, de douleur au cœur. Ce fut aussi à mon tour de m'accrocher aux brise-lames, pour reprendre ma respiration quelques instants, ces bois solides, si solides qu'ils éclataient les vagues puissantes pour protéger la digue, aujourd'hui, ils me permettaient de ne pas m'écrouler. Ma course folle, désespérée se poursuivit sur la chaussée du Sillon, où je profitai d'un feu rouge pour enfiler à la va-vite mes chaussures. Dès que je pus, je traversai et filai vers le quai Duguay-Trouin. J'aperçus les tonneaux des Quatre Coins du monde. J'y étais presque. Je puisai au fond de mes forces pour les cent derniers mètres. J'ouvris brutalement la porte de l'entrepôt, m'accrochant de justesse au battant : mes jambes me portaient à peine. Je croisai le regard affolé de la jeune femme de l'accueil, depuis sa place habituelle derrière son comptoir.

– Où sont-ils ? lui demandai-je d'une voix sourde.

– Dans le bureau de Nicolas.

Je luttai contre un étourdissement et me dirigeai malgré ma faiblesse vers l'escalier, déterminée à frapper un grand coup. Je le grimpai en m'agrippant à la rambarde, plus je montais, plus l'énergie du désespoir, l'énergie de mes entrailles me donnait de la force. Si je devais traîner Nicolas aux pieds de Noé, je le ferais, il n'avait plus le droit de se dérober. Rien ni personne ne m'arrêterait. J'entrai sans m'annoncer. Ils sursautèrent. Pacôme bondit de sa chaise et accourut vers moi.

– Reine, que se passe-t-il ? C'est Noé ?

Je lui souris douloureusement, profitant de sa présence pour inspirer à pleins poumons. Ensuite, mon regard – mauvais – se braqua sur Nicolas.

Je le découvris méconnaissable, vieilli, fatigué, mal rasé. Il recula, je lui faisais peur. Il avait raison.

– Ton fils a besoin de toi ! hurlai-je. Est-ce que tu m'entends ?

J'avançai vers lui, prête à gravir des montagnes. Il se ratatina sur lui-même, je l'attrapai par la chemise et le secouai.

– Regarde-moi !

Il m'obéit et je découvris à quel point il souffrait. Tout le monde souffrait ! Noé, Pacôme, Paul, Héloïse et ses enfants, lui et moi. Tant qu'il n'enclencherait pas le processus de guérison, la situation se gangrènerait jusqu'à l'amputation. Je haletai de colère, de rage de sauver mon fils de ses démons. Je lâchai son père sans jamais cesser de le fixer droit dans les yeux. Il n'allait pas m'échapper, cette fois.

– Tu vas arrêter de te cacher derrière ta culpabilité, ton incompréhension ! Tu n'as pas le choix, ta réalité a changé, comme la mienne. Noé est perdu, il n'avancera pas dans la vie si tu ne te bouges pas. Noé a besoin de son père. Je te demande simplement de le regarder, de le reconnaître, pas devant la loi, on s'en fout de ça. Montre-lui simplement qu'il existe !

Je sentis un courant d'air froid dans mon dos, je me retournai ; Pacôme quittait la pièce sans bruit.

– Que fais-tu ?

Aimantée par lui, je le rejoignis jusqu'à ce que nos corps se frôlent. Sans chercher mon regard, il repoussa derrière mon oreille une mèche de cheveux échappée.

– Vous avez besoin d'être seuls, tous les deux.

– Non ! Tu restes !

Je refermai violemment la porte qu'il venait d'entrouvrir, ne lui laissant pas le choix. Nicolas devait entendre encore une chose. Son orgueil en prendrait un coup, mais peu importait sa blessure, si cela le faisait réagir. Et Pacôme le méritait.

– Tu vois, Nicolas… Pacôme, ton meilleur ami, dont tu dis sur le ton de l'humour qu'il est imprévisible, irresponsable parfois… Cet homme, pour qui Noé ne représente rien, cet homme merveilleux a été, ces derniers jours, comme un père pour ton fils, pendant que toi, tu pleurais sur ton sort dans ton coin. Pacôme est la seule personne en qui notre fils a confiance en ce moment ! Alors quand tu réagiras, tâche de ne pas l'oublier.

Leurs regards se croisèrent, puis Nicolas baissa la tête, honteux.

– Fais-moi confiance, murmura-t-il.

C'était la première fois depuis que j'avais pénétré comme une furie dans le bureau que j'entendais le son de sa voix ; brisée, fatiguée. Quand il releva la tête vers moi, il ne chercha pas à dissimuler ses larmes. Il me dévisagea de longues secondes.

– Merci d'être venue, finit-il par me dire. J'espère qu'un jour tu pourras me pardonner toutes les horreurs que je t'ai dites.

– Je n'ai jamais attendu que tu me sautes au cou en apprenant l'existence de Noé. Je suis peut-être naïve, mais pas à ce point-là. Et je porte ma croix, moi aussi.

– Je ne veux pas que ces mots restent entre nous.

Il nous chercha alternativement du regard, Pacôme et moi.

– J'ai tellement honte de m'être comporté de cette façon, de ne pas avoir voulu vous écouter. Mais j'ai eu peur, j'ai encore très peur.

– On a tous peur ! Mais celui qui a le plus peur, c'est Noé… et ce qui reste entre nous, c'est lui.

Je fouillai nerveusement sur son bureau à la recherche d'un bout de papier et d'un crayon, j'inscrivis le numéro de téléphone de Noé, et le laissai bien en évidence.

– Appelle-le, trouve-le, fais quelque chose.

Il hocha la tête, incapable de prononcer un mot de plus. Pour la première fois, il s'engageait. Pouvais-je y croire ? Je lui laissais encore une chance.

– Maintenant, je vais rentrer chez moi, leur annonçai-je.

Je suppliai Pacôme de tout mon être de me raccompagner dehors, il posa sa main dans le creux de mes reins. Je m'adressai une dernière fois à Nicolas :

– La balle est dans ton camp, j'espère ne pas avoir à revenir. Je ne souhaite pas te haïr, ni avoir envie de te détruire parce que tu aurais détruit notre fils. Ce ne sont pas des paroles à la légère. J'espère que tu en es conscient.

– Je vais prendre mes responsabilités. Je ne ferai plus défaut à Noé.

Il essaya de capter l'attention de Pacôme.

– On se revoit, ce soir ?

– Non, peut-être demain.

On retourna à pied à Intra-Muros, en silence. J'étais dans un état cotonneux, avec le sentiment d'être à la croisée des chemins. Je pensais à Noé, encore peut-être sur la plage, perdu dans ses conflits intérieurs. Je pensais à Paul qui me manquait. Je pensais aux excuses de Nicolas, à sa terreur, mais aussi à son souhait d'essayer d'avancer, pour la première fois, je ne doutais pas de sa sincérité. Un verrou venait de sauter. Je n'étais pas encore en paix avec moi-même. En revanche, tous les voiles avaient été levés, presque acceptés. Chacun allait devoir construire ou plutôt se reconstruire, sur des champs de ruines. Et je pensais à Pacôme. Pas une seule seconde, il ne rompit le contact entre nous, mis à part lorsque sa main quitta mes reins pour attraper la mienne et la serrer. J'avais peur de lui parler, peur de ce qu'il pourrait me répondre. Quand on se retrouva devant ma voiture, il me prit dans ses bras.

– Tu as un message pour Noé ?

– Non, je lui ai dit ce que j'avais à lui dire et je ne veux pas lui donner de faux espoirs.

Je restai contre lui, les yeux fermés. Je profitai encore un peu de ses respirations, de son parfum, de la liberté qu'il m'insufflait, de nos corps l'un contre l'autre qui ne faisaient qu'un. Je le sentis se crisper, il soupira douloureusement. J'attrapai son visage entre mes mains et pressai mes lèvres contre les siennes.

– Je t'aime, murmurai-je contre sa bouche.

Ses mains me broyèrent contre lui. Je m'accrochai à sa nuque. Notre baiser était enivrant comme le premier que nous avions échangé, il était passionné comme ceux qui avaient suivi, il était désespéré et violent, comme… j'étais incapable de le penser, de me le dire. Nos bouches s'arrachèrent l'une à l'autre, nos fronts se frôlèrent, ses yeux finirent par s'ouvrir et se rivèrent aux miens. J'eus l'impression que son cœur ratait un battement, comme si le souffle lui avait manqué l'espace d'une seconde. Il me lâcha, recula de deux pas, puis il ferma les paupières et se retourna. Je fixai sa silhouette jusqu'à ce qu'elle disparaisse dans son Intra-Muros. Il s'enfermait derrière ses remparts et, pourtant, il venait de reprendre sa liberté.

Les jours suivants, je n'eus de nouvelles de personne, hormis un bref message d'Héloïse qui me remerciait d'avoir secoué son mari. Ma confiance en Nicolas s'accrut, il était certainement engagé sur la voie menant à son fils. À présent, je n'avais plus qu'à être patiente et espérer qu'une rencontre, un contact apaiseraient Noé. Ma famille chercha à me tenir compagnie, à me soutenir, en espérant faire passer le temps plus vite. Je refusai toute forme de compagnie, sauf celle de Paul. Il était le seul à respecter mon silence, il était le seul dont la présence adoucissait l'absence de mon fils.

Je dormais à nouveau dans mon lit, je devais reprendre mon quotidien si je ne voulais pas sombrer à nouveau. Je savais Noé en sécurité chez Pacôme. Non pas que je ne veuille plus me battre pour retrouver mon fils, mais je devais avant tout le respecter. Il avait fait le choix de s'éloigner de moi, pour une bonne raison. Après les cris, les larmes, le rejet, le silence, j'avais réussi à le voir, à lui dire quelques mots. J'avais fait mon possible. Je prendrais patience. Je voulais aussi lui prouver, en acceptant la distance qu'il avait mise entre nous, que je le considérais comme un adulte et plus comme un enfant. J'arrivais à un tel point de sagesse que malgré l'échéance fatidique du bac, je me disais que c'était secondaire, il pourrait le passer l'année prochaine en candidat libre ou dans le lycée de son choix. Et puis, il avait été accepté une fois en fac d'éco, il le serait à nouveau. Que représentait une année face à la paix intérieure, face au fait de savoir qui on était, face à la certitude d'être en phase avec soi-même ?

Ce soir-là, toujours dans ma bataille pour tenir le coup, je décidai de cuisiner. Je mis un peu de musique en fond sonore et m'attelai à la préparation d'un poulet au curry. Le pathétique de la situation me rattrapa alors que je m'abîmais dans la contemplation de la viande rissolante. J'étais ridicule, je lâchai ma cuillère en bois, éteignis le gaz, les chansons stupides censées me donner la pêche et m'écroulai sur une chaise. Je laissai tomber ma tête au creux de mes bras sur la table et me forçai à respirer calmement : je ne voulais pas pleurer. Je perdis la notion du temps.

Au bout d'un moment, j'eus des hallucinations, je crus entendre la clé tourner dans la serrure de l'entrée. Les habitudes ont la vie dure, mon esprit était conditionné par les bruits de la maison, les bruits de mon ancienne vie. Pourtant, le son que j'entendais était réel, je ne fabulais pas. Je dissimulai davantage encore mon visage pour que mes larmes sèchent sur mes vêtements. Pour me retenir de hurler, aussi. La porte s'ouvrit et se ferma, le trousseau de clés retentit dans le vide-poche de la console. Mue par une impulsion, je quittai ma prostration et rejoignis le salon. Je me rattrapai au chambranle de la porte. Noé traversait la pièce avec sa guitare et son sac de voyage sur l'épaule. Il regardait droit devant lui, je mis la main sur ma bouche pour retenir mes sanglots, pour me retenir de ne pas lui sauter dessus. Il était rentré à la maison. Je ne le quittais pas des yeux. Après avoir monté trois marches dans l'escalier, il s'arrêta et se tourna vers moi.

– Bonsoir, maman.

Maman… tu m'appelles maman. Tu es là, mon trésor. J'existe à nouveau pour toi.

Faire comme si de rien n'était. Me contenir. Être forte. Être naturelle comme lui l'était.

– Bonsoir, Noé, m'étranglai-je.

Je toussotai pour me reprendre un peu. Il était stoïque, ses prunelles dorées posées sur moi.

– Tu as dîné ?

– Non.

– J'étais en train de préparer quelque chose, ça te dit ?

Il haussa les épaules d'un air de dire oui et s'enfuit vers l'étage. En tremblant, je regagnai la cuisine et me passai de l'eau froide sur le visage pour me réveiller. Noé était de retour à la maison. C'était la réalité, c'était vrai. Il était là. Il reprenait possession des lieux. Que s'était-il passé ? Allait-il me le dire ? Allait-il m'adresser la parole ? Oserais-je lui poser des questions ? Totalement déstabilisée, je trouvai le moyen de me brûler en relançant la cuisson.

Il me rejoignit dans la cuisine et rasa les murs pour mettre le couvert. Je me retenais de trop l'observer, je me sentais petite face à mon fils qui se raclait la gorge, ne sachant pas trop comment entamer la conversation. Pourtant, j'en étais à un tel niveau de bonheur que je me moquais qu'il ne dise pas un mot, il était là, c'était tout ce qui importait. Lorsqu'on passa à table, j'eus la joie de découvrir que son coup de fourchette n'avait pas disparu, j'en oubliai de dîner.

– Je suis rentré pour le bac, m'apprit-il après avoir englouti son dessert.

À une journée près, c'était trop tard, comme me le rappelaient la convocation et le planning des épreuves que j'avais, malgré son absence, laissés sur le frigo : la philo était le lendemain, à 8 heures.

– D'accord. C'est une bonne chose, non ?

Il haussa les épaules, indifférent.

– Tu trouveras dans le placard des barres de céréales et des bouteilles d'eau, j'en ai acheté au cas où…

… *tu reviendrais.*

– Merci. Je vais monter dans ma chambre.

Il se leva de table, débarrassa son assiette, la rangea dans le lave-vaisselle. Avant de quitter la cuisine, il tourna un peu en rond, me fuyant du regard.

– Tu as besoin de quelque chose ? finis-je par lui demander.

Il se rongea un ongle, son pied tapota le sol nerveusement. Il sortit de la pièce, il revint, il fit le même manège à plusieurs reprises.

– Non… enfin… euh… si… en fait, il… il m'a appelé.

Merci, Nicolas.

– Je voulais juste te le dire. On en reparlera après le bac.

– C'est toi qui décides.

– Bonne nuit.

Il me lança un regard de gratitude et disparut. Nicolas avait donc enfin fait un pas vers lui, ils s'étaient parlé pour la première fois en plus de dix-sept ans. Qu'avaient-ils bien pu se dire ? Téléphoner à Nicolas pour le savoir était exclu : si quelqu'un devait me rapporter le contenu de leur conversation, ce serait Noé et personne d'autre. Je devais apprendre à respecter ce qui se nouerait entre eux. Difficile de lutter contre ma possessivité. Si nous en étions là aujourd'hui, c'était bien parce que je n'avais pas voulu de lui entre nous. Ma jalousie représentait bien peu face à Noé qui avait reçu un signe de son père.

J'aurais bien appelé Paul, mais je ne voulais pas mettre Noé mal à l'aise, s'il m'entendait. Aussi, me rabattis-je sur un message : « Noé est rentré à la maison. Je t'embrasse. » Il me répondit dans la minute : « Profite de lui. Je t'embrasse. » Je ne bougeai pas tant que j'entendis mon fils se réapproprier l'étage : les portes s'ouvrirent, se fermèrent, sa chambre, la salle de bains. Il ne me lançait que des miettes des derniers événements, des miettes de lien, mais il était là. Il venait passer son bac. Je n'avais aucune idée du temps qu'il comptait rester à la maison. Peut-être, sitôt les épreuves finies, repartirait-il à Saint-Malo, près de son père ? Avait-il fait des projets ? Je devais faire cesser la déferlante de questions. Et savourer sa simple présence silencieuse. J'étais fière de lui, il ne baissait pas les bras, en dépit de ce qu'il traversait. Qu'il échoue ou qu'il réussisse importait peu, il n'aurait pas de regret. Intérieurement, je le remerciais de m'offrir la boule au ventre inhérente à ce fichu rituel de passage à l'âge adulte auquel nous avions tous été confrontés. Je ne pouvais pas dire que c'était revenu sur la première marche du podium de mes préoccupations, mais ne pas fermer l'œil de la nuit parce qu'il passait la philo le lendemain était une perspective réjouissante.

En montant me coucher, beaucoup plus tard, je me retins de jeter un coup d'œil pour vérifier s'il dormait. Avant, je l'aurais fait. Plus aujourd'hui. Certainement pas ce soir. Noé et moi allions devoir réapprendre à vivre ensemble, tout du moins à cohabiter, le dialogue n'étant pas franchement revenu. Il fallait peu de chose pour perdre ses repères. Je réalisais que je ne savais plus m'adresser à lui. Il avait changé. J'avais changé. Quelques jours de séparation avaient suffi. Nous allions devoir nous apprivoiser, comme des quasi-inconnus. Notre lien – je n'osais même plus penser à notre complicité – ne serait plus jamais le même.

Je pris la direction de ma chambre et marquai un temps d'arrêt en découvrant la porte fermée, ce qui n'arrivait jamais sauf quand je dormais. J'y pénétrai, hésitante. J'allumai la lumière ; j'avais du courrier sur l'oreiller. Je m'approchai et découvris mon nom sur une enveloppe cachetée qui semblait avoir traversé le temps. Je reconnus la calligraphie élégante de Pacôme. Ma main tremblante s'en approcha lentement, je la caressai du bout des doigts, sans oser m'en saisir. Je reculai, sans la quitter des yeux.

J'avais peur. Peur de lire ses mots. Peur qu'il me dise au revoir. Je ne savais pas si j'étais prête à la lire tout de suite. Cela faisait beaucoup, brusquement. L'espace d'un instant, je lui en voulus. Pourquoi me faisait-il subir ça, précisément ce soir ? Quand aurais-je droit au repos ?

Quelques minutes plus tard, je me glissai sous les draps. La tête tournée vers la lettre, je la regardai. Un peu comme si Pacôme était dans mon lit, allongé près de moi. Si je m'endormais sans la lire, je pourrais croire qu'il était là et je me réveillerais avec lui le lendemain matin. Ce serait bien. Ce serait une jolie histoire pour m'endormir. Dans le noir, je restai sans bouger, consciente de sa présence. Je m'en approchai légèrement et la respirai, à la recherche d'un parfum qui me le rappellerait. Le parfum de la mer. Le parfum du vent malouin. L'encaustique sur les vieux meubles marins. Les épices. Le café. La verveine. Ces odeurs étaient tout proches, elles auraient presque pu se frayer un chemin jusqu'à mon nez. Mon visage se décala sur *son* oreiller. Il me prendrait dans ses bras, son doigt caresserait mes lèvres, il me susurrerait une histoire au creux de l'oreille, avant d'embrasser le creux de mon cou. Je me faisais du mal, j'en avais parfaitement conscience. Je devais affronter la réalité. Je m'arrachai à son étreinte rêvée et allumai la lumière. Je m'assis dans mon lit. Je pris l'enveloppe entre mes mains et la fixai de longues secondes. Je mis un soin particulier à la décacheter, je ne voulais surtout pas la déchirer, l'abîmer. J'y trouvai plusieurs feuillets jaunis. Il avait dû les trouver dans un tiroir de ses grands-parents, qu'il n'avait jamais ouvert jusque-là, il avait écrit au stylo-plume. Cela donnait davantage de valeur encore à cette missive. Un dernier instant, je fermai les yeux, l'imaginant installé à la table devant la vue dont on ne se lasse pas. Il m'avait forcément écrit de cet endroit, je pouvais voir son regard se perdre régulièrement au loin, vers la mer.

Reine,

J'ai tant de choses à dire que je ne sais par où commencer.

Je n'y suis pas encore, mais je sais que ça va être insupportable de déposer Noé devant chez toi, sans venir te voir, sans pouvoir te toucher...

Il avait été là, tout près, à quelques mètres, il y avait à peine quatre heures. Ma respiration se fit haletante.

Mais si je m'approche trop près de toi, je vais flancher et rendre la situation plus douloureuse encore, je n'en ai pas le droit. Alors je t'impose d'apprendre trop tard que nous avons été proches l'un de l'autre une dernière fois. Ma seule consolation est de savoir que tu auras ton trésor sous ton toit quand tu liras la fin de l'histoire.

Parce que oui, Reine, je t'écris la fin de l'histoire. Tu t'en souviens, on en a déjà parlé. On croyait se dire adieu cette nuit-là et puis, on a volé un peu de temps, repoussant autant que nous avons pu l'inévitable. Mais je dois partir pour de bon.

Après ton irruption dans le bureau de Nicolas, ma décision a été vite prise, je ne pouvais plus reculer. Ce n'est pas un coup de tête, crois-moi, cela faisait longtemps que je la mûrissais, j'attendais le bon moment. Noé, sans que je sache comment, a compris. Il a compris que je préparais mon départ, il s'est énervé, il est rentré dans une colère noire. On s'est engueulés, j'ai braillé aussi fort que lui, parce que je crois que j'ai aussi mal que lui. Je pense qu'on nous a entendus de la tour Solidor. Il ne veut pas que je parte, il veut que je reste, il veut que je prenne une place qui n'est pas la mienne. Il me l'a dit. Il m'a hurlé dessus en me demandant d'être son père. C'était un cri d'amour, un cri déchirant, une demande d'être aimé. Il l'est, aimé. Et pas que de moi... Oui, je peux te le dire, je l'aime du fin fond de mes tripes, ton fils. Sans le connaître, je le sentais déjà, je te l'ai même dit.

Je m'accordai une seconde pour souffler.

Tu ne me répondras jamais, mais est-ce possible de s'adopter de cette manière ? De s'aimer si fort comme un père et un fils, de se reconnaître après si peu de temps… je ne le saurai jamais, mais je me rappellerai avoir vécu cette sensation-là. Le jour où je mourrai, je me souviendrai de m'être senti père… Je me perds, excuse-moi.

Ce qu'il n'a pas compris, c'est que plus il me réclamait près de lui, plus il enfonçait le clou et qu'il me confirmait que j'avais pris la bonne décision. Je lui ai demandé de laisser une chance à Nicolas pour son bien à lui, pour n'avoir jamais de regret, pour ne pas t'avoir fait souffrir inutilement. C'est uniquement avec cette dernière raison qu'il a cédé, qu'il a accepté de me laisser partir. Si tu savais comme il a mal à chaque fois que je lui rappelle ta douleur de l'avoir perdu. Je ne l'ai jamais épargné. Il clame haut et fort avoir pris une décision d'adulte en partant de chez vous, il doit assumer ses actes. Il le fait, crois-moi, il le fait. Comme sa décision de rentrer au bercail passer son bac est sa décision, je ne l'y ai pas forcé. Bref, je lui ai proposé de me voir un peu comme l'oncle Frédéric. Tu ne sais pas qui c'est ? Peut-être qu'un jour, tu te plongeras toi aussi dans ce livre qui nous est si cher, à ton fils et à moi. J'aimerais tant que tu le fasses. À travers ses larmes, il a ri.

J'ai raison de prendre le large, puisque Nicolas a enfin pris ses responsabilités. Il n'y a pas assez de place pour Nicolas et moi, Noé serait écartelé et je le refuse. Il l'est déjà bien assez, crois-moi… Il m'a beaucoup parlé de Paul et de la place qu'il occupe dans sa vie… Je n'ai pas la prétention d'imaginer qu'il me préfère à son vrai père une fois qu'il le connaîtra, mais je ne veux pas être un obstacle entre eux. Je ne veux pas mettre Noé dans une situation intenable. Je ne me le pardonnerais jamais. Alors, je prends un billet aller sans retour. Tout le monde a besoin de temps. Noé, Nicolas et toi. Du temps pour faire de moi un souvenir. Juste un souvenir.

Mon cœur se déchira.

Noé n'est pas l'unique raison à mon départ. Je pars pour me retrouver. Je ne t'ai jamais caché que je ne tenais pas en place. Tu sais que j'ai besoin de prendre l'air…

Je viens de perdre le fil de ma pensée, je t'ai imaginée rire de moi avec tes jolis yeux verts. J'espère que tu souris avec moi, Reine, au moins un petit peu.

Je souris et je pleure, Pacôme.

Je ne veux pas de contraintes, je veux pouvoir partir quand je le souhaite sans avoir à m'inquiéter ou à lutter contre un désir contraire au mien. Je t'ai fait comprendre au tout début que si j'étais seul, c'était par choix, pour une impérieuse envie de liberté. C'est certainement très immature, Dieu sait que Nicolas me le reproche. Combien de fois m'a-t-il dit que je crèverais seul, sans personne autour de moi ! Ce n'est pas facile pour autant. Mais je suis qui je suis, je ne veux pas m'enfermer pour répondre à un diktat de la société, au risque de dépérir. Je me dois d'être honnête avec toi, la vie de Nicolas ne m'a jamais fait envie ; un papa, une maman, des enfants, un crédit sur le dos et un chien, très peu pour moi. Je prends ma dose de temps en temps avec eux, ça me suffit. Tout ce que je souhaite, c'est de pouvoir mourir dans mon lit et de voir la mer avant de fermer les yeux.

Reine, tu n'es pas la première femme que j'aime, je ne pense pas te vexer outre mesure en t'écrivant une telle chose. Comme j'ai parfaitement conscience de ne pas être le seul que tu aies aimé. Mais tu es la première à avoir ébranlé mes convictions, tu es la seule qui a rendu le grondement de l'appel du voyage moins puissant. Mais il est toujours là, ce grondement, il ne me quittera jamais. D'aussi loin que je m'en souvienne, il est à l'intérieur de moi. Il faudra toujours que je reparte, je ne serai jamais assez rassasié, malgré ton amour, malgré ta présence. Je ne pourrais plus me regarder dans une glace si je t'imposais une vie pareille. Là encore, je n'aurai jamais la réponse, mais je crois savoir que tu m'as aimé pour ce que je suis et pas pour celui que tu aurais voulu que je sois. Je ne peux pas, je ne veux pas changer. Et tu n'as pas le pouvoir ni même peut-être l'envie de le faire. Je pars sans savoir si tu me pardonneras. Je rêverai toute ma vie ton pardon.

Reine, j'ai aimé respirer avec toi, j'ai aimé t'aimer, j'ai aimé tes lèvres, j'ai aimé me perdre en te faisant l'amour, j'ai aimé ta manière de faire face, j'ai aimé cette tristesse que tu as toujours dans le regard. Je t'aime. Cet amour pour toi ne disparaîtra pas en quelques heures d'avion. Je vais souffrir le martyre, mais c'est mieux pour nous deux. Que ce que nous avons vécu reste une histoire qu'on se raconte le soir pour s'endormir. Je vais t'écrire quelque chose qui me fait bouillir le sang rien que d'y penser, mais c'est important. Libère-toi de nous. Je souhaite que tu aimes un homme bien qui te rende complètement heureuse et pas en pointillé. Je veux que tu rencontres et que tu aimes un homme sur lequel tu puisses compter, qui te respecte et qui ne juge jamais les choix que tu as pu faire.

Reine, il me faut te laisser, Noé va bientôt rentrer de son dernier tour à Bon-Secours, avant la prochaine fois, sans moi. Nous allons prendre la route vers toi pour lui, vers un ailleurs sans toi pour moi. N'oublie jamais qu'il y a toujours une histoire à créer, à se raconter. Ouvre les yeux, cette histoire est peut-être à portée de main… Ton fils en écrit une nouvelle. Pourquoi pas toi ?

Je t'aime, Reine, je t'aime. Tu resteras la plus belle inconnue que j'aurais eu envie d'enlever.

Pacôme.

Je connaissais sa lettre par cœur avant le lever du jour. Je l'en aimais plus fort encore. J'étais perdue. J'avais perdu mon phare dans la nuit. Pourtant, cet amour me donnait l'impression étrange d'être plus forte. Ça faisait mal d'aimer. Peu importe qui on aime. On perd toujours ceux qu'on aime. On finit par perdre ses parents, le plus tard possible tant qu'à faire. Mais j'avais tendance à croire que, même à plus de soixante-dix ans, perdre ses parents était violent et douloureux. Je n'oublierais jamais le chagrin de mon père devant le cercueil de ma grand-mère. On ne fait pas des enfants pour les garder près de soi, on doit les laisser partir pour qu'ils vivent leur vie. Alors, même si le plus beau des bonheurs, c'est qu'ils existent, on a mal de les aimer. Aimer d'amour. Aimer un homme. Aimer une femme. Un jour, on perd cet être aimé, désiré, avec une séparation, avec la mort. Et ça fait mal, ça fait toujours mal, ça arrache un bout de soi. Pacôme, où qu'il soit en ce moment même, dans un aéroport, déjà dans le ciel, avait embarqué à jamais un morceau de moi. Un morceau vital. Je ne respirerais plus jamais de la même manière.

Si le réveil de Noé n'avait pas sonné, je crois que je serais restée dans cet état de catatonie de longues heures. Pour mon fils, je n'avais pas le droit de vivre ma douleur pleinement, je n'avais pas le droit de me laisser aller, de me repaître de cette souffrance. Alors, je pliai méticuleusement la lettre, la remis dans son enveloppe, la rangeai dans ma table de nuit. Je sortis de mon lit, attrapai des vêtements propres, allai dans la salle de bains. Mes yeux étaient secs d'avoir trop pleuré. Sous la douche bouillante, je mordis mon poing pour évacuer encore un peu, prendre des forces avant de me retrouver face à Noé. Tenir. Toujours tenir. Pour lui. Pour mon fils.

J'attendais à la table du petit déjeuner, j'avais tout préparé. Je me tournai vers lui quand il s'encadra dans la porte. Je lui offris le meilleur sourire dont j'étais capable. Il se retint de ne pas courir vers moi. Je n'aurais jamais imaginé revoir de l'inquiétude dans son regard. Je me fustigeai pour l'image déplorable que je lui donnais à une heure et demie de sa première épreuve du bac. Il s'assit à sa place habituelle.

– Tu as dormi ? lui demandai-je.

Il hocha la tête.

– Tu dois être heureux de retrouver tes amis et Justine.

Il s'étouffa avec ses céréales.

– On révise tous ensemble après.

Il se dépêcha de finir son bol pour être prêt à partir. Je ne pus m'empêcher de le suivre dans l'entrée. Déjà, il avait la main sur la poignée.

– Noé ?

Il se tourna vers moi.

– Si ça ne te dérange pas trop, tu pourrais m'envoyer un message quand tu auras fini.

Il acquiesça silencieusement et sortit sur le perron. Il commença à descendre l'escalier du jardin, mais se ravisa.

– Il va me manquer.

Je portai la main à ma bouche pour ne pas pleurer, pour ne pas me jeter dans ses bras, pour ne pas craquer devant lui.

– Je sais… à moi aussi…

– Je suis désolé, maman. Pour toi.

– Merci, mon…

Il n'attendit pas que je finisse ma phrase pour tourner les talons.

– 15 –

Je restai enfermée chez moi, déterminée à attendre des nouvelles de mon fils, j'avais quatre longues heures devant moi. J'aurais pu aller au Hangar, je n'en avais pas le courage. Je ne voulais pas imposer mon chagrin d'amour à Paul, à tout le monde là-bas ; j'avais honte, ma vie de maman reprenait son cours – pas tout à fait normal, mais son cours tout de même – et je trouvais encore le moyen d'être mal.

Vers 9 heures, la porte d'entrée s'ouvrit. Impossible que ce puisse être Noé, qui planchait déjà depuis une heure. À part lui, seul Paul avait les clés de chez moi et un accès libre. Je ne bougeai pas de ma place. Comment avait-il su que je ne viendrais pas au travail ? Il traversa le séjour, déposa un baiser dans mes cheveux et disparut dans la cuisine avec son sachet de boulangerie à la main. Il revint quelques minutes plus tard, armé d'un plateau qui contenait deux mugs de café, du vrai, et des viennoiseries. Il me sourit et s'assit à côté de moi. Il porta une des tasses à ses lèvres. Je n'en revenais pas.

– Paul, que fais-tu ?

– Je bois un café, ça ne se voit pas ? Tu n'en veux pas ? Tu aurais tort, il est très bon.

Je déposai un baiser sur sa joue.

– Comment as-tu su que je serais à la maison et pas…

Il sourit, les yeux dans le vague.

– Noé m'a téléphoné ce matin, sitôt parti d'ici.

J'avais envie de pleurer de joie et de tristesse. Je n'en pouvais plus de ce déchirement intérieur. J'aurais donné n'importe quoi pour un peu de paix. Savourer pleinement les bonnes nouvelles.

– Et alors ? Tous les deux, où en êtes-vous ?

Son émotion était palpable, ses mains tremblaient.

– Il n'a raccroché que lorsqu'il a dû entrer dans la salle d'examen. On aurait préféré se voir, mais il ne voulait pas attendre pour me parler… On s'est dit tellement de choses, je…

– Tu n'es pas obligé de me raconter, cela vous appartient, je suis simplement heureuse de savoir que tu l'as retrouvé.

Mon cœur explosait de bonheur, je ne pouvais pas être plus sincère. Que Paul ait renoué avec Noé n'était pas loin d'être aussi fort que le fait qu'il soit rentré à la maison. Il passa son bras autour de mes épaules et embrassa à nouveau mes cheveux.

– Et toi ? murmura-t-il.

– Mon fils est rentré…

– Noé m'a dit pour…

– Je ne veux pas en parler, Paul. C'est inutile.

– Comme tu veux…

On fit un sort aux croissants, on siffla la cafetière, on rit de broutilles et cela me fit du bien. Je retrouvais Paul, comme avant.

– Au fait, j'ai besoin de toi, aujourd'hui, m'annonça-t-il au cours de la matinée.

– Pour faire quoi ?

– Il faut que je change de voiture !

– Encore ! m'insurgeai-je.

Je m'extirpai du canapé et le fixai, les mains sur les hanches, faussement énervée. Nouvelle voiture, nouvelle maîtresse.

– Je l'ai déjà vue ? C'est celle qui est passée l'autre jour au Hangar ou c'est une nouvelle ?

Il passa une main dans ses cheveux, amusé.

– Une nouvelle, mais je prends mon temps, ce coup-ci.

– En gros, tu n'as pas encore eu le temps de t'ennuyer avec elle, mais tu anticipes avec une nouvelle voiture ?

– C'est un peu l'idée…

– Tu es unique…

– Je dois le prendre comment ?

– Comme un compliment…

– Alors, tu m'aides à choisir ?

Je soupirai, incapable de lui refuser cette récréation dans le tourment.

– Allons-y !

– D'abord, tu vas te faire belle ! Je ne fais pas les concessionnaires avec une traîne-savates !

J'attrapai un coussin et lui lançai en pleine figure sans pouvoir retenir un éclat de rire. Je pris la direction de l'étage et jetai un coup d'œil par-dessus mon épaule, il souriait, perdu dans ses pensées.

– Qu'est-ce que je ferais sans toi, Paul…

Il me regarda tendrement.

– Plein de choses.

La journée fut merveilleuse, j'évacuais, je me changeais les idées, je savourais en respirant avec un peu plus de facilité. Le cours de nos vies reprenait… On reçut l'un comme l'autre un message de Noé lorsqu'il sortit, confiant, de sa philo.

Les jours suivants, Noé enchaîna les épreuves. Dès qu'il ne planchait pas, il rejoignait ses copains, et Justine – du moins je l'imaginais. Il était à la maison pour les repas, je m'estimais déjà chanceuse. Surtout qu'il m'adressait la parole. Rien de profond, mais il me racontait les sujets sur lesquels il dissertait, sa crainte d'avoir raté les maths, les soirées programmées à la fin des épreuves et celles déjà anticipées pour le soir des résultats. Fidèle à ce qu'il m'avait annoncé, il n'aborda pas le sujet de Nicolas, je ne savais pas s'ils s'étaient rappelés, s'il le tenait au courant pour son bac, ni même s'ils prévoyaient de se rencontrer dans l'été. Aucune nouvelle de Saint-Malo ne me parvenait. Noé avait peut-être posé ses conditions. Il était le seul décisionnaire de sa vie et de ce qui arriverait prochainement. À moins qu'un simple coup de téléphone lui suffise, mais je n'étais pas naïve.

La banalité absolue de ce que je partageais avec mon fils me donnait la force de tenir pour maintenir à distance le chagrin de la perte de Pacôme. Chaque soir, je relisais sa lettre avant de la remettre sur *son* oreiller. Il voulait nous protéger de lui, de ses démons, et il voulait que Noé et Nicolas aient une chance. C'était noble, comme attitude, c'était tellement lui. Mais moi, que me restait-il de lui, de nous ? Un souvenir, une histoire inventée. Il m'avait permis de me sentir libre, il m'avait poussée vers la vérité, mais il me faisait souffrir. Je restais dans l'attente, malgré ses mots, je n'arrivais à pas croire, ni même à imaginer qu'il n'allait pas débarquer par surprise d'un moment à l'autre. Peut-être qu'un jour il m'appellerait en me disant de venir le rejoindre sur les remparts. Il me l'avait dit ; il ne pouvait vivre sans Saint-Malo, sans sa vue. Je me raccrochais à des rêves, à des chimères que je me racontais, pas pour m'endormir, mais pour m'apaiser, pour me convaincre que je respirerais à nouveau grâce à lui.

Le dimanche matin, veille des résultats du bac, Noé vint rôder autour de moi, il avait les yeux fatigués, il était sorti la veille et rentré plus que tard dans la nuit. Il finit par se lancer en me demandant si on pouvait aller manger chez ses grands-parents.

– Je ne les ai pas vus depuis mon retour. Anna et Ludovic, tu sais s'ils seront là ?

Je bafouillai quelques instants, il faisait un geste vers la famille. Incroyable.

– Écoute… je vais les appeler. Je pense qu'ils vont sauter au plafond, tu leur as beaucoup manqué.

Il se renfrogna. J'avais relâché la bride.

– Ce n'est pas un reproche, je te promets, excuse-moi.

– C'est bon, maman.

Il haussa les épaules, blasé, mon cœur s'arrêta l'espace d'une seconde, je le retrouvais comme avant, mon grand bêta d'adolescent.

Comme je le pensais, tout le monde répondit présent à l'appel de Noé. Sur la route vers chez mes parents, Noé n'arrêtait pas de gesticuler, visiblement très nerveux à l'idée de faire face à tout le monde. Intérieurement, je les remerciai car ils furent tous naturels, à notre arrivée. Mon père farfouillait dans ses parterres quand il nous vit, il interpella Noé en lui demandant de l'aide pour déplacer la table dans le jardin pour déjeuner au soleil, ma mère arriva avec son tablier autour de la taille, embrassa comme du bon pain son petit-fils – comme si elle l'avait vu la veille – et râla sur papa pour une raison absurde. Ludovic, qui vérifiait l'état des vélos pour leur virée de l'après-midi, lui fit un grand signe de la main, sourire aux lèvres, quant à Anna, elle déboula les bras chargés d'un plateau pour mettre le couvert.

– Noé, je suis occupée, je te dirai bonjour plus tard, lui lança-t-elle avec un clin d'œil.

Mes neveux et nièces débarquèrent avec l'apéro entre les mains et demandèrent à leur cousin ce qu'il avait prévu comme « chouille » après les résultats. Cela ne se serait pas passé autrement si notre vie n'avait pas été bousculée. Depuis combien de temps n'avais-je pas vu mon fils sourire autant ? J'étais si heureuse et si triste à la fois. Noé leur avait pardonné, c'était un grand pas, j'étais soulagée pour mes parents, qui n'avaient fait que suivre la folie de leur fille au risque de perdre leur petit-fils, ils n'étaient responsables de rien, pas plus que ma sœur. Contrairement à moi. Même s'il y avait de très légers progrès, Noé ne me pardonnait toujours pas et me maintenait à l'écart de sa vie, de ses projets. Il évitait tout contact physique, il ne m'avait toujours pas embrassée sur la joue. Il se tenait tellement loin de moi que je ne pouvais sentir son parfum que lorsque j'enfouissais mon nez dans son armoire quand il n'était pas là.

Pendant la traditionnelle balade à vélo des hommes, j'écoutai Anna et maman se réjouir du retour de Noé, je faisais bonne figure pour ne pas ternir leur joie.

– Comment va Paul ? me demanda ma sœur.

Je lui souris franchement.

– Il va bien, très bien, enfin je crois… Lui aussi a été éprouvé ces derniers temps.

– Vous allez pouvoir reprendre vos habitudes ? enchaîna-t-elle.

De quoi voulait-elle parler ?

– Nos habitudes ?

– Rien, laisse tomber, Reine…

Elles échangèrent un regard amusé avec maman, sur lequel je ne m'attardai pas, les hommes venaient de rentrer. Mon père nous rejoignit et s'assit à côté de moi. Il jeta un coup d'œil vers la dépendance où les autres rangeaient tout le matériel.

– Bon, il est occupé, annonça-t-il pour lui-même. Ma petite fille, Noé m'a posé beaucoup de questions sur Nicolas, il voulait savoir si nous le connaissions bien, comment il était avec toi... Je me suis excusé de t'avoir écoutée, je voulais que tu le saches, avec maman, on en avait parlé et on avait décidé de le faire s'il nous en laissait l'occasion.

– Vous avez bien fait.

– Figure-toi qu'il m'a empêché d'aller jusqu'au bout, il m'a demandé pardon pour sa fugue. Tu l'as bien élevé. C'est un bon petit gars.

Je hochai la tête, incapable de prononcer le moindre mot et pas loin d'être traumatisée : mon père ne parlait jamais autant.

Jour J pour Noé. Lorsque je partis au travail, il dormait paisiblement, en tout cas, c'est ce que j'imaginai. Je passai ma journée, portable à la main, à attendre, je crois que j'attendais encore plus que lui. Paul se moquait de moi en m'observant faire les cent pas et houspiller mes collègues pour des broutilles. Les heures me parurent une éternité, les résultats de notre académie n'étaient affichés qu'en fin d'après-midi. J'avais eu un petit pincement de fierté quand Noé m'avait dit qu'il voulait les découvrir à l'ancienne, sur les panneaux d'affichage et pas sur Internet. En revanche, il ne m'avait pas proposé de le rejoindre.

À 17 heures, Paul débarqua dans mon bureau.

– Qu'est-ce que tu fous, Reine ? Avec les travaux sur les boulevards, tu ne seras jamais à l'heure à Corneille, si tu ne te bouges pas !

– Je n'y vais pas.

– En quel honneur ?

Je triturai mes mains en le fuyant du regard.

– Noé ne m'a pas dit de venir.

– Ce n'est pas une raison !

– Je ne veux pas l'embêter, le mettre mal à l'aise ou lui forcer la main.

– Vous êtes aussi stupides l'un que l'autre ! Il n'a pas osé te le demander !

J'ouvris des yeux ronds comme des billes. Paul m'expliqua que Noé l'appelait régulièrement depuis son retour, qu'ils avaient même repris l'escalade la semaine d'avant. Il ne m'avait rien dit pour ne pas que je me sente encore plus exclue de la vie de mon fils, mais il n'en pouvait plus. Il devait nous pousser à réagir.

– Il ne sait plus comment te parler ! Il me l'a dit ! Ton fils, même s'il t'en veut encore, t'aime comme un fou. Il est terrifié par toi ! Vas-y, va le voir, va le retrouver. Et toi, ses résultats du bac, tu ne les vivras pas deux fois. Ne rate pas ce moment important pour lui.

– Tu crois ? lui demandai-je d'une petite voix.

Il s'approcha de moi.

– J'en suis sûr. Je t'emmène ?

Il me tendit la main. Je la pris.

Paul roula comme un fou furieux, slaloma comme il put au milieu des travaux, des autres véhicules, prit des détours improbables, et finit par garer son bijou à quatre roues sur une place de livraison rue Jean-Lecanuet. On finit le parcours en courant ; Paul, pour ne pas que je trébuche, me prit la main. Mon ventre était noué, j'avais chaud, j'avais froid. Il y avait foule devant le lycée, les terminales se pressaient devant les panneaux d'affichage, ça criait de joie, ça pleurait, ça donnait des coups de pied dans le vide. Je cherchai mon fils du regard. Et je le vis. Il sautait avec ses copains en poussant des hurlements de soulagement, de victoire. Tous ces gamins, je les avais vus grandir, ils se disaient tous que leur vie d'adulte venait de commencer. Pour mon fils, elle avait déjà commencé depuis plusieurs semaines, mais elle avait débuté par une épreuve. En dépit de tout, il avait réussi. Mon Noé avait son bac. Il s'en réjouissait comme n'importe quel ado de son âge, comme moi deux décennies plus tôt. Je fixai son visage qui avait retrouvé une forme d'insouciance. Il était heureux, vraiment heureux. J'étais comblée. Cela me suffisait. Je sus que mon fils, quoi qu'il puisse lui arriver, s'en sortirait toujours. Sa petite copine me remarqua et chuchota à l'oreille de Noé. Il se retourna brusquement, j'étais incapable de lui faire un signe, il cherchait devant lui, paniqué. Et il me vit. D'un pas déterminé, il franchit la foule compacte. Quand il arriva devant moi, il plia son grand corps et me prit dans ses bras. Je restai interdite une seconde avant de le serrer le plus fort possible, nous accrochant l'un à l'autre. Mon cœur explosa, je ressentis pour la première fois depuis très longtemps un peu de plénitude.

– Je suis si fière de toi, mon trésor, lui chuchotai-je.

– Merci, maman.

Une de ses mains partit dans le vide à la recherche de Paul, qu'il attrapa pour qu'il nous rejoigne. On était tous les trois les uns contre les autres, comme lorsqu'il était petit et qu'il réclamait le câlin général au studio. Paul nous enveloppa tous les deux contre lui. J'avais deux des hommes de ma vie avec moi, j'étais heureuse, je n'aurais voulu être nulle part ailleurs que dans leurs bras. Je crois que le monde aurait pu s'écrouler autour, que nous ne nous en serions pas rendu compte. Quand on finit par se séparer, aucun de nous trois n'arrivait à parler, on s'observait gênés, émus, bouleversés même. Noé extirpa son téléphone de sa poche, il fronça les sourcils en découvrant l'identité de celui qui l'appelait. Après une longue hésitation, il décrocha.

– Merci… C'est gentil d'avoir regardé…

Je regardai Paul, lui demandant silencieusement s'il pensait à la même personne, visiblement, il avait le même pressentiment que moi. Il m'attrapa par la taille, certainement de crainte que je m'écroule, je m'abandonnai contre lui sans quitter mon fils des yeux.

– Non… pas encore… D'accord… Bientôt… je vous dirai… Au revoir.

Il fixa son portable de longues secondes sans que je franchisse le pas de lui poser la question. Peut-être parce que j'avais la certitude qu'il s'agissait de Nicolas. Une voix fluette l'appela. Justine se tenait en retrait sans oser s'approcher.

– Noé ? On y va ? Tu viens avec nous ?

Il la contempla amoureusement, comme on peut le faire à son âge. Je réussis à accrocher le regard de cette jolie fille timide qui me volait le cœur de mon fils et lui souris. Elle me rendit mon sourire.

– J'arrive.

Il s'adressa à nouveau à nous :

– Bon, bah, on va fêter ça avec les copains.

– Amuse-toi bien.

Il fila sans se retourner.

Paul me ramena au Hangar pour que je récupère ma voiture. Le trajet se fit en silence, il était étrangement concentré sur la route. Quelque chose flottait entre nous.

Quelque chose de nouveau. J'étais incapable de mettre des mots dessus. Sur le parking, je lui proposai qu'on dîne ensemble, il déclina, navré : il avait pris un engagement sans réfléchir à la date et il ne pouvait pas annuler. J'étais déçue, mais je ne lui montrai pas. Comment lui en vouloir ? Il s'occupait déjà tellement de moi. Il pouvait reprendre sa vie sans plus avoir à s'inquiéter pour moi. Aussi le rassurai-je d'un baiser souriant sur la joue avant de prendre le volant.

– À demain, passe une bonne soirée !

En poussant la porte d'entrée, une odeur de piment me sauta au nez. Je rejoignis la cuisine en étouffant mes espoirs les plus fous. Et pourtant, c'est bien lui que je découvris derrière les fourneaux.

– Noé…

Il se retourna d'un bond et me décocha son sourire charmeur qui avait disparu depuis si longtemps.

– Ça va être moins bon que quand c'est toi qui les fais.

J'eus l'impression que mes pieds étaient ancrés dans le sol, je ne pouvais plus faire un geste, je hoquetai, ma vue se brouilla. Il tortilla sa bouche, légèrement confus.

– Je ne sais pas si c'est rattrapable.

Je franchis la distance qui nous séparait et lui pris la cuillère en bois des mains. Je ne voyais rien du contenu de la poêle, je tentais de contenir les tremblements de mon corps, les tremblements de mon cœur. Une larme de joie roula sur ma joue lorsque je relevai un visage souriant vers lui.

– Tout est rattrapable, mon Noé, non ?

Ses prunelles dorées brillaient de la même émotion que la mienne. On n'avait pas besoin de se le dire, mais le pardon était entré dans la maison.

– Si !

Nous restions à nous dévorer des yeux, souriant, émus, réconciliés. Une odeur de brûlé nous fit redescendre sur terre, elle arracha à Noé un juron et me fit éclater de rire.

– On va recommencer, le rassurai-je. Jette-moi cette viande carbonisée !

Je riais encore en ouvrant le frigo. Je me retrouvai face à une bouteille de champagne qui n'était pas là le matin même. Je lançai une œillade interrogative à mon fils.

– Je me suis dit que peu importent les résultats, on aurait une raison d'en boire.

On trinqua à son bac en cuisinant nos burritos ensemble pour la première fois. Quand ce fut prêt, on s'installa sur la table du jardin, il faisait beau et bon en cette soirée de début juillet. Je flottais dans une bulle de bonheur, je riais avec Noé, je pouvais le regarder autant que je le souhaitais sans risquer de le déranger, je pouvais lui parler comme je l'avais toujours fait, il ne se renfrognait pas si un « mon trésor » ou « mon Noé » sortait inopinément de ma bouche. En homme de la maison, il se chargeait de remplir ma flûte de champagne, prenant son rôle très à cœur.

Après dîner, j'allumai une cigarette, réalisant que cela faisait bien longtemps que je n'avais pas fumé juste pour le plaisir, simplement parce que j'étais bien. Je n'osais pas encore penser que j'étais en paix. Mais j'étais sur la bonne voie. Nous étions sur la bonne voie.

Je m'attendais à ce que Noé m'annonce qu'il partait immédiatement en soirée, mais à ma grande surprise, il se rassit en face de moi et me fixa très sérieusement.

– Maman, il y a des choses importantes dont je voulais te parler.

Je me redressai, inquiète. La quiétude n'était pas pour tout de suite.

– Je t'écoute.

Il prit une grande inspiration pour trouver la force de parler. Je sentis au plus profond de mon être qu'il allait enfin s'ouvrir à moi et me confier ce qu'il avait sur le cœur.

– Je ne regrette rien. Je ne voudrais pas avoir eu une autre enfance, une autre vie. Je ne sais pas qui je vais découvrir chez cet homme qui est mon père, mais… j'ai été heureux sans lui, avec toi. Rien ne m'a manqué, j'ai la famille. Et j'ai Paul, lui, il a toujours été là pour moi, sans jamais rien me demander. Je m'en veux tellement de l'avoir rejeté, je lui ai dit des horreurs, maman… je compte bien me rattraper.

J'étais fascinée par sa détermination, d'un regard il me fit comprendre que je ne devais pas l'interrompre, sous aucun prétexte, il avait encore des choses à évacuer. De toute manière, j'étais incapable de prononcer le moindre mot, tant j'étais bouleversée.

– Et tu sais, maman, quand je me racontais des histoires, petit…

Seul lui pouvait se permettre de parler d'histoires qu'on se raconte sans que je craque.

– Il y avait toujours un méchant qui débarquait et c'était mon père qui venait nous séparer.

Il ne m'avait jamais confié cette terreur. Comment avait-il réussi à grandir, à se construire avec un tel cauchemar récurrent ? Il m'expliqua avoir vécu une grande partie de son enfance terrorisé à l'idée que ce père qui n'avait pas voulu de lui, vienne un jour réclamer ses droits et nous séparer à jamais. Aucun des psys chez qui je l'avais traîné de force n'avait réussi à le rassurer. Voilà pourquoi depuis deux ans, il ne voulait plus qu'on aborde le sujet : il avait enfoui cette terreur au fond de lui.

– Quand tu m'as tout raconté, ça m'est revenu de plein fouet. Je suis parti parce que j'étais en colère et déçu, je me sentais trahi, j'avais souffert pour rien. Et puis, je voulais découvrir qui il était... Mais je suis parti aussi parce que je ne veux pas te perdre, j'ai déconné, je t'ai laissée et je t'ai perdue. Mais je suis revenu parce que je ne veux plus te perdre. Du grand n'importe quoi ! Pacôme m'a aidé à prendre conscience que toi aussi, tu avais toujours eu peur de me perdre et que, des fois, on fait des conneries quand on a peur. Il m'a expliqué que... Nicolas...

C'était dur pour lui de prononcer son prénom.

– Il avait peur, lui aussi. Quand on s'est parlé au téléphone, je lui ai dit que j'avais la trouille. Il m'a avoué qu'il était pareil.

– C'est normal, réussis-je à lui dire. Pacôme a eu raison de te dire ces choses, mais Noé, je ne me pardonnerai jamais de t'avoir privé de ton père.

Son visage se durcit. Si, pendant le dîner, il était redevenu le grand ado que je connaissais, plus il avançait dans ses propos, plus il redevenait l'adulte que j'apprenais peu à peu à connaître.

– Maman, je ne veux plus entendre ça. Je ne rigole pas, c'est fini. On s'est fait souffrir tous les deux et ça ne me plaît pas. Je t'aime trop, maman, pour supporter que tu t'en veuilles toute ta vie. Tu t'es assez sacrifiée pour moi.

– Non...

Il tapa du poing sur la table pour m'interrompre.

– Je suis là, je ne suis pas aveugle. Pacôme est parti et c'est un peu à cause de moi, je le sais. Je l'ai compris. Alors tu vois, maman, je ne veux plus de ça pour toi. Je voudrais tant que tu sois heureuse.

J'attrapai sa main par-dessus la table.

– Je suis heureuse si toi, tu l'es. Ne confonds pas tout. Pacôme a fait des choix pour lui, pour sa vie à lui. Avec ou sans toi, il serait parti. Si toi, tu m'interdis de culpabiliser pour les choix que j'ai faits à ta naissance, moi, je t'interdis de culpabiliser pour le départ de Pacôme. Et, entre nous, Noé, que te dirait-il s'il était là ?

Il eut un rire triste.

– Il m'engueulerait et il me dirait d'aller prendre l'air pour me mettre les idées au clair.

Je réussis à rire aussi.

– Alors, reprends ta vie, dès maintenant. On a passé une merveilleuse soirée, nous en avions besoin tous les deux. Mais ce soir, tu viens d'avoir ton bac, une fête t'attend quelque part, tes copains t'attendent, Justine t'attend. Vas-y, s'il te plaît. Et ne te préoccupe pas de moi.

Son regard resta accroché au mien encore quelques secondes, il y cherchait une confirmation qu'il trouva.

Il se leva, j'en fis autant. Je le suivis dans l'entrée, il était encore nerveux, ce qui m'agaça pour lui. Je ne voulais pas qu'il se gâche ce moment si important de sa vie.

– Noé, est-ce qu'il y a autre chose ?

Ses épaules se relâchèrent.

– J'ai un truc à te demander…

– Dis-moi…

– Est-ce que tu peux venir avec moi à Saint-Malo pour que je le rencontre ? J'ai besoin que tu sois là.

Je le pris dans mes bras et l'étreignis.

– Bien sûr, quand tu seras prêt, tu n'auras qu'à me le dire.

Il déposa un bisou sur ma joue et partit fêter son bac.

Je finis la bouteille de champagne en rangeant la cuisine. Régulièrement, je suspendais mes gestes, mon regard se perdait dans le vague, je me repassais certaines phrases de Noé en boucle, je me remémorais ses yeux émus, sa détermination, la maturité de sa réflexion. Il nous restait des étapes à franchir tous les deux, mais j'étais désormais convaincue que, dans quelque temps, nous aurions trouvé notre équilibre. J'eus le sentiment que ma poitrine se desserrait, que l'air passait mieux dans mes poumons. Mes muscles se détendirent. La sensation était étrange, tout mon corps se relâchait, je me sentais comme en apesanteur, ma peau me sembla plus douce, tout m'apparut plus délicat. Comme si, jusque-là, j'avais vécu dans une agression permanente, une guerre intérieure, et que le cessez-le-feu venait d'être décrété. Mon mensonge m'avait agressée toutes ces années. Sans que je m'en rende véritablement compte, mon être avait été rongé progressivement, insidieusement, en aspirant mon énergie vitale, ma joie de vivre. Je me sentais plus légère. De plus en plus libre.

Je retournai m'asseoir dehors, désireuse de savourer cet état de quasi-sérénité auquel je n'étais pas habituée. Je craquai, j'attrapai mon téléphone et envoyai un message à Paul : « Je voulais te dire que Noé avait passé la soirée avec moi, on va mieux. Je t'embrasse, à demain. » Je n'eus pas le temps de reposer mon portable qu'il sonnait.

– Paul, tu n'avais pas besoin d'interrompre ton dîner pour m'appeler.

– Je suis chez moi.

– Pourquoi ? Ça devait vraiment être nul pour que tu sois rentré si tôt !

– En fait, je n'avais rien de prévu…

– Quoi ?

– Comment as-tu pu imaginer une seule seconde que je t'aurais laissée seule ce soir ? Si j'avais eu quelque chose, j'aurais annulé ! Noé m'a demandé de te ramener à la maison, sans me dire ce qu'il te réservait.

Un grand sourire se dessina sur mon visage à l'idée qu'ils aient comploté ensemble pour me faire cette surprise. J'eus subitement envie que Paul soit là, à côté de moi, avec moi. Pourtant, je n'arrivais pas à lui demander de venir me rejoindre. Pourquoi n'osais-je pas ? Qu'est-ce qui pouvait bien me retenir ?

– Je suis heureux pour toi.

– Merci, Paul…

– Je t'embrasse, dors bien.

En me couchant, comme chaque soir, je récupérai dans ma table de nuit la lettre de Pacôme et la serrai contre mon cœur. J'aurais tant aimé lui raconter ce qui s'était passé ce soir. J'étais certaine qu'il savait que Noé avait son bac, il avait dû surveiller les résultats sur Internet depuis l'autre bout du monde. Il aurait mérité d'être là avec nous pour le fêter, c'était aussi un peu grâce à lui. Je devais être honnête, j'avais attendu un coup d'éclat de sa part, j'avais espéré le voir débarquer. Il en aurait été capable, il l'avait déjà montré. Combien de temps me plairais-je encore à croire à son retour ? L'apaisement d'avoir retrouvé Noé me permit de m'endormir pour la première fois depuis des semaines sans verser une larme.

– 16 –

Trois jours plus tard, nous nous garions, Noé et moi, près des Thermes marins de Saint-Malo. Il m'avait annoncé la veille qu'il était prêt, qu'il ne voulait plus attendre. À croire qu'il s'était fixé des objectifs à remplir les uns après les autres pour s'en sortir. Il avait téléphoné à Nicolas, qui avait respecté son engagement de se tenir à sa disposition. Il nous avait donné rendez-vous à une terrasse sur la digue, entre deux maisons rouges. Secrètement, j'avais été soulagée que ce ne fût pas à Intra-Muros, je ne voulais plus franchir les remparts sans Pacôme.

En arrivant sur la digue, la beauté du paysage me figea sur place, tout comme Noé. Le temps était radieux, avec une légère brume au loin qui camouflait le cap Fréhel, il ferait beau demain – souvenir des indications météo de Pacôme. La mer s'étalait sous nos yeux dans un dégradé passant de l'émeraude au bleu profond, au large. Et toutes ces petites taches de couleur qui s'étendaient à perte de vue sur le sable. Les vacanciers en maillot de bain, les enfants avec leurs seaux et leurs pelles qui couraient. La plage fourmillait d'activités, un goût de vacances, un goût de détente. Les curistes, imperturbables, passaient près du terrain de volley, croisaient les cours de voile, les cours de surf. Toute cette légèreté contrastait avec la profondeur et la gravité de ce que nous nous apprêtions à vivre, de ce que Noé s'apprêtait à vivre.

Il ne bougeait pas d'un pouce, paraissant totalement tétanisé.

– On y va, lui proposai-je doucement.

– J'ai peur, maman.

– Regarde-moi, Noé.

Il m'obéit avec difficulté.

– On en est tous au même point, toi, moi et Nicolas, qui nous attend certainement tout près. Cette rencontre ne t'engage à rien vis-à-vis de lui.

Rassuré par mes paroles, il me fit signe qu'on pouvait y aller.

J'y étais, à cette rencontre entre mon fils et son père. Tant d'années à la redouter. Aujourd'hui, je la souhaitais. Même si je craignais que Noé soit déçu, qu'il ne trouve pas ce qu'il cherchait. Petit, il avait réclamé Paul, qui lui avait dit non ; il y a peu, c'était auprès de Pacôme, tout aussi différent du premier, qu'il avait cru trouver un repère. Là encore, il avait essuyé un refus. Et ces deux hommes, qui comptaient tant pour lui et qui l'aimaient, avaient renoncé à cette place si particulière uniquement par respect de celui qui était le plus légitime sur le papier, celui-là même qui, jusqu'à il y a peu, ne connaissait pas son existence et qui, dans un ultime sursaut, n'avait pas voulu de lui. Noé pouvait refuser de lui offrir cette place, c'était son droit, mais il aurait essayé, nous aurions tous essayé. Je me sentais étrangement calme, j'étais prête, comme si au fond de moi j'avais toujours su que je devais laisser Noé rencontrer Nicolas.

Il ralentit le pas, brusquement.

– C'est lui ? me demanda-t-il si bas que je ne fus pas sûre d'entendre.

Je me tournai d'abord vers Noé, dont les yeux étaient écarquillés, puis mon regard se porta dans la même direction que lui. Nicolas, qui était à une quinzaine de mètres de nous et venait de nous repérer, se pétrifia. Noé, sans s'en rendre compte, accéléra le pas. De mon côté, je le laissai prendre de l'avance. Il ne s'en aperçut pas, il marchait droit devant, happé par l'homme qui l'attendait. Nicolas en fit autant. Le père et le fils avançaient l'un vers l'autre, en quête l'un de l'autre. Pacôme traversa mes pensées, c'était grâce à lui que l'inimaginable se produisait. À un mètre de distance, ils s'arrêtèrent et se dévisagèrent. Je restai volontairement en retrait, leur laissant du temps. Noé n'avait plus besoin que je lui tienne la main. Sauf qu'il ne l'entendait pas de cette façon. De dos, je le vis s'affoler, il se retourna d'un bloc. Quand il me vit tout près, il soupira de soulagement. Je les rejoignis en lui souriant, pour le rassurer.

– Ça va ? lui demandai-je.

– Oui, me répondit-il d'une petite voix qui me sembla encourageante.

Je me tournai vers Nicolas ; à lui aussi, je souris. Ses yeux dégageaient une émotion brute, il avait été percuté en plein vol par la découverte physique de Noé. Mon regard passa de l'un à l'autre, ils s'observaient à la dérobée, à fleur de peau, à fleur de cœur. Nicolas était hypnotisé par ce jeune homme plus grand que lui, dont la présence en imposait. Les années d'escalade aux côtés de Paul en avaient fait un garçon sec, musclé, qui semblait plus fort que son père. Nicolas se sentait petit face à lui, il était impressionné par son fils. Aucun des deux n'arrivait à prononcer le moindre mot. Je devais leur donner un coup de main.

– On va peut-être aller s'asseoir, leur proposai-je.

Nicolas acquiesça, les deux m'encadrèrent pour m'escorter jusqu'à la terrasse toute proche. Nicolas se dirigea instinctivement vers une table au bout, peut-être pour y chercher du calme, pourtant il n'y avait personne, tout le monde était sur la plage. Au moment de s'installer, Noé eut un mouvement de recul, il lança un regard furtif, mais assez doux, à son père.

– Je reviens.

Il recula et manqua de percuter la serveuse qui lui indiqua les toilettes.

– Il va bien ? me demanda Nicolas qui ne le lâchait pas des yeux.

Leur panique respective, légitime, nécessaire, me touchait au plus profond de mon être.

– Je crois, oui, ne t'inquiète pas. Vous avez besoin de souffler, tous les deux.

Il riva son regard au mien.

– Il est beau.

Je lui souris, attendrie, il baissa les yeux et serra ses poings à s'en faire mal, s'enfonçant les ongles dans la paume. Ce fut plus fort que moi, je lui attrapai la main pour qu'il arrête.

– Ça va aller, Nicolas.

Son corps fut traversé d'un spasme, il enferma ma main dans la sienne.

– Merci, me dit-il d'une voix étouffée.

– Regarde-moi, lui murmurai-je.

Il s'exécuta, il retenait difficilement ses larmes.

– Tu n'as pas à me remercier.

– Si... Je dois te remercier de l'avoir élevé, d'en avoir fait un jeune homme magnifique qui a l'air fort, je dois te remercier de ne pas t'être enfuie quand tu es tombée sur moi, je dois te remercier pour ta patience…

– Je suis sa mère.

Il se redressa et lâcha ma main, Noé revenait parmi nous, il eut beau y mettre la meilleure volonté du monde, il ne réussit pas à dissimuler ses yeux rouges. Il s'assit à côté de moi, mais pas face à son père, il le regardait en biais, je le sentis pourtant moins contracté qu'un peu plus tôt.

– Ça va, les Quatre Coins du monde ? demanda-t-il soudainement.

Nicolas resta interloqué durant quelques secondes.

– Oui, oui… je ne m'ennuie pas. C'est gentil de poser la question.

– Ça m'intéresse, c'est tout.

Là, encore, je remerciai Pacôme par la pensée. Il avait tellement mâché le travail entre eux.

– Quand tu en auras envie, tu pourras venir y passer du temps, au moins visiter, si tu veux mieux connaître ce qu'on y fait.

– Je vous dirai…

Je tiquai, il y avait quelque chose qui n'allait pas. On échangea un regard entendu avec Nicolas, je lui fis les gros yeux, c'était à lui de se lancer, pas à moi. Je n'allais pas tout faire, non plus.

– Noé, tu peux me tutoyer, tu sais… Ça nous aiderait peut-être, je n'ai pas envie qu'on reste des étrangers.

Noé esquissa un très léger sourire.

– Je vais essayer, ce serait bien que j'y arrive.

La conversation se détendit petit à petit, je n'intervenais quasiment pas. Ma présence n'avait pour seul but que de les rassurer. La prochaine étape serait un tête-à-tête. Chaque chose en son temps. Nicolas lui demanda ce qu'il avait prévu de faire de son été, Noé lui apprit qu'il partait une dizaine de jours avec des copains, qu'il ferait de la musique, qu'il aurait aimé se trouver un petit boulot mais qu'avec les dernières semaines, cela n'avait pas été sa priorité. Mon fils m'impressionnait par son honnêteté, il n'y avait pas de sujet tabou, j'en étais soulagée.

Un blanc bien naturel finit par s'installer. Noé regardait la mer, Nicolas le regardait et, moi, je les regardais tour à tour. Ils s'étaient rencontrés, je sentais qu'entre eux, avant de parler de lien ou d'affection, un respect mutuel était en train de se créer. Ce qui, à mon sens, était déjà extraordinaire. Pour un début, c'était encourageant. Ce moment de silence, apaisant, apaisé, était entrecoupé par les cris des goélands, les conversations lointaines qui montaient de la plage. Je regardai les gens – troisième âge avec une canne, cycliste pressé, famille débordée – longeant la terrasse à laquelle nous étions assis, personne ne pouvait imaginer ce qui était en train de se passer, la rencontre entre un père et son fils, aussi timides l'un que l'autre. Nicolas n'arrêtait pas de tripoter sa tasse de café à laquelle il n'avait pas touché, tout à l'observation fascinée et fébrile de Noé. Et lui, mon fils, dont le visage restait ostensiblement dirigé vers la mer, que pouvait-il bien penser ? En tout cas, ses traits étaient détendus, il ne se sentait pas mal à l'aise. Le temps s'éternisa, mais je crois que nous faisions tous une pause, c'était ressourçant, rassurant. Pourtant, je le rompis spontanément la première :

– Comment va Héloïse ?

Noé ne réagit pas, il continuait à être absorbé par le large.

– Elle va bien, elle… elle est… En fait, elle est sur la plage avec… les enfants.

– C'est vrai ? s'étonna mon fils en revenant parmi nous.

Il était bouleversé.

– Oui, Noé, ils sont là, lui confirma Nicolas. Tu voudrais les voir ?

– Ils savent qui…

– On leur a expliqué la situation comme on a pu. Salomé et Adam ont un peu compris que tu étais leur frère, sans trop savoir comment c'était possible. Inès, elle est petite, elle n'a pas saisi. Elle croit toujours que ta mère est une reine, alors… un nouveau frère, elle a surtout peur que tu lui piques ses jouets.

Noé lâcha un rire ému. Nicolas nous abandonna le temps d'appeler Héloïse, qui aurait le dernier mot sur les présentations : maintenant ou non.

– Comment vas-tu ?

– Ça va…

Il sembla repartir dans ses pensées et parut triste.

– Pacôme avait raison, il est gentil…

Pour la première fois depuis leur rencontre, sourire me fut difficile et me fit mal.

– Et toi, maman ? Ça te fait quoi ?

Je repoussai sa mèche de cheveux rebelle, tendrement et pour contenir le flot d'émotions qui bouillonnait en moi.

– C'est étrange de vous voir tous les deux ensemble, mais je suis heureuse pour vous.

– Mais toi ?

– Je vais bien, je te promets.

Il avait du mal à me croire. Pourtant, il pouvait, la moitié de mon cœur allait bien, l'autre un peu moins, mais la joie de le voir en paix comptait plus que tout le reste.

– Ils nous attendent, nous interrompit Nicolas.

Noé se mit à trembler légèrement.

– C'est vrai ? Je peux les voir ?

– Tu peux même leur parler, si tu as envie.

Mon fils se leva, je ne bougeai pas.

– Tu fais quoi, maman ?

– Je vous laisse tranquille.

– Pourquoi ne viens-tu pas, Reine ?

Le ton de Nicolas laissait entrevoir une certaine panique. J'aurais pu traduire sa dernière phrase par « Héloïse et moi, on a besoin que tu sois là. Aide-nous ! ». Autant accompagner Noé pour rencontrer son père me semblait absolument évident, à la condition qu'ils le souhaitent l'un et l'autre, autant être présente à la rencontre avec tout le reste de la famille de Nicolas me mettait mal à l'aise, j'étais une intruse.

– Ma présence serait déplacée.

– Si tu ne viens pas, je n'y vais pas. Hors de question de te laisser toute seule, m'imposa Noé.

Je me levai et me plaçai entre eux.

– Vous êtes grands… vous allez parfaitement vous en sortir, les rassurai-je doucement.

– Mais… insista Noé.

– Non ! Je reste sur la digue, je serai tout près de toi. C'est important que vous y alliez tous les deux, sans moi.

La panique les gagna en même temps, ils étaient bouleversés par le défi que je leur imposais. Ils s'interrogèrent silencieusement pour savoir s'ils étaient prêts. Ils me sourirent de la même manière, ma gorge se noua. Je résistai aux larmes pour Noé, pour Nicolas. Je les observai partir côte à côte vers leur nouvelle vie. J'avançai jusqu'au bord de la digue et fis une chose dangereuse qui me rappela le soir de ma rencontre avec Pacôme. Je m'assis les pieds dans le vide pour assister en spectatrice à la rencontre de Noé avec son petit frère et ses deux petites sœurs.

Le vertige n'était pas dans le vide. Le vertige était dans la scène qui se déroulait devant moi.

Ils marchaient au même rythme dans le sable, Nicolas tendait le bras pour montrer quelque chose à Noé, mon fils hochait de la tête régulièrement, tout en regardant cet homme qui lui ressemblait tant. Nicolas savait précisément où était sa famille, ils avaient leur coin à eux, forcément. Les Malouins devaient avoir tacitement leur emplacement réservé par famille. Je n'étais pas à côté de lui, pourtant j'aurais pu entendre les battements erratiques du cœur de Noé.

– Papa ! brailla une voix si stridente que je l'entendis à des dizaines de mètres.

La petite Inès courait à toute vitesse, Noé la remarqua et eut un temps d'arrêt, elle se propulsa dans les bras de son père. Ils entamèrent une discussion et puis je vis arriver derrière eux le reste de la famille, Héloïse en tête, suivie de très près par les aînés qui, d'où j'étais, me semblaient intimidés. Héloïse alla spontanément embrasser Noé, qui lui sourit. Nicolas poussa gentiment ses deux grands vers Noé. Il s'approcha, ils levèrent la tête vers ce grand garçon. Noé leur fit un bisou maladroit, que les deux enfants lui rendirent, sourire aux lèvres. C'était beau, si émouvant. Mon cœur se serra, il se créait une famille dont je ne faisais pas partie. Inès se tortilla dans les bras de son père, qui finit par la poser. Elle se planta, poings sur les hanches, devant sa mère. Une discussion animée, de ce que je pouvais voir depuis mon poste d'observation, s'ensuivit. Noé s'approcha précautionneusement, alors que la petite commençait à taper du pied. Et d'un coup, elle glissa sa petite main dans la grande main de Noé et le tira vers le bord de l'eau. Je crus distinguer un sourire sur le visage de mon fils. Quelques minutes plus tard, les grands partirent en courant pour les rattraper.

C'était complètement surréaliste. Héloïse, Nicolas, moi à quelques dizaines de mètres au-dessus d'eux. Nous avions tous le regard hypnotisé par Noé, son frère et ses deux sœurs. J'assistais à la naissance d'une fratrie. Nous n'étions pas au bout de nos peines, peu importe le rôle que nous jouions, personne n'était naïf au point d'exclure tout retour de bâton, mais nous avions juste le devoir fondamental de savourer ce qui se déroulait sous nos yeux. Combien de naissances pouvait-on avoir dans une vie ? Moi, j'en avais déjà connu plusieurs et j'en connaîtrais d'autres. J'étais certaine que, même s'il n'en avait pas conscience, Noé en vivait une deuxième en ce moment même. J'étais loin de connaître tous les secrets, toutes les épreuves que Nicolas et Héloïse avaient traversés, mais là encore j'étais convaincue qu'ils naissaient une nouvelle fois, ensemble. Nos vies à tous venaient de prendre une direction nouvelle, inconnue.

Héloïse et Nicolas se prirent dans les bras, ils échangèrent un regard, se parlèrent – je pouvais deviner leurs mots d'amour – et finirent par s'embrasser. Je détournai pudiquement le regard et mes yeux se posèrent sur le clocher de la cathédrale d'Intra-Muros, qu'on distinguait au loin. Après plusieurs minutes, j'entendis mon prénom. Je regardai au même endroit qu'avant, tout le monde avait disparu, je cherchai de tous les côtés, vis Héloïse rejoindre les enfants et finis par découvrir Nicolas au pied de l'escalier le plus proche de moi, qui m'appelait. Je me levai précautionneusement et pris tout autant garde en descendant vers le sable. L'espace d'un instant, je décrochai de ce que nous vivions, me faisant la remarque que cela ne devait pas être une partie de plaisir de prendre cette échelle de granit avec les enfants et tout l'attirail nécessaire pour un après-midi sur la plage. Nicolas se passa nerveusement une main dans les cheveux au moment où je le rejoignis.

– Héloïse avait peur qu'Inès martyrise trop Noé pour une première fois.

Je réussis à rire, imaginant parfaitement cette jolie tornade tout faire pour mener Noé par le bout du nez.

– On fait quelques pas ? me proposa-t-il.

Après un long moment de silence à marcher côte à côte, il ouvrit la bouche en premier :

– Comment te sens-tu ?

– À vrai dire, je suis vraiment heureuse que vous vous soyez rencontrés, c'est plutôt bien parti. C'est bouleversant de les voir tous les quatre. Je peux t'assurer que Noé va bien. Et s'il est heureux, je vais bien.

– Reine…

J'avais une très nette idée du sujet qu'il souhaitait aborder, je ne voulais pas gâcher cette journée si intense et si importante pour mon fils avec mon chagrin.

– S'il te plaît, Nicolas.

– On n'a pas le choix, il faut en parler.

Au ton de sa voix, je compris que cette conversation lui coûtait autant qu'à moi. Je pris mon courage à deux mains.

– Tu as eu de ses nouvelles ?

– On se parle tous les deux jours.

– Comment va-t-il ?

– Aucune idée. Étonnamment, il refuse de répondre à cette simple question.

J'arrêtai de marcher et me tournai face à lui.

– Il va rentrer ? Hein ? Un jour, il va débarquer à l'improviste, comme le premier soir chez vous, tu te souviens ?

Ses yeux papillonnèrent à droite à gauche comme pour m'échapper avant de se poser sur moi.

– Je m'en souviens très bien, me dit-il avec un sourire désespérément triste. Mais il ne reviendra pas, cette fois.

Je secouai la tête, incapable de retenir mes larmes.

– Comment peux-tu en être aussi sûr ? Tu m'as toujours dit qu'il fallait s'attendre à tout, avec Pacôme !

– Il a décidé d'ouvrir un bureau en Inde, comme au début, et de s'y installer.

Je reçus un uppercut en plein cœur.

– Il m'avait toujours dit qu'il le ferait, je n'y croyais pas, surtout pas depuis quelque temps, surtout depuis qu'il t'avait rencontrée. Mais il faut se rendre à l'évidence, il a quitté la France pour de bon. On l'a perdu, Reine.

– Je ne te crois pas, sanglotai-je de plus en plus fort.

Nicolas m'attrapa dans ses bras, je m'accrochai à lui, sans réserve, sans pudeur, j'avais juste besoin de quelqu'un pour me contenir, pour me consoler.

– Je suis désolé, Reine. Ce n'est tellement pas juste pour toi.

– Tu te rends compte que si nous sommes là tous ensemble aujourd'hui, c'est grâce à lui.

– Je sais.

Je me détachai de son étreinte, à nouveau rattrapée par la colère.

– Pourquoi ? Pourquoi a-t-il fait ça ? Noé avait de la place pour vous deux.

– Je sais bien… Je le lui ai dit, j'ai insisté. Il n'a rien voulu entendre. Je ne comprends pas plus que toi. Il t'aime comme il n'a jamais aimé personne, et pourtant, il est parti, il nous a tous quittés. Les enfants ne comprennent pas, ils n'arrêtent pas de le réclamer. Héloïse est effondrée, moi… je suis perdu sans lui, je te promets. Et j'en suis malade pour toi. À croire que je te gâcherai toujours la vie.

Son visage se crispa de rage, de douleur. Je le retins par le bras.

– Non, Nicolas, ne dis pas ça. Noé est là. Et lui est la plus belle chose qui me soit jamais arrivée. Tu n'es pas responsable des décisions de Pacôme.

Nos yeux parlaient d'eux-mêmes, marqués par le chagrin d'avoir perdu la même personne dans nos vies.

– Alors, il va falloir qu'on apprenne à vivre sans lui ? C'est ça ?

Sa respiration s'accéléra, il allait faire tomber le couperet.

– Malheureusement, oui…

Je regardai vers le bas de l'eau et distinguai au loin Noé avec ses sœurs et son petit frère, cela m'arracha un sourire. Je devais me raccrocher à ce nouveau bonheur, même si mon fils allait se créer une nouvelle vie de famille, dont je ne ferais pas partie.

– Je vais marcher un peu seule, lui annonçai-je. Rassure Noé pour moi… je vous rejoindrai plus tard.

Je m'éloignai sans me retourner, après quelques mètres, je retirai mes sandales et avançai pieds nus, j'avais besoin d'être en contact avec le sol, pour rester présente. J'avançais vers Intra-Muros, tout en sachant que je n'irais pas jusque là-bas… J'imprimais simplement cette image, ces grands murs de granit qui avaient traversé les siècles, qui avaient eux aussi perdu Pacôme.

J'étais dans le brouillard, déchirée de sentiments contradictoires. Je me repassai le film de ces derniers mois. La proposition de Paul de m'attaquer au dossier des Quatre Coins du monde, dossier qui ne serait jamais achevé. Ma rencontre avec Pacôme, ma merveilleuse rencontre avec lui. Le retour de Nicolas. Les doutes, les angoisses, les terreurs. Les moments magiques et intenses avec Pacôme, contre lesquels je n'avais pu lutter. Le déchirement de Noé. Sa fugue. Son désespoir. Le mien. L'amour indéfectible de Paul. La présence de ma famille. L'implication de Pacôme pour nous sauver, mon fils et moi. L'évolution de Nicolas. Tous ces événements pour en arriver à aujourd'hui. Pour en arriver au moment où chacun devait construire sur des douleurs et quelques sourires timides de nouveaux liens, de nouveaux repères. Qui se construiraient avec l'ombre d'un absent. Absent qui nous manquerait à vie et qui menait la sienne comme il l'entendait.

Être heureuse et profondément malheureuse en même temps. J'avais réussi, en dépit de mes erreurs, de mes nombreux faux pas, à faire de Noé un homme en devenir. Tous mes points d'ancrage étaient à repenser ; Noé allait voler de ses propres ailes, avec un père et une seconde famille qui prendraient de la place dans sa vie. J'étais seule, déchargée d'un poids qui m'accablait depuis sa naissance. J'avais comblé une partie de ma vie en créant un vide absolu. J'allais devoir réinventer ma vie. Pacôme voulait que je m'écrive une nouvelle histoire, pendant que lui renouvelait la sienne. Il me faudrait du temps, beaucoup de temps pour imaginer une suite. Et dire que le hasard était responsable de cet enchaînement d'événements…

– 17 –

Sur le trajet du retour, Noé me demanda si on pouvait partir quelques jours tous les deux, avant ses vacances entre copains. Comment pouvais-je refuser une telle proposition ! Proposition dont je n'aurais jamais osé rêver ! Le temps que nous arrivions, il nous avait trouvé des billets d'avion pour le lendemain : direction Lisbonne. J'appelai Paul pour le prévenir.

– Ça te dérange si je m'absente du Hangar quelques jours ?

– Non, pourquoi ?

– On se fait un petit voyage avec Noé.

– C'est une bonne idée.

Au ton de sa voix, étrangement lointain, je ne le sentais pas si ravi.

– Considère que ce sont mes vacances, après je serai fidèle au poste tout l'été !

– Ne t'en fais pas pour le boulot. Comment ça s'est passé, à Saint-Malo ?

Je lançai un regard à mon fils qui fixait le paysage, perdu dans ses pensées. Peut-être pas tant que ça, puisqu'il répondit avant moi.

– Paul, je t'appelle plus tard. Tout va bien, je te promets.

– Je suis content pour toi, Noé. Profitez bien, tous les deux. Attention à vous sur la route.

– Paul ! Attends ! tentai-je de le retenir.

Il avait déjà raccroché. Que lui prenait-il ? Je perdis brusquement mon sourire.

– Y'a un problème avec Paul, maman ?

S'il y en avait un, j'ignorais lequel. Nous n'avions fait que nous croiser depuis les résultats du bac, Paul s'était transformé en courant d'air, sans que je cherche à en savoir plus, toujours perturbée par ce quelque chose de nouveau qui avait flotté entre nous ce soir-là.

– Non, il devait être ailleurs. Ne t'inquiète pas… Je verrai à notre retour.

Je mis de côté la soudaine mauvaise humeur de mon associé pour me concentrer sur ces jours de bonheur imprévus. Portée par la même énergie, je décidai de ne pas prendre la lettre de Pacôme avec moi. D'abord, de crainte de la perdre. Et il était temps. À quoi bon continuer à relire ses mots d'amour, ses mots de séparation ? La situation était désormais claire, je ne devais plus l'attendre. Je ne voulais plus me faire du mal inutilement. J'avais la vie devant moi.

Notre séjour dans la capitale portugaise acheva de renouer notre complicité avec Noé, on se parla de tout sans réserve, sans pudeur, ce fut l'occasion de lever les derniers non-dits, de combler les derniers blancs de son histoire. Il me posa beaucoup de questions sur mes années étudiantes, sur la vie que nous avions menée avec Nicolas quand nous étions à peine plus vieux que lui. Il voulait tout savoir, même les petits détails, il voulait connaître ses parents. Je pouvais enfin lui parler librement de la jeune femme que j'avais été, de ses doutes, de ses peurs, je lui confiai même l'état dans lequel j'étais au moment de ma rencontre avec Paul. C'était si agréable de me dévoiler à mon fils, j'étais soulagée. Ce n'était pas ce que je cherchais, pourtant, je remarquai à quel point il était impressionné par sa mère et ce qu'elle avait vécu, je sentais une nouvelle forme de respect entre nous, parce qu'il connaissait mes failles. J'étais convaincue que nous étions en train de créer un lien plus sain, plus franc et surtout plus solide. Notre amour était désormais sans tache. Je pouvais aimer mon fils – sans craindre qu'il découvre des secrets –, il pouvait aimer sa mère entièrement – zones d'ombre comprises.

Le temps d'une nuit et d'une machine à laver, Noé repartit de son côté pour la Corse. Et je me retrouvai seule à la maison. Je le vivais bien, si bien que je me sentis assez forte pour ne pas relire la lettre de Pacôme, je n'en avais plus besoin pour dormir, elle ne m'avait pas manqué. Je décidai d'aller la ranger dans mon carton à souvenirs, dans le grenier de mes parents. Je m'en séparai le cœur serré, mais apaisée. Le temps passait, déjà plus d'un mois qu'il était parti, qu'il était sorti de ma vie. Il se transformait peu à peu en souvenir…

Toutefois, il me restait une chose à faire avec lui. Je récupérai dans la bibliothèque de Noé son exemplaire de *Ces messieurs de Saint-Malo*. À le tenir entre mes mains, je voyais à quel point il avait vécu, à quel point il avait été trimballé. Il devait ressembler à ceux de Pacôme. Je devais à tout prix savoir ce qui se cachait derrière cette histoire. Comme si cette lecture devait finir de me guérir de Pacôme. Il m'apparaissait au milieu des personnages de ce roman, comme s'il était entre ces phrases, ces mots, comme s'il faisait partie intégrante de cette histoire d'hommes et de femmes d'un autre siècle, qu'il avait son rôle à y jouer, j'aurais presque pu lire des dialogues où il serait intervenu. Pacôme devenait un personnage de roman, il quittait le réel pour s'incarner dans le papier.

Plus il perdait de réalité, plus j'ouvrais les yeux. Particulièrement sur notre histoire. Elle était vouée à l'éphémère. Ne l'avais-je pas su dès notre première nuit ? J'avais eu besoin de cet homme d'un autre temps pour me permettre de respirer au milieu du tourment, je m'étais raccrochée à lui pour tenir, pour traverser la plus grande épreuve de ma vie – dire la vérité à mon fils –, pourtant je savais qu'il n'était pas l'homme de ma vie, celui dont je rêvais pour finir mes jours. Pacôme avait été un voyage, un voyage bouleversant, passionnant et passionné, qui m'avait nourrie, qui m'avait fait grandir, mais qui était arrivé à son terme. On rentre toujours d'un voyage.

J'aurais pu être sereine si je n'avais pas été habitée par la crainte d'un manque ou plutôt de perdre un essentiel. L'été au Hangar était étrange, plus qu'étrange. À mon retour de vacances, je m'étais surprise à être fébrile à l'idée de retrouver Paul. Il m'avait accueillie sans effusion, le plus simplement qui soit, me faisant comprendre que Noé lui avait déjà tout raconté de notre escapade mère-fils, il semblait s'en réjouir, sans chercher pour autant à en savoir plus. Bien sûr, son attitude distante m'avait blessée, je m'étais rassurée en me disant qu'il avait le droit de penser en priorité à lui et plus à nous, plus à moi. Après tout, lui aussi avait terriblement souffert, ces derniers mois.

Mais depuis, cet inexplicable fossé ne cessait de grandir. Chaque fois que je devais lui parler, ne serait-ce que du travail, je réfléchissais à mon approche. Je préparais mes mots, mes questions, mes remarques, ne sachant plus comment lui parler. En dix-huit ans, je n'avais jamais été timide, encore moins réservée envers Paul. Je n'arrivais plus à être naturelle avec lui, ma spontanéité avait disparu, je perdais mes moyens, impressionnée, pour une raison qui m'échappait. Son attitude ne m'aidait pas, il était fermé, taiseux – ce qui n'était pas son genre –, fuyant et s'emportait pour des broutilles.

Pour preuve, dès son arrivée ce matin-là, il envoya paître notre assistante, à qui, indubitablement, personne ne pouvait rien reprocher. Il claqua si fort la porte de son bureau que notre cloison commune en trembla. Je sortis du mien et tombai sur les mines médusées de l'équipe. Je devais tirer cette histoire au clair. Aussi pris-je mon courage à deux mains et me dirigeai-je vers son antre, sans trop réfléchir cette fois. J'entrai sans frapper. Comme je l'aurais fait avant.

– Paul, tu veux bien me dire quelle mouche t'a piqué ? Depuis quand hurles-tu sur les gens ?

Il était debout, les mains dans les poches ; même de dos, je pouvais sentir la tension qui émanait de son corps.

– Tu veux bien me regarder ? insistai-je.

Après un soupir exaspéré, il m'obéit. Il avait sa tête des lendemains de fête, de saut du lit, qui le rendait plus séduisant encore. Ce n'était que supposition, puisqu'on ne se parlait pas ou si peu, mais je me doutais qu'il devait mener grande vie avec une nouvelle maîtresse, sortant tous les soirs et occupant ses nuits à autre chose que dormir. Ce qui eut le don de m'exaspérer.

Tu es malade, Reine. Ce n'est pas parce que toi, tu te retrouves seule, que Paul doit en faire autant ! Ce n'est pas comme si tu n'étais pas habituée à l'incessant ballet de femmes dans sa vie.

Je me redressai avant de me reprendre.

– Quelque chose te préoccupe ? Je ne te reconnais plus. Pourquoi tu t'en es pris à elle ?

– C'est bon, Reine ! J'irai m'excuser. Si on n'a même plus le droit d'être de mauvais poil, ici !

Il se mit à farfouiller sur son bureau au milieu de sa paperasse, me faisant ostensiblement comprendre que la conversation – si tant est qu'on puisse qualifier ces deux phrases de conversation – était finie.

– Paul, l'appelai-je d'une petite voix que je ne reconnus pas. J'ai fait quelque chose de mal ?

Il braqua un regard dur, grave, presque hostile sur moi, celui d'un étranger. Il me parut hésiter, mais cette impression fut furtive.

– Bien sûr que non.

Je ne te crois pas.

– Tu veux qu'on déjeune ensemble ?

– J'ai déjà des projets. Une prochaine fois.

– D'accord.

Je n'insistai pas davantage et quittai son bureau, affreusement triste. Perdue aussi. Mon cœur battait vite, très vite, trop vite.

De ce moment, je me mis à passer plus de temps à l'épier qu'à travailler. J'étais incapable de m'empêcher de le regarder quand il traversait l'*open space*, je le décortiquais, cherchant un indice de ce qu'il me cachait. Il se fit pardonner avec une facilité déconcertante par notre assistante ; toute jeunette qu'elle était, elle fondit devant son regard de chien battu, son sourire nonchalant et le bouquet de fleurs qu'il lui offrit. J'assistai à la scène derrière la vitre de mon bureau, fascinée, comme la première fois que je l'avais vu tant d'années auparavant, par le charisme qu'il dégageait. Il aurait eu tort de ne pas profiter de son pouvoir sur les femmes. J'avais tellement envie de le charrier, de rire avec lui de sa faculté à séduire. Paul me manquait, j'avais besoin de lui, de sa présence dans ma vie. Il me l'avait retirée. Était-ce aussi le prix à payer de ces derniers mois de tourment ? De cette nouvelle vie qui se construisait pour Noé, pour moi et donc pour lui. N'avais-je pas voulu voir à quel point *notre amour* en serait affecté ?

Tout au long de l'été, Noé profita de ses vacances, les étirant autant qu'il pouvait. Il rendit plusieurs visites à Nicolas et sa famille, sans moi. Il en revint chaque fois chamboulé, mais serein. Je crois en toute sincérité qu'il ne comblait pas un manque, mais qu'il faisait connaissance avec ces nouvelles personnes pour qui il commençait à éprouver une affection sincère. Quand il passait en coup de vent à la maison, je remarquais dans son regard des traces de l'influence que Pacôme avait eue sur lui ; j'y trouvais l'étincelle d'une farouche indépendance, menant de plus en plus sa vie comme il l'entendait, prenant de plus en plus de décisions par lui-même. Je n'entretenais aucun lien, aucun contact avec Nicolas. Noé était assez grand pour gérer cette nouvelle relation, il savait que j'étais là s'il souhaitait m'en parler, mais de mon côté, pour avancer dans la nouvelle vie que je m'inventais, je ne voulais rien avoir à faire de plus avec les Malouins.

Mi-août, son père lui proposa de venir donner un coup de main aux Quatre Coins du monde jusqu'à sa rentrée universitaire. Noé était perdu. Il craignait de trop s'engager auprès de Nicolas et de ses enfants. Et je sentais qu'il appréhendait ma réaction. Pour prendre sa décision, il avait besoin de mon avis et de celui de Paul, comme toujours. Avant, nous aurions appelé ça le « conseil de famille ». Plus aujourd'hui. Je ne lui avais bien évidemment pas dit que nos rapports à Paul et moi n'étaient pas au beau fixe. Hors de question de gâcher sa bonne humeur avec cette histoire. Et quelle raison aurais-je invoquée ?

Il nous convoqua, tous les deux, pour un déjeuner à la maison. Le premier de tout l'été et il fallait que ce soit mon fils qui se charge de nous réunir. Le ridicule de la situation atteignit son comble lorsqu'on quitta chacun de son côté le Hangar pour se retrouver chez moi. Quand Noé nous vit arriver séparément, il haussa un sourcil circonspect que, volontairement, je ne relevai pas.

On échangea des banalités durant tout le déjeuner. Atterré, Noé finit par mettre les pieds dans le plat.

– Il vous arrive quoi, à tous les deux ?

– Rien, lui répondis-je d'une petite voix.

En même temps, que pouvais-je lui dire d'autre ? Je n'avais aucune idée de ce qui se passait dans la tête de Paul et, de mon côté, tout s'embrouillait de plus en plus.

– Vous êtes bizarres, affirma-t-il.

Je te l'accorde…

– Tu te fais des idées, Noé, le coupa Paul. Bon, tu voulais notre avis sur la proposition de ton père. C'est le but de cette petite réunion…

– Tu ferais quoi, à ma place ?

– As-tu envie de bosser un peu là-bas ? C'est la seule question que tu dois te poser.

Il rougit. Il avait sa réponse, mais elle lui faisait peur.

– Oui, finit-il par avouer.

– Pourquoi hésites-tu ?

– Je n'ai pas envie d'être tout le temps avec lui, il m'a dit que je pouvais m'installer chez eux, mais je ne veux pas, c'est trop.

On est bien d'accord. Il y a des limites à ce que je peux endurer !

Je croisai le regard amusé de Paul, qui avait bien compris ce qui me traversait l'esprit. C'était si bon de le retrouver l'espace d'un instant que je souris.

– Tu as pourtant déjà dormi chez lui ?

Je m'en souvenais d'autant mieux que je n'avais pas fermé l'œil, la première nuit qu'il avait passée là-bas. Je m'y faisais, par la force des choses. Je n'avais pas le choix.

– Oui, mais une nuit par-ci, par-là. C'est tout... Là, on parle d'un mois entier, maman, ce serait comme si je vivais avec eux.

– S'il n'y a que ça, on peut trouver une solution, le rassurai-je. Tu lui en as parlé, au moins ? Tu lui as dit que ça te gênait ?

– Je n'ose pas...

– Écoute, Noé, tu ne vas pas te priver d'aller bosser aux Quatre Coins du monde pour une histoire de gêne ou de lit à trouver !

– Si seulement Pacôme était là, je pourrais dormir chez lui ! s'énerva-t-il.

Il se reprit immédiatement, inquiet de m'avoir blessée.

– Pardon, maman, je suis désolée.

– Tout va bien, je te promets. Tu me donnes une idée. Je suis certaine que si Nicolas demandait à Pacôme que tu t'installes quelque temps chez lui, il accepterait.

– Tu crois ?

Ses prunelles dorées pétillaient, il gardait un tel souvenir de l'appartement de Pacôme. Dans le malheur, il s'y était senti si bien. Et je savais que ce dernier lui manquait terriblement. À certains moments, je me demandais même s'ils n'étaient pas en contact, je n'aurais pas été surprise qu'ils s'appellent ou s'écrivent. Noé ne m'en avait jamais rien dit, certainement pour me protéger. Je devais le libérer de cette inquiétude.

– Tente le coup !

Il s'excusa, quitta la table, téléphone déjà en main, et partit au fond du jardin. Je ne le lâchais pas des yeux et pourtant, j'étais ailleurs, je pensais à Pacôme. J'y parvenais désormais sans souffrir. Je gardais précieusement au fond de moi toutes les émotions qu'il m'avait fait vivre. J'avais eu le sentiment de n'avoir jamais été aussi libre à ses côtés, pourtant j'avais réussi à faire ce qu'il m'avait demandé, je m'étais libérée de nous. Il m'avait appris à respirer et, aujourd'hui, je respirais sans lui. Notre histoire ne pouvait pas durer, elle était simplement faite pour me faire avancer, pour nous faire avancer. Son bonheur à lui était ailleurs, je le respectais, je le comprenais. Je croisai le regard de Paul qui m'observait intensément. Depuis combien de temps ne m'avait-il pas regardée de cette façon ? M'avait-il seulement déjà regardée de cette façon ?

– Noé va aller vivre chez Pacôme, c'est une quasi-certitude. Comment vas-tu l'encaisser ?

– Je n'irai pas lui rendre visite, ça c'est sûr !

Je laissai éclater un rire franc qui le gagna sans qu'il me quitte des yeux. Il venait de me parler normalement, comme avant. J'existais encore pour lui. Mon cœur eut un sursaut dont je ne démêlais pas tout à fait les raisons. Je repris mon sérieux, prête à lui faire une révélation qui m'étonna moi-même par son évidence. Il fallait que je le dise à voix haute. J'aurais pu le crier à la terre entière, mais c'était à lui que je voulais le dire. À lui, Paul, et à personne d'autre.

– Paul, j'ai fini de l'attendre.

Son regard se troubla.

Les semaines suivantes, je ne peux pas dire que nos rapports avaient retrouvé leur naturel ; même s'il était toujours fuyant et qu'il semblait avoir une vie privée bien remplie, nous nous parlions un peu plus, rien de bien extraordinaire, mais je m'en contentais. Alors même que je réalisais à quel point j'avais été aveugle durant si longtemps. Je pensais souvent à une phrase de Pacôme ; dans sa lettre, il m'avait demandé de m'écrire une nouvelle histoire, il m'avait dit d'ouvrir les yeux et que, peut-être, cette histoire était à portée de main. C'était déstabilisant, déroutant. Ouvrir les yeux sur mon essentiel, sur mes sentiments. Je tentai bien de lutter, de me convaincre que je partais dans la mauvaise direction. Pourtant, à chaque fois que Paul passait à proximité de moi, qu'il me parlait ou que je croisais son regard, cette évidence devenait de plus en plus puissante. Ma vie n'avait pas de sens sans lui. Pourquoi ne l'avais-je pas compris plus tôt ? Toutes ces années, je m'étais fourvoyée dans des relations vouées à l'échec avant même de commencer ou, dernièrement, dans la passion avec Pacôme. Peut-être parce que je n'étais pas prête à assumer mes sentiments pour Paul. Peut-être parce qu'inconsciemment, je ne me sentais pas digne de lui, je m'interdisais Paul. Il m'avait toujours demandé la vérité, l'honnêteté, ce que je lui avais refusé, m'entêtant à vouloir garder mes secrets, à taire mes mensonges.

Une nuit, mon sommeil fut hanté par un souvenir, un délicieux souvenir qui me réveilla, troublée. En songe, je venais de revivre un moment dont nous n'avions jamais reparlé, Paul et moi. Moi qui m'étais bercée de l'illusion que nous n'avions aucun sujet tabou, je me trompais lourdement. Ce souvenir vieux de quinze ans, je l'avais enfermé, à triple tour, au fond de mon cœur. La mémoire de mon corps venait de me le rappeler. Je me redressai dans mon lit, incapable d'allumer une lumière, l'obscurité me protégeait de la force de ce que je ressentais. Je frissonnais et, pourtant, j'étais traversée par une vague de chaleur.

Un soir, comme presque chaque soir, nous avions dîné au studio pour fuir nos solitudes respectives, Noé, du haut de ses deux ans, dormait à poings fermés dans la chambre de Paul. Nous avions déjà cette habitude de nous prendre dans les bras, mais cette fois, nos lèvres s'étaient cherchées et s'étaient naturellement trouvées. Nous nous étions follement embrassés, je gardais encore en moi les traces du désir qui m'avait assaillie – fort, dévastateur, bouleversant –, je sentais encore ses mains saisir ma taille avec possessivité. Brusquement, tout s'était arrêté. Paul avait bondi sur ses pieds, s'était reculé les mains en l'air en me disant qu'il fallait à tout prix arrêter. Il s'était excusé, il ne savait pas ce qui lui avait pris, ça faisait trop longtemps qu'il n'avait pas eu de femme dans sa vie, c'était une erreur, une monumentale erreur. Il m'avait dit : « Hors de question de gâcher notre amitié en couchant avec toi. » J'avais ri – un peu –, lui affirmant que c'était pareil de mon côté, que je n'avais pas eu d'aventure depuis le père de Noé. « Faire l'amour avec toi n'est pas la solution, je perdrais mon travail », avais-je blagué. On s'était sentis bêtes ; en moins de deux minutes, j'avais été chercher Noé pour rentrer dans mon petit appartement. Le lendemain, nous avions fait comme si de rien n'était. Nous n'en avions jamais reparlé, comme si cela n'était jamais arrivé.

Je ne pouvais plus me mentir. Mais Paul restait Paul. Paul, le dandy séducteur, l'homme à femmes. Je découvrais les morsures de la jalousie ; quand il partait pour déjeuner et que sa pause s'éternisait, quand il quittait le bureau le soir, souriant, déjà ailleurs, déjà avec une autre, avec une femme que je ne connaissais pas et avec qui je ne pourrais pas me battre. Le pire, je crois, était quand il arrivait le matin et que tout portait à croire qu'il sortait du lit. Je me fustigeai d'être rongée, dévorée par mon envie de lui appartenir et qu'il soit à moi. Comment était-ce possible ? Cet homme que je connaissais depuis toujours. Je l'avais toujours aimé, peut-être même dès l'instant où il m'avait ouvert la porte de son studio pour la première fois. Il avait fallu que je me libère du mensonge pour accepter et ressentir mon amour pour lui.

Mi-septembre. Noé rentrerait dans quelques jours de son séjour à Saint-Malo. Je l'avais senti heureux là-bas, je devais m'y faire, il avait contracté le virus, ou plutôt les virus : la cité corsaire et les Quatre Coins du monde. Je pressentais que je n'étais pas au bout de mes surprises, il revenait à Rouen pour la fac en traînant des pieds. Je devais en parler à Paul, savoir s'il était au courant de ce qui, peut-être, se tramait dans mon dos, en essayant de mettre ma gêne de côté ainsi que ma maladresse. Je m'étais surprise plus d'une fois à le dévorer des yeux, avec certainement un air idiot et béat.

C'était encore le cas, cet après-midi-là. Il était en bouclage d'un projet qui l'avait occupé une grande partie de l'été. Paul, notre chef de projet et le client travaillaient autour de la grande table de l'*open space*. Je l'admirai en pleine action. Paul faisait nonchalamment les cent pas, une main dans la poche, rictus amusé aux lèvres, sûr de lui, de son pouvoir de persuasion et de ses arguments artistiques face au patron un peu trop rustique à son goût. Il fut interrompu par notre assistante pour un coup de téléphone. Je vis à quel point il était contrarié, aussi volai-je à son secours en lui proposant de prendre l'appel à sa place, il me lança un regard de gratitude.

– Installe-toi au calme dans mon bureau, le dossier est dans un tiroir si tu as besoin.

Avant de m'enfermer dans son domaine, j'eus l'impression qu'un aimant me forçait à me retourner. Paul n'avait pas repris le fil de son argumentation, je croisai son regard pénétrant sur moi. J'avais les jambes en coton. On échangea un sourire qui s'éternisa. Il reprit son souffle et se redressa pour revenir à ce qui déroulait sous ses yeux.

Je m'assis dans son fauteuil, pris deux secondes pour redescendre de cet instant suspendu. J'allais devoir me ressaisir et ne plus avoir l'impression de décoller à chaque fois qu'il me regardait. Tout en échangeant avec mon interlocuteur, je commençai à fouiller, m'amusant de son bazar ; je dus vider la totalité du tiroir pour finir par trouver ce que je cherchais. J'allais refermer lorsque je remarquai une chemise tout au fond, comme cachée. Je m'en emparai presque malgré moi. Elle portait mon prénom, écrit par Paul, j'aurais reconnu ses hiéroglyphes entre mille, j'étais la seule à savoir les décrypter sans difficulté.

Il me fallut un bon quart d'heure pour réussir à raccrocher. Je fixai mon prénom de longues secondes, curieuse et inquiète à l'idée de ce que le dossier renfermait. Je finis par me traiter de tous les noms, il s'agissait de Paul, et pas de n'importe qui. Cela ne pouvait concerner que le Hangar. Je levai les yeux au ciel, affligée par ma soudaine et ridicule paranoïa, et ouvris la pochette. Ma légèreté s'évanouit à l'instant même où je découvris la première feuille, toujours griffonnée par l'écriture de Paul. Elle était jaunie, pliée, cornée et devait dater d'un bout de temps. J'y lisais des dates ; celle de notre rencontre, celle de la naissance de Noé et d'autres plus tardives, mais qui ne correspondaient à rien de particulier pour moi. Je me penchai plus attentivement pour trouver des réponses. Un schéma avec des flèches, le nom de Nicolas apparaissait à un endroit. Le mot Inde ainsi qu'une « date d'arrivée possible ». Que cela signifiait-il ? Je fouillai le reste, il y avait des tas de notes sans queue ni tête et je finis par tomber sur une coupure de presse, vieille de plus de cinq ans, elle provenait de l'hebdomadaire de Saint-Malo, *Le pays malouin.* Une photo de Nicolas et de Pacôme, complices, souriants, jeunes chiens fous encore, dans leur entrepôt, qui annonçaient l'agrandissement des Quatre Coins du monde. La ressemblance était frappante, comme toujours, Paul l'avait-il tout de suite remarquée ? Ma poitrine était de plus en plus prise dans un étau. Ce n'était pas possible. Paul ne pouvait pas m'avoir fait ça. Et pourtant, la réalité me sauta aux yeux lorsque je tombai sur ses échanges de mails avec Pacôme, datant de l'année dernière. Paul imprimait tout – c'était son péché mignon. Je me souvins de notre première conversation au sujet des Quatre Coins du monde. Ce n'était pas Pacôme qui nous avait contactés pour obtenir des renseignements sur nos prestations, mais Paul qui les avait démarchés pour chercher à les connaître, à en apprendre davantage sur Nicolas, pour acquérir une certitude. Paul connaissait toute l'histoire, toute mon histoire. Une autre feuille de brouillon montrait les regroupements évidents qu'il avait faits. Était inscrit : *Nicolas, père de Noé ?* S'ensuivait une rupture dans leur correspondance. Pacôme l'avait relancé en janvier dernier. Paul avait donc hésité plusieurs mois avant de mettre à exécution son projet. Il avait enquêté des années pour retrouver le père de Noé, sans m'en parler, tout en continuant de m'exhorter à le retrouver par mes propres moyens et à tout avouer à Noé.

Je tremblais comme une feuille. Pourquoi ? Pourquoi Paul avait-il fait cela ? Comment avait-il pu ? Je ne sais pas combien de temps je restai enfermée dans son bureau. Seule certitude : pour le moment, j'étais tétanisée. Je tenais ma tête entre mes mains comme pour essayer, dérisoirement, de contenir toutes les émotions qui me traversaient. Tout se mélangeait dans mon esprit, dans mon cœur. Paul m'avait menti toutes ces années, ces derniers mois. Alors que j'étais au fond du gouffre, il m'avait laissée m'enfoncer, Noé avait été à deux doigts de se détruire. Pourquoi maintenant, alors que je venais juste de prendre la mesure de mon amour pour lui ? Pourrais-je lui pardonner ? Aucune idée. Cela aurait été si simple si je ne l'avais pas aimé. J'aurais pu lui claquer la porte au nez. Devrais-je être déchirée toute ma vie ? Je croyais être en train de m'en inventer une nouvelle, et voilà qu'un pan entier de mon existence s'effondrait à nouveau. Je levai les yeux et le distinguai à travers le store donnant sur l'*open space*. Il avait un sourire victorieux, il avait réussi à distiller un peu de sens esthétique à son client, sans se douter un seul instant de mes découvertes. Je ne pouvais pas rester là, il fallait que je m'éloigne, que je réfléchisse loin de lui. Je quittai précipitamment la pièce, passai récupérer mes affaires et pris la direction de la sortie au pas de charge. Paul, évidemment, le remarqua et me courut après.

– Reine ? Que fais-tu ?

– Je m'en vais.

Ma voix claqua, froide, implacable. Je m'en voulais d'être agressive envers lui. Mais il fallait que je me défende contre ce qu'il m'avait fait, que je lutte contre mon amour. Le Hangar se figea dans le silence. Il m'attrapa par le bras et m'attira vers lui. Je voulais qu'il me lâche, qu'il me tienne plus fort, je voulais sentir sa peau contre la mienne et ne plus jamais sentir ses bras autour de moi. J'avais mal de regarder son beau visage marqué qui racontait sa vie et, pourtant, je ne pouvais pas m'en empêcher.

– Que se passe-t-il ?

Ma respiration s'emballa.

– Tu me poses la question ? Va jeter un coup d'œil au dossier qui traîne sur ton bureau.

Il blêmit, me lâcha et recula d'un pas. Il me dévisagea de longues secondes, comme s'il enregistrait chaque détail de mon visage, comme s'il cherchait à me mémoriser avant de ne plus jamais me revoir. Lui cachant mes larmes, je fis volte-face et m'enfuis de cet endroit que nous avions créé ensemble main dans la main. Je m'enfuis de lui.

Les heures s'enchaînèrent sans que je voie la moindre lumière au bout du tunnel. Je roulai sans but précis dans la ville. À chaque coin de Rouen, je voyais Paul. Il était chez moi. Il était *mon* chez-moi. La nuit tomba. Sans l'avoir prémédité, je me retrouvai au pied de l'immeuble de son premier studio, le studio où nous nous étions rencontrés, le studio où j'avais commencé à l'aimer, le studio des premiers pas de Noé. J'étais perdue. Je rejetais Paul. J'aimais Paul plus que tout. Mon téléphone sonna à plusieurs reprises, c'était mon fils. J'étais incapable de lui parler. Que lui aurais-je dit ? J'écoutai son message ; rien de bien important, juste savoir si tout allait bien. Je lui envoyai un SMS rassurant. L'espace d'un instant, je songeai à aller me faire consoler par ma sœur. Mais comment dire à Anna que j'aimais Paul, qu'il m'avait trahie et que je ne savais plus où j'en étais. Encore. Une seule personne pouvait répondre à mes questions. Je redémarrai la voiture.

La porte s'ouvrit sur lui. Sa chemise blanche largement ouverte sur son torse, son jean lui tombant sur les hanches, il était pieds nus, ses yeux brillants injectés de sang, il sentait l'alcool, il était fatigué, exténué même. Encore un bond dans le passé.

– Nous y sommes, soupira-t-il pour lui-même.

Il secoua la tête de lassitude et s'effaça pour me laisser entrer. J'avançai dans son appartement, si peu sûre de moi, prête à l'affronter, prête à exiger des explications. À quelques minutes d'une rupture avec lui ? Inimaginable. Inconcevable. Et pourtant… L'un en face de l'autre, nous nous affrontions du regard, tels des adversaires.

– Pourquoi ? Pourquoi tu m'as fait ça, Paul ?

J'aurais voulu hurler sous le coup de la colère et pourtant ma voix ne vibrait pas de rage, elle était calme. La sienne le fut tout autant.

– Parce que je voulais que tu sois libre, Reine. Je ne supportais plus de te voir entravée par les chaînes que tu as nouées toutes ces années autour de toi. Ça me rendait fou… Tu t'es empêchée de vivre ta vie, tu t'es empêchée d'aimer.

Si tu savais à quel point… Je me suis empêchée de t'aimer, toi. J'ai peut-être eu raison, finalement, de me retenir de t'aimer. J'ai déjà tellement mal.

– Cette traque a duré des années… Comment as-tu pu me mentir en me regardant droit dans les yeux après mon premier retour de Saint-Malo ? Pourquoi tu ne m'en as jamais parlé ?

Il eut un sourire à la fois triste et ironique.

– Reine, ne me prends pas pour un imbécile, tu m'aurais trucidé. À chaque fois que j'ai essayé d'en parler, tu devenais folle, on s'est toujours engueulé à ce sujet et je n'aime pas te voir souffrir, tu devrais pourtant le savoir depuis le temps.

– C'est pourtant ce qui s'est passé ! criai-je malgré moi.

Après quoi, après qui ? Lui ? Moi ? Nous ? Mes yeux se noyèrent de larmes.

– Qu'est-ce qui t'a décidé ?

Il fit quelques pas vers moi.

Reste éloigné, je t'en prie.

– Ta tristesse en début d'année et la relance de Pacôme, j'ai voulu y voir un signe, alors je me suis lancé. D'un côté, j'avais envie de ne pas m'être trompé et que ce Nicolas soit bien le père de Noé et, de l'autre, j'espérais que ce ne soit pas lui. Je n'avais aucune certitude, je n'avais que mes déductions. Rien ne s'est passé comme je l'imaginais… Si tu savais comme je m'en suis voulu… Je suis désolé, Reine…

Même s'il m'avait trahie, comment lui en vouloir alors que, grâce à lui, j'étais libérée du mensonge, libérée de l'imposture qu'était mon existence ? J'étais absolument incapable d'entrer en guerre contre lui. Et lucide, aussi, sur les bienfaits des derniers mois. Il fallait me rendre à l'évidence, il avait toujours eu raison.

– Étrangement, je dois te remercier, plutôt que de t'en vouloir. Noé est heureux, il va bien. Moi, j'ai remonté la pente. Mais… comment avoir à nouveau confiance en toi… Tu te rends compte de ce qui vient de se glisser entre nous ?

Il passa une main lasse sur son visage, puis dans ses cheveux.

– Je sais… mais je ne regrette pas ce que j'ai fait, malgré les conséquences…

– Je peux comprendre à la rigueur que tu ne m'aies rien dit avant que tout explose… Mais depuis que tout est rentré dans l'ordre, tu aurais dû m'en parler, tout m'avouer. Après tout, tu me demandais de tout dire à

Noé par honnêteté, ce conseil ne s'applique pas à toi, à première vue ! Tu te crois au-dessus de tout !

Il rit amèrement quelques instants.

– Tous les jours, je me disais que j'allais tout t'avouer et, tous les jours, je manquais de courage. Pour les mêmes raisons que toi…

– Quoi ? Quelles raisons ?

Brusquement, il vint se poster tout près de moi. Sa main se leva vers mon visage, elle en traça les contours sans me toucher, comme s'il n'osait pas, comme si je lui étais interdite.

– J'ai gagné du temps, Reine, pour te garder encore un peu près de moi… Regarde ce qui nous arrive… Tu n'es plus là, tu n'es plus avec moi à cause de ce que je t'ai fait… Tu vas quitter ma vie, tu vas disparaître… Je vais te perdre et je vais me perdre… Je ne suis rien sans toi… J'ai mis du temps à le réaliser, peu importe, c'est trop tard…

Je me rapprochai un peu plus de lui, n'osant croire ce que j'entendais.

– Tu as mis du temps à réaliser *quoi* ?

– Au point où j'en suis, je peux le dire, maintenant…

Il me regarda droit dans les yeux.

– Je t'aime comme un fou, Reine. Tu es la femme de ma vie.

Mon cœur s'arrêta, j'étais muette.

– Il était temps que je m'en rende compte à presque cinquante ans. Et je t'ai perdue par ma faute. Pourtant, si c'était à refaire, je ne changerais rien. Seul ton bonheur compte, comme celui de Noé.

– Paul… arrête… S'il te plaît, tais-toi.

Il me fixa avec tant de douleur dans les yeux.

– Reine, tu veux m'achever ? Crois-moi, je vais souffrir, je vais te laisser le Hangar, je vais te laisser tranquille.

Je posai ma main sur sa joue pour le faire taire, je me collai à lui et levai mon visage vers le sien. Je ne sais pas si son geste était volontaire, mais son bras s'enroula d'instinct autour de ma taille.

– Je ne veux pas te perdre, Paul. Je ne peux pas… Je ne peux pas vivre sans toi…

Sa main sur moi se crispa, ses yeux ne lâchaient pas les miens, il cherchait à comprendre ce que je disais, ce que je faisais. Mes lèvres s'approchèrent des siennes, les cherchèrent, il ne bougeait pas, seule sa respiration s'accélérait. Ma bouche continuait à effleurer la sienne.

– Je t'aime, Paul, je t'ai toujours aimé, mais je ne voulais pas le voir, je ne pouvais pas le voir, tant que je n'étais pas libérée du mensonge. Ne me quitte pas. Je suis à toi, rien qu'à toi.

Il resserra encore son étreinte.

– À moi ?

– À toi…

Enfin, il m'embrassa. Je n'avais été embrassée de cette façon qu'une seule fois dans toute ma vie. Et c'était déjà par lui. Je retrouvai le goût de sa bouche, la douceur possessive de ses lèvres. Je m'envolai de toutes les manières, il me souleva dans ses bras, j'enroulai mes jambes autour de sa taille, il nous emmena jusqu'à son lit. Il m'y déposa doucement et suspendit ses yeux aux miens. Son visage tendu par le désir devait faire écho au mien. On se déshabilla l'un l'autre lentement ; je voulais découvrir enfin son corps, chaque courbe de ses muscles, je le connaissais sans le connaître. Nos peaux nues se rencontraient après tant d'années, je n'avais jamais ressenti un tel désir, mêlé à des sentiments si forts. À plusieurs reprises, je dus enfermer son visage entre mes mains pour le fixer, pour être certaine que je ne vivais pas un rêve qui se dissiperait au matin. Je lisais la même terreur et la même évidence dans son regard. Quand il fut en moi, nos mains se trouvèrent, s'entrelacèrent, se serrèrent fort, sans plus jamais se lâcher. Je savais désormais ce que signifiait l'alchimie de l'amour.

Paul continuait de me caresser, ses mains couraient sur moi et, moi, je ne cessais de le regarder, fascinée par lui et par ce qui nous arrivait. J'étais bien, j'étais à ma place, j'étais à lui. Pourtant, je me crispai soudainement, me souvenant de son attitude avec les femmes. Il se rendit immédiatement compte de mon changement d'état d'esprit, je me renfermai dans ma coquille.

– Reine, à quoi penses-tu ?

Je me dérobai. Il attrapa délicatement mon visage, il était inquiet, mais je retrouvai le même amour dans ses yeux que quelques minutes plus tôt.

– Je ne m'en remettrais pas si je devais te partager, lui annonçai-je.

Il me prit contre lui.

– Tu es tout ce que j'ai toujours voulu, mais je ne le voyais pas, tu avais quelque chose de sacré que je craignais d'abîmer. Dès notre rencontre, ça a été comme ça. C'est bien pour cette raison que j'ai tout arrêté quand on s'est embrassés il y a quinze ans. Pourtant, à l'époque, je n'en ai pas dormi pendant des nuits et des nuits. Je n'arrêtais pas d'y repenser.

Sa bouche effleura la mienne, le désir reprit possession de moi, j'en cherchais davantage, mais il n'avait pas fini.

– Et pour le reste, sois rassurée, ça fait des semaines, des mois que je n'ai approché aucune femme.

– Quoi ? Où partais-tu, ces derniers temps ? Avec qui étais-tu ?

– Je te fuyais. Je n'étais avec personne, je passe ma vie au mur d'escalade à ruminer mes conneries et à me défouler. J'ai mal dès que je suis à côté de toi, mal à l'idée de te perdre, mal de mon envie de toi.

– Quand as-tu pris conscience de tout ça ? lui demandai-je.

– Noé a fugué. Quand tu t'es écroulée sous mes yeux, je t'ai crue morte et j'ai cru mourir de chagrin. J'ai imaginé un monde sans toi, ma vie sans toi. C'était impossible.

Son visage s'assombrit.

– C'est derrière nous, maintenant… Pourquoi n'as-tu rien dit plus tôt ? Tu n'es pas du genre à passer par quatre chemins, d'habitude ? le charriai-je.

Il rit.

– Justement parce que ce n'était pas comme d'habitude et que j'ai conscience de ce que je t'ai fait.

– Nous n'en serions pas là si tu ne m'avais pas envoyé à Saint-Malo en sachant ce que j'y trouverais.

– Tu me pardonnes, vraiment ?

– Je ne serais pas là, contre toi, dans le cas contraire.

Il m'embrassa profondément, avec possessivité, me serrant fort contre lui. Puis il accrocha à nouveau mon regard.

– Et tu avais Pacôme. Si ton bonheur était avec lui, je n'avais qu'à m'incliner.

– Mon bonheur n'aurait jamais été avec lui. Quoi que j'aie pu ressentir, il l'a su avant moi. Je l'ai compris depuis de nombreuses semaines, j'ai lutté contre toi, mais rien à faire. Ne doute jamais de mon amour.

– Je sais, je te connais…

Le lendemain matin, on se réveilla dans les bras l'un de l'autre. Je n'avais jamais connu de réveil plus doux, je n'avais aucune envie de quitter le nid que nous venions de nous créer, de retrouver le monde, je voulais une pause, je voulais profiter de Paul, je ne voulais plus m'éloigner de lui. Je me blottis dans le creux de son épaule, à ma place.

– Je ne veux pas aller travailler, aujourd'hui.

– On est deux… En même temps, vu l'heure qu'il est, ils doivent se douter qu'ils ne sont pas près de nous voir !

– Il est si tard que ça ?

– Onze heures.

J'éclatai de rire. En paix, j'étais en paix, je riais, légère, détendue.

– Tu imagines la tête qu'ils vont faire quand ils vont comprendre…

– Ça promet ! Dieu sait qu'on m'a toujours posé des questions sur toi à droite à gauche. Chaque fois qu'on me demandait si tu étais ma maîtresse, je répondais que je te considérais comme ma petite sœur…

Je ris encore plus, lui aussi.

– Oh… tu ne me l'avais jamais raconté !

– Non, il n'y a pas de quoi être fier ! Je vais quand même les appeler pour leur dire de ne pas nous attendre !

Il revint quelques minutes plus tard dans la chambre. Il avait une drôle de tête, il paraissait ennuyé, gêné, comme s'il avait fait une bêtise. Je me redressai dans le lit, le drap contre moi.

– Que se passe-t-il ? Il y a un problème au Hangar ? Il faut qu'on y aille ?

– Non, ce n'est pas ça.

Il fit le tour du lit pour s'asseoir à côté de moi, son portable dans la main. Il me lança un regard penaud.

– Paul, tu me fais peur ?

– Bah, en fait… Noé a essayé de m'appeler plusieurs fois, je viens d'écouter ses messages, il te cherche, tu ne lui réponds pas depuis hier soir, alors il s'inquiète. Il a même appelé au Hangar, il veut savoir si tu es avec moi.

On se fixait comme des gamins pris en faute. Noé… Pour la première fois depuis sa naissance, j'avais totalement oublié mon fils.

– Je vais le rappeler, lui annonçai-je.

– Comment on va lui dire ?

– Je n'en sais rien. Mais on ne peut pas le faire par téléphone ? Hein ? Tu es d'accord ?

C'était bien la première fois que je voyais Paul mal à l'aise, si peu sûr de lui.

– Il rentre quand ?

– Demain…

Je ne sais pas qui, de Paul ou moi, était le plus dans ses petits souliers. Noé nous dévisagea sans réaction particulière, de longues secondes durant. Paul serrait ma main de plus en plus fort. Que deviendrions-nous s'il n'obtenait pas la bénédiction de mon fils ? Noé finit par éclater de rire, d'un rire tonitruant, si incontrôlable qu'il se tapait sur les cuisses.

– Eh bah voilà ! J'avais raison quand je disais à mes copains à l'école que tu étais l'amoureux de maman !

– C'est quoi, cette histoire ? m'étranglai-je.

Il rit de plus belle tandis que Paul tentait tant bien que mal de ne pas l'imiter.

– Ça aurait été quand même plus simple si vous aviez percuté plus tôt !

Il reprit son sérieux, s'approcha de nous et prit Paul contre lui, dans une accolade d'homme à homme.

– Je te confie maman.

Nous fûmes presque déçus que notre relation passe inaperçue au Hangar. Personne ne tiqua, ne fit de commentaire. Quant à ma famille, je pouvais résumer leur réaction au « enfin ! » de ma sœur, digne d'une tragédie grecque. Comme si c'était logique. Évident. Finalement, tout le monde parut soulagé que nous ayons enfin ouvert les yeux. Dans le genre, on pouvait difficilement nous battre.

Tout alla très vite. Très simplement. Paul et moi partions du principe que nous avions perdu assez de temps. Nous avions passé ensemble toutes nos journées ou presque depuis dix-huit ans. Hors de question de passer une seule nuit séparés. Mais nous voulions repartir de zéro. En quelques semaines, on brada son appartement et ma maison, et on se trouva notre chez-nous, où Noé avait un espace rien que pour lui. Le soir de notre installation, Paul me demanda de l'épouser, je dis oui sans réfléchir une seule seconde. Notre mariage eut lieu un jour de semaine dans la plus stricte intimité ; Noé, ma famille, celle de Paul, du moins ce qui lui en restait, ses enfants qui, voulant le voir pour y croire, firent pour une fois le déplacement jusqu'à Rouen, et nos collaborateurs du Hangar. Je l'avais, ma nouvelle vie inventée. Je connaissais enfin le vrai bonheur, le bonheur paisible, simple. Je vivais pleinement notre amour avec Paul, Noé y avait toute sa place, il était serein, en paix avec lui-même.

Cette famille, que nous avions toujours formée sans le réaliser, s'épanouissait. Même dans la routine du quotidien, nous nous épanouissions ! À ceci près que mon fils oubliait totalement de s'impliquer dans ses études, lui qui avait toujours été sérieux et studieux. Je le suspectais de profiter de la béatitude amoureuse de sa mère. Après six mois de passages éclair à la fac, Noé arrêta définitivement de me mener en bateau.

– Vas-tu enfin me dire ce que tu fabriques ? m'énervai-je un soir où il nous faisait l'honneur de sa présence.

Paul me faisait signe d'y aller piano, je l'ignorai.

– Tu crois peut-être que je ne me suis rendu compte de rien ? Tu as une idée derrière la tête ! Et je souhaiterais que tu nous en fasses part… Est-ce trop te demander ?

– Non… en fait, je voudrais faire une alternance.

– Très bien, en quoi ?

Mon mari – j'adorais me le répéter – ricana. J'étais convaincue qu'il était au courant de tout. Noé était forcément passé par le sas Paul avant de m'affronter.

– Commerce international. Et je vais commencer tout de suite à travailler dans la boîte qui me formera en attendant septembre prochain.

– Tu as déjà tout prévu ! Où…

Je m'interrompis, réalisant parfaitement ce qu'il allait m'annoncer.

– Tu vas t'installer à Saint-Malo pour travailler aux Quatre Coins du monde avec Nicolas ?

– Oui, et je vais…

Il avait l'air embarrassé et chercha un encouragement auprès de Paul qui le lui donna. Ce dernier posa sa main sur ma cuisse dans un geste réconfortant, ce qui n'augurait rien de bon.

– Tu vas *quoi*, Noé ?

– Je vais m'occuper du lien entre Saint-Malo et l'Inde…

Je me crispai immédiatement.

– Tu pars en Inde ? Ce n'est pas possible ! m'emportai-je. C'est dans les gènes !

Noé me regarda, désemparé.

– Tu vas vivre en Inde ? insistai-je, n'osant croire à l'histoire qui se répétait.

Mon fils soupira de lassitude.

– Non, maman, je vais y aller souvent, c'est tout et, le reste du temps, je vivrai à Saint-Malo, à trois petites heures d'ici.

– Mais que vas-tu faire exactement ?

Il tripota ses mains pour ne pas avoir à m'affronter.

– Pa… Pacôme a besoin d'aide sur place.

Je lançai un regard à Paul qui me sourit doucement. J'avais ma confirmation, Noé lui avait parlé de tout, il n'était étonné de rien. Mon fils craignait toujours de prononcer ce prénom, de peur de provoquer une réaction chez moi et de froisser Paul. Il s'inquiétait pour rien. Paul et moi étions très clairs à ce sujet ; il ne nourrissait aucune jalousie à l'idée de ce que j'avais vécu avec Pacôme, quant à moi, je ne l'oublierais jamais, c'était une certitude, mais je ne gardais pour lui qu'une affection tendre et émue. Je ne craignais ni de le revoir ni de l'entendre. Je savais bien que cela finirait par arriver un jour. Une seule question subsistait à son sujet ; pourquoi était-il parti sans jamais revenir ? Personne n'avait la réponse et je crois que tout le monde s'étonnait encore qu'il ait tourné définitivement le dos à Saint-Malo. Cela ne changeait rien pour moi. J'étais si heureuse avec Paul que n'importe quel homme, même Pacôme, s'éclipsait derrière lui. Ce qui me faisait de la peine, dans l'histoire, était l'éloignement géographique de Noé. Il me fallait être honnête, je m'y attendais, je sentais que l'aventure du voyage le démangeait, comme un appel. Pour autant, je n'allais pas me priver d'abattre toutes mes cartes de maman.

– Nicolas ne peut pas y aller, lui ? Après tout, c'est sa boîte !

– Maman, j'ai envie de voyager, moi aussi ! C'est même moi qui ai eu l'idée.

Je levai les yeux au ciel, affligée. J'avais dû rater quelque chose.

– Au moins, vous êtes d'accord, Nicolas n'est pas très chaud pour que j'y aille.

Je ricanai, mauvaise. Paul avait de plus en plus de mal à se retenir de rire.

– Et Pacôme, il en pense quoi ?

– Il m'accueille, il me forme, mais il veut votre accord à tous les deux.

– J'imagine que ton père va céder ! Tout repose sur moi, maintenant ! Merci bien !

Je me levai et allai ouvrir la fenêtre pour fumer ma cigarette du jour. Je les entendais marmonner dans mon dos. J'imaginais parfaitement Paul le rassurer en lui disant que j'allais bientôt me calmer à grand renfort de clins d'œil complices. Noé me rejoignit au moment où j'écrasais mon mégot et me décocha son sourire de charmeur.

– Je reviendrai souvent, je te promets.

– Tu as plus de dix-huit ans, Noé, tu n'as plus besoin de mon autorisation, capitulai-je.

Il se jeta sur moi et m'enferma dans ses grands bras en me murmurant à l'oreille qu'il m'aimait.

– 18 –

Je me réjouissais d'avoir cédé, Noé était comme un poisson dans l'eau depuis plus d'un an. Il passait presque un mois sur deux en Inde. À chaque retour en France, je constatais combien mon fils mûrissait, combien il devenait adulte ; là-bas, il était confronté à la plus grande des misères qui côtoyait la réussite, le pouvoir et les affaires. Il était désormais totalement indépendant et menait sa jeune existence comme il l'entendait. Sans pour autant se passer des avis et conseils de Paul ou des miens. Dès qu'il était sur le même continent que nous, il venait passer des week-ends à la maison. Il entretenait nos rituels en allant au mur d'escalade avec mon mari et en cuisinant des burritos avec moi, avant de sortir avec ses copains de lycée avec qui il gardait le contact. Je le suspectais de rendre régulièrement visite à Justine et je me promettais de le prendre bientôt entre quatre yeux pour lui demander de ne pas jouer avec elle.

Sa vie à Saint-Malo était rythmée par son apprentissage aux côtés de Nicolas et le temps passé avec son frère et ses deux sœurs dont il s'occupait beaucoup. Il n'appelait toujours pas son père papa et ne le ferait probablement jamais, personne ne le lui demandait d'ailleurs, mais il avait trouvé sa place auprès d'eux. Nous faisions en sorte avec Nicolas d'avoir le moins de contact possible et nous y excellions. Paul et moi, en un an et demi, n'étions jamais allés à Saint-Malo et les Malouins n'étaient jamais venus en Normandie. Noé avait trois vies : Saint-Malo, Rouen et l'Inde. Chacun sa place. Chacun son rôle.

Ce matin-là, je reçus un message étrange de Nicolas qui me demandait si nous étions à notre bureau, mon mari et moi, il passait dans le coin et devait nous parler de quelque chose d'important. Je fus immédiatement sur mes gardes. Paul, se voulant rassurant, me prépara surtout à un prochain grand voyage de Noé, cette fois pour de longs mois. Pourtant, lorsque Nicolas arriva et que je découvris sa mine de déterré, je sus que l'heure était grave. Les bras de Paul encerclèrent ma taille avant que mes jambes se dérobent.

– Il est arrivé quelque chose à Noé ?

– Non, me répondit-il exténué. Vous auriez un endroit au calme où l'on pourrait parler ?

Paul, sans me lâcher un seul instant, lui fit signe de nous suivre dans son bureau. Nicolas s'écroula dans un fauteuil et se prit la tête entre les mains. Même si nous restions à distance les uns des autres, nous pouvions affirmer que nous avions largement fait la paix et que nos rapports étaient bons. Je n'aimais pas le voir si mal en point.

– Nicolas, l'interpellai-je doucement. Que se passe-t-il ?

Il leva un regard embué vers moi.

– Je suis tellement désolé, Reine. Vous méritez d'être tranquilles tous les deux, mais je ne peux pas te cacher ce qui se passe en ce moment et ne pas te demander un service, que j'aurais préféré ne jamais avoir à te demander…

– Tu me fais peur ! De quoi parles-tu, à la fin ?

– C'est Pacôme…

– Quoi, Pacôme ?

– Il est rentré à Saint-Malo…

– Et c'est un problème ? Je ne vois pas en quoi son retour me concerne.

– Reine, il est rentré pour… Merde !

Il se leva d'un bond, arpenta nerveusement la pièce, les poings serrés, il se retenait de frapper contre un mur.

– Je n'arrive pas à le dire…

Sa voix se brisa, mon cœur rata un battement face à sa détresse.

– Pacôme est rentré… pour mourir.

Ma tête tourna si fort que je crus m'évanouir. Je le revis en mémoire marcher sur les remparts, dans le vent, fort, avec sa mine de capitaine, ses yeux gris, son sourire boudeur.

– Non ! m'emportai-je. Ce n'est pas vrai !

Je savais que Nicolas ne me mentirait pas sur un sujet aussi grave. Mais je refusais d'y croire.

– Comment est-ce possible ? Et puis, s'il est malade, il va se soigner et guérir !

Nicolas secoua la tête, fatigué, désespéré, résigné.

– Non, Reine, c'est trop tard. Il a refusé de se soigner il y a déjà bien longtemps. Je viens enfin de découvrir pour quelle raison il est parti, sans jamais revenir, il y a un an et demi. Tu te souviens ? Personne ne comprenait pourquoi…

Pacôme avait appris qu'il était malade juste avant sa première rencontre imprévue avec Noé à Rouen. Je me souvins de sa visite surprise. Pourquoi était-il venu au bout du compte ? Me l'aurait-il dit s'il n'avait pas croisé Noé ? Je le voyais éclatant de santé dans mes souvenirs. Pourtant si je puisais dans ma mémoire, plus d'une fois – ce soir-là particulièrement – je m'étais fait la remarque qu'il semblait exténué, que son visage se creusait. Quelle force de caractère cela avait-il dû lui demander pour dissimuler ses symptômes ? Il n'avait rien dit à personne, ne voulant pas être une source d'inquiétude pour qui que ce soit. Sa décision avait été prise à l'annonce du diagnostic. Il s'était contenté du strict minimum de soins, il avait choisi de brûler la vie par les deux bouts, refusant d'être bardé de tuyaux, d'être opéré, diminué et écœuré par une tonne de médicaments qui ne serviraient à rien, puisque l'issue, il la connaissait. À quoi bon gagner un peu de temps sur la maladie, si cela signifiait renoncer à l'existence qu'il avait toujours entendu mener. Alors, une fois qu'il avait été certain que les choses s'apaisaient et que nous allions tous nous en sortir, il était parti pour nous laisser nous réunir et nous protéger tous autant que nous étions de sa déchéance inéluctable.

– Comment as-tu fini par le découvrir ?

Il ricana tristement.

– On fait souvent des Skype pour les enfants et pour le boulot. Ces derniers temps, je le trouvais étrange, anormalement fatigué. Je lui ai fait part de mes inquiétudes et il s'est effondré, il voulait revoir Saint-Malo et les remparts une dernière fois, alors il m'a tout lâché, comme ça, cash, à sa manière.

Il rit malgré les larmes.

– Son état s'est brusquement aggravé. Il était trop faible pour entreprendre le voyage seul. Je suis allé le chercher et je l'ai ramené chez lui, il y a deux jours.

Noé vivait dans son appartement.

– Et Noé ?

– Il le veille jour et nuit depuis quarante-huit heures.

Voilà pourquoi mon fils ne me donnait pas de nouvelles. Je paniquai à l'idée de ce qu'il traversait, je ne voulais pas que Noé souffre. Nicolas saisit immédiatement l'objet de mon agitation.

– Il est fort, notre fils, si tu voyais. Il encaisse, il accepte, il écoute Pacôme qui le rassure. Ils ont passé de merveilleux moments en Inde, sans que Pacôme montre la moindre faiblesse. Je ne sais pas comment il a fait, cela a dû lui demander une telle énergie de protéger Noé… Il bouffe ses dernières forces pour lui, ils parlent beaucoup. Ils sont en paix, tous les deux. C'est impressionnant, je te jure.

Je pouvais ressentir dans ma chair la souffrance de mon fils. La vie s'acharnait trop sur lui.

– Mais…

Il s'interrompit pour s'adresser à Paul :

– Je suis navré de vous imposer ça, mais on a besoin de Reine.

Paul serra ma main et lui envoya un sourire rassurant. Je commençais à comprendre où il voulait en venir.

– Non ! Nicolas, tu ne peux pas exiger une telle chose de moi, paniquai-je.

– Je t'en prie. Il n'a rien demandé, rien, je te jure. Il est sincèrement heureux pour vous deux. Jamais il n'oserait s'immiscer entre vous, surtout pas maintenant, je crois que s'il en avait encore la force, il me sauterait à la gorge en apprenant que je suis venu te voir. Je sens qu'il a besoin de te revoir une dernière fois. Il n'y a pas eu d'autre femme après toi, il me l'a avoué. Quand il dort, il est souvent agité, alors que ça le fragilise encore plus, ton prénom sort toujours de ses songes. Tu es la dernière avec qui il n'a pas fait la paix…

– Il ne m'a pas assez fait pleurer ? sanglotai-je.

Je regardai Paul, anéantie qu'il assiste à une telle scène, il caressa ma joue.

– Pardon, lui dis-je.

– Ne retiens jamais ton chagrin devant moi. N'oublie pas ce qu'il a fait. Il s'est sacrifié pour nous. Il faut que tu y ailles… Et je sais que tu m'aimes.

– Plus que tout, chuchotai-je.

Je me tournai vers Nicolas, dont le regard me suppliait de faire un pas vers Pacôme.

– Reine, s'il te plaît, insista-t-il.

Les mots sortirent tout seuls.

– Je vais venir.

– Merci… N'attends pas… Il n'en a plus pour longtemps.

Paul et moi prîmes la route dès le lendemain matin. Sa présence à mes côtés était évidente, elle m'était indispensable. Nous étions un couple, nous ne formions qu'un. Je refusais qu'il soit exclu, sous prétexte de ce que j'avais vécu avec Pacôme. Noé, que j'avais eu la veille au soir au téléphone et qui faisait face, comme me l'avait affirmé Nicolas, exigeait aussi qu'il vienne.

Il faisait exactement le même temps que la première fois où j'avais franchi les portes d'Intra-Muros, le vent me fouettait le visage, le ciel bleu était chargé de nuages menaçants. La tempête. À l'image de ce qui se passait dans un appartement niché au-dessus des remparts, à l'image de la tempête qui agitait mon cœur. Paul eut un mouvement de recul devant la grande porte de l'hôtel d'armateurs où vivait Pacôme. Je le retins par la main.

– Que fais-tu ?

– Je ne vais pas entrer.

Je le fixai subitement paniquée, il me prit contre lui.

– Malgré le respect que tout le monde me porte, ma place n'est pas ici et tu dois le retrouver seule, sans moi, en mémoire de ce que vous avez vécu ensemble. Il t'a fait du bien, tu ne l'oublieras jamais, cela ne me pose pas de problème. Tu as une dernière occasion de lui parler.

N'aie pas de regrets. Je sais que tu m'aimes et que rien ne changera entre nous.

– J'ai besoin de toi.

– Non, tu te trompes, tu vas être merveilleuse avec lui, je te connais mieux que quiconque. Je ne quitterai pas mon téléphone.

Je montai l'escalier sans me presser, en respirant calmement. Paul avait dû prévenir Noé, car il ouvrit la porte avant même que j'atteigne l'étage. Mon fils avait encore vieilli, ses yeux étaient cernés et rougis, ses traits marqués. Je le serrai dans mes bras, il m'entraîna ensuite dans l'appartement ; simplement avec ses guitares et ses enceintes, Noé y avait très légèrement mis sa patte. Mes yeux se posèrent immédiatement sur sa table devant la fenêtre. Tout était comme dans mes souvenirs, à sa place. Je ravalai la boule dans ma gorge, je n'avais pas le droit de craquer maintenant. Nicolas se jeta sur moi, je l'étreignis le plus fort possible, cherchant déjà à le consoler.

– Où sont les petits ? lui demandai-je.

J'avais conscience que c'était dérisoire, mais je savais que Nicolas ressentirait une parcelle de réconfort en pensant à ses enfants.

– À l'école.

– Je vais les chercher tout à l'heure et je les dépose à la baby-sitter, m'apprit Noé.

– Où est Héloïse ?

Nicolas d'un mouvement de tête m'indiqua la chambre de Pacôme. Elle arrivait justement. Quand elle me vit, ses épaules se relâchèrent. Elle vint se loger dans mes bras, soulagée. Nous étions tous ensemble. C'était apaisant de faire corps les uns avec les autres, malgré nos différences, nos anciennes guerres, nos vies séparées.

– Je te jure, Reine, pour la première fois, je hais mon métier. Pourquoi je suis infirmière ? Tu peux me le dire ?

Je n'osais imaginer le calvaire qu'elle endurait à prendre soin de lui pour ses derniers instants.

– Où est Paul ? demanda brusquement Noé d'un ton mauvais.

– Il n'a pas voulu monter.

– Je vais le chercher !

– Noé, laisse-le, il a ses raisons.

– Et moi, j'ai les miennes !

Il était rouge de colère, son regard était noir, il serrait et desserrait les poings compulsivement.

– Calme-toi, Noé, lui dis-je le plus doucement possible.

– J'ai trois pères, maman !

C'était un cri du cœur, il semblait aussi surpris que nous tous ici présents. Ma respiration se bloqua. Son corps se détendit, comme s'il avait lâché ce qu'il contenait depuis des mois, pour ne pas dire des années.

– Je suis en train d'en perdre un, j'ai besoin des deux autres.

La rage montait à nouveau en lui.

– Je veux les avoir tous réunis une fois, une seule fois autour de moi ! C'est trop demander ? hurla-t-il.

Un long silence bouleversant s'installa dans l'appartement. Nicolas s'approcha précautionneusement de lui.

– Viens, on va le chercher tous les deux.

Moins d'un quart d'heure plus tard, ils revinrent avec Paul. En passant à côté de moi, il m'embrassa dans les cheveux. Noé leur demanda de patienter quelques minutes, il veillait sur Pacôme tel un chien de garde. Il les appela, ils disparurent dans le couloir. On s'assit avec Héloïse dans le canapé et on s'attrapa la main.

– Comment vont les enfants ? lui demandai-je.

– Ils sont venus le voir hier, il m'a demandé de le gaver de médocs, histoire de ne pas leur faire peur et de tenir le coup face à eux, une dernière fois. Il a fait l'imbécile, comme avant. Inès n'y a presque vu que du feu. Adam et Salomé, c'est une autre histoire, mais ils ont joué le jeu.

– Comment va-t-il ?

Elle poussa un profond soupir.

– Son état se dégrade d'heure en heure…

Je cachai mon visage dans mes mains de crainte de craquer, de sangloter, j'étais terrifiée. Héloïse posa une main réconfortante sur mon épaule.

– Quand tu le verras… je préfère te prévenir, tu risques de recevoir un choc. Ce n'est plus le Pacôme que tu as connu.

Elle serra plus fort ma main.

– J'ai peur, lui avouai-je.

– Il va t'aider, ne t'inquiète pas.

Au loin, on entendit des pas sur le parquet. Je restai stoïque.

– Maman, m'appela Noé d'une voix très douce.

Mes yeux se posèrent sur lui, il était serein.

– Il t'attend…

Je me levai et remarquai l'absence de Paul. Il n'était toujours pas ressorti de la chambre de Pacôme. Quelques minutes plus tard, mon mari arriva les épaules basses dans le séjour et vint immédiatement vers moi.

– Ne pense pas à moi quand tu seras avec lui.

Je fronçai les sourcils, ne comprenant pas où il voulait en venir.

– Prends ton temps, tout le temps qu'il vous faudra. Je vais accompagner Noé récupérer les petits et les déposer chez eux, on revient après.

Il m'embrassa doucement sans se préoccuper de qui nous entourait, d'où nous étions, il me dit une fois de plus qu'il m'aimait. Il me coupa avant même que je lui réponde :

– Je sais, me dit-il avec un clin d'œil.

Il attrapa Noé par les épaules et l'entraîna vers la sortie. Je me retrouvai face à Nicolas et Héloïse dans les bras l'un de l'autre qui regardaient encore en direction de Paul. Nicolas me fixa, sidéré.

– Paul… il est vraiment… extraordinaire…

– Tu ne m'apprends rien, lui répondis-je avec un sourire triste.

Je déposai un baiser sur leurs joues et avançai vers Pacôme, étrangement calme. J'inspirai profondément et poussai la porte de sa chambre. Il y faisait assez sombre, les rideaux étaient tirés, ce qui me dérangea. Mon regard se dirigea vers le lit, Pacôme était allongé, tourné vers les fenêtres.

– J'ai cru que tu ne viendrais jamais me donner la fin de l'histoire, me dit-il.

Sa voix était la même, douce et grave, malgré la lassitude évidente. Je m'approchai sans faire de bruit. Je m'assis sans que mon regard ose encore se poser sur cet homme que j'avais tant aimé. Après de longues secondes de silence, je tournai mon visage vers lui, il me souriait. Je ne vis pas ce contre quoi Héloïse m'avait mise en garde. Je ne vis que lui. Bien sûr, ses traits étaient émaciés, son teint plus pâle, mais il était toujours aussi beau, ses yeux gris brillaient.

– Merci de m'avoir écouté, murmura-t-il. Merci de ne pas m'avoir attendu. Et merci d'avoir laissé Noé me rejoindre en Inde…

Je pris sur moi pour chasser les larmes.

– Je suis heureux, tu ne peux pas savoir à quel point je suis heureux.

Il continuait à me sourire, il leva sa main amaigrie vers mon visage, le caressa doucement, j'appuyai ma joue contre sa paume.

– Si j'avais pu choisir pour toi, je n'aurais pas fait d'autre choix que Paul. Je le sentais que vous vous aimiez, il y a des choses qu'on n'explique pas et, vous, c'était le cas. Pourtant, je ne vous ai vus que deux fois ensemble…

Il s'interrompit, sa main retomba, ses traits se crispèrent de douleur, il semblait chercher son souffle. Je me penchai vers lui, subitement affolée.

– Ne te fatigue pas à parler, s'il te plaît.

Il réussit à me lancer un regard amusé.

– Je vais bientôt avoir tout le temps de me reposer, alors…

Je secouai la tête de colère, ce n'était pas juste qu'il s'en aille comme ça, il ne pouvait pas, il n'avait pas le droit.

– Ne dis pas…

– Reine, je t'en prie, pas toi…

Son regard eut un sursaut de rage de vivre, il n'accepterait jamais ma pitié.

– Je t'ai aimé Pacôme. Tu le sais, que je t'ai aimé, passionnément ? Je t'en ai tellement voulu de m'avoir abandonnée…

– Je sais… Tu m'as pardonné ?

Je hochai la tête.

– Tu vois, il n'y a pas de hasard… Je me doutais bien que Paul n'était pas étranger à tes retrouvailles avec Nicolas. On en a parlé tous les deux, tout à l'heure. Je suis assez fier de l'avoir compris avant toi…

Je réussis à rire.

– Il est très, très fort et, surtout, il a pris le risque de te perdre à jamais… Aujourd'hui, il a assez de grandeur d'âme pour me laisser un peu sa femme… Je ne crois pas que j'en aurais eu autant…

Les larmes coulaient silencieusement sur mes joues, il rit tristement.

– En même temps, je ne risque pas de lui faire grand mal.

– Idiot, lui rétorquai-je.

Il réussit non sans difficulté à me décocher son irrésistible sourire boudeur. Il chercha sa respiration, quand il se sentit un peu mieux, il redevint sérieux.

– Reine… je veux entendre de ta bouche que tu es heureuse…

– C'est un peu compliqué de te parler de mon bonheur, à cet instant… alors que…

– Je suis déjà parti…

– Peut-être, mais jusque-là tu respirais quelque part dans le monde, tu menais ta vie de marin sans bateau. Je me plaisais à croire que tu étais heureux…

– Je l'ai été et je le suis en ce moment. Je ne m'en vais pas seul, j'ai toutes les personnes que j'aime autour de moi. Nicolas, Héloïse, leurs enfants, le fils que j'aurais rêvé avoir, la femme que j'aime, qui est aimée par un homme bien, que je respecte profondément, qui la rend encore plus belle qu'avant. Je n'ai besoin de rien de plus…

Sa main se leva à nouveau vers mon visage, son doigt se balada sur mes lèvres.

– Je pars sans avoir à m'inquiéter pour personne. Je suis en paix, Reine, si tu l'es…

J'étais hypnotisée par son regard. Étais-je en paix ? Dans le secret de mon cœur, j'avais toujours ressenti une pointe de culpabilité vis-à-vis de Pacôme. J'avais cru ne jamais me remettre de son départ, s'il m'en avait laissé l'occasion à l'époque, je l'aurais supplié de rester avec moi, alors que l'amour que je lui avais porté était passionnel et éphémère. Car il avait raison, même s'il n'avait pas été malade, je n'aurais pas supporté un amour en pointillé, notre amour n'était pas voué à s'épanouir. Il nous avait été nécessaire, à moi pour affronter mes tourments, à lui pour quitter la vie en paix. Je me penchai et posai ma bouche sur la sienne.

– Je le suis, Pacôme, lui déclarai-je sans m'éloigner de lui.

– C'est si bon de respirer avec toi, murmura-t-il.

Je l'embrassai encore une fois. Je me redressai légèrement et plongeai dans ses yeux gris.

– Tu partiras comme un *monsieur* de Saint-Malo…

Ils se remplirent de larmes, il comprit que j'avais lu son livre, comme il en rêvait.

– Tu as besoin de prendre l'air, je refuse que tu sois enfermé.

Je me levai, tirai les rideaux et ouvris les fenêtres en grand. Le vent s'engouffra dans la chambre. Il souriait et pleurait doucement, il était soulagé. Je récupérai des couvertures et des coussins sur un fauteuil dans un coin de la chambre et posai le tout sur le lit.

– Accroche-toi à moi, lui demandai-je.

Il noua ses bras autour de mon cou, je nouai les miens dans son dos et le relevai en calant les oreillers derrière lui.

– Tu vois la mer ?

– Oui, me dit-il dans un soupir.

Je m'allongeai à côté de lui en remontant les couvertures sur son corps. J'abandonnai ma tête sur son épaule. Il réussit à me serrer contre lui. On échangea un long regard, il n'y avait plus besoin de mots entre nous. Il me fit son sourire boudeur, un dernier effort pour embrasser mes lèvres. Son visage se dirigea vers la fenêtre, une pression de son bras autour de moi. Ensuite, il fut happé par la mer.

Épilogue

Nous étions sur le Grand-Bé, entourés d'un halo de sérénité, nous respirions à pleins poumons. Nicolas avait décidé de braver la loi et de répandre les cendres de Pacôme à cet endroit. Noé demanda s'il pouvait dire quelques mots. Personne ne songea à l'en empêcher. Avant de prendre la parole, il me fixa tendrement, sourire triste aux lèvres, Paul me serra plus fort contre lui. Nicolas posa une main réconfortante sur la nuque de son fils.

– Pacôme, je ne pensais pas que tu me prendrais au mot quand je t'ai demandé en Inde si, un jour, je pourrais vous avoir tous autour de moi, Héloïse, mon petit frère, mes petites sœurs, maman…

Il s'interrompit, me chercha du regard, je pris sur moi pour lui sourire malgré mes larmes, il soupira, puisant au tréfonds de ses dernières ressources et poursuivit :

– Nicolas, Paul et toi… mes trois papas… Tu m'as dit que ce serait une jolie fin d'histoire et que maman comprendrait…

Paul embrassa mes cheveux, je le sentais trembler sous l'émotion. Noé ne lui avait pas laissé le choix, Noé lui avait imposé ce rôle et il en était bouleversé. Il avait désormais cette place de père, dont il avait toujours rêvé, sans jamais se l'autoriser.

– J'imaginais plus une fête, un tour de remparts… en tout cas pas de devoir te regarder partir au vent… Mais tu as réussi. Nous sommes tous réunis pour la première fois. Je ne sais pas ce qu'ils en pensent, eux tous, tous ceux qui t'aiment, moi, je me dis qu'on a de la chance de s'être tous trouvés, on forme une famille, bizarre, pas normale, mais on s'aime… et on doit être ensemble…

Je regardais mon fils, fier, fort, anéanti. Tous les regrets se dissipèrent. Pour la première fois, je n'en avais plus aucun. Les mauvais choix que j'avais faits, tant d'années auparavant, devaient me conduire jusqu'à ce jour. Ils devaient nous amener à ce bout de terre qui surplombait la mer pour dire au revoir à Pacôme et prendre conscience de ce que nous avions entre les mains. Je ne réécrirais pas l'histoire. Pour rien au monde. C'était la mienne. C'était la nôtre…

Merci

Merci, Maïté, pour ta présence, ton écoute, la façon dont tu t'es laissée porter par Reine, Noé, Paul et Pacôme à travers ta lecture et pendant nos tête-à-tête… Ton œil d'éditrice bienveillant m'est indispensable pour franchir des caps.

Merci aux éditions Michel Lafon, à toute l'équipe, Michel, Elsa… pour votre confiance, votre enthousiasme, votre envie de porter mes romans les uns après les autres. Bien sûr, il y a le travail, mais je pense aussi à tous ces autres moments de sourires, de complicité qui vont bien au-delà des livres.

Merci à Pauline, Gwen, Sess, Maïté, Frédéric, Mathieu pour cette fabuleuse couverture et ces deux jours, sous la pluie, dans le vent, sous le soleil. Guillaume et moi avons tant aimé vous entraîner sur les remparts, vers les brise-lames, dans les murs d'Intra.

Merci à mes parents pour ces tours de remparts le dimanche après-midi lorsque j'étais petite fille et pour m'avoir mis entre les mains *Ces messieurs de Saint-Malo*. J'ai découvert les Carbec, la Clacla et l'oncle Frédéric. Qui aurait cru que plusieurs années plus tard, je l'aurais lu une bonne dizaine de fois et que j'écrirais un roman, bercée par cette merveilleuse histoire.

Merci à vous les amis d'être là… Vous à qui je n'ai pas dit que j'écrivais un roman à Rouen, chez nous… Il y aura toujours des concerts au 106, des verres sur les quais et des restos en ville.

Merci à Toi… Toi qui m'as dit « Écris ton Saint-Malo, écris avec les messieurs de Saint-Malo. Il est temps, tu peux le faire… ». Toi qui m'as mis un casque sur les oreilles et qui m'as dit « C'est Noé… ». Toi qui savais… Toi qui es mon socle, mon évidence…

Merci mon Simon, merci mon Rémi, mes fils… Vous ne vous en rendez pas compte, mais je n'écrirais pas sans vous. Vous êtes, avec votre papa, ma force, mon courage, mon plus grand des bonheurs.

Merci, Reine… d'être entrée dans ma tête… Merci pour ce que nous avons vécu toutes les deux… Tu vas me manquer, terriblement… Pacôme, où que tu sois, je ne t'oublierai jamais, excuse-moi d'avoir mis si longtemps à accepter l'inévitable que pourtant tu me soufflais à l'oreille. Paul, merci pour ta patience, merci de m'avoir laissée dans le flou, merci de m'avoir laissée venir à toi… Noé, merci pour ton histoire…

Les éditions Michel Lafon remercient la Ville de Saint-Malo et l'Office du Tourisme Communautaire Saint-Malo Baie du Mont-Saint-Michel pour l'accueil qu'ils nous ont réservé à l'occasion de la séance photo de couverture.

Playlist

Puisque je n'écris qu'en musique, je partage avec vous la playlist d'*Une évidence* ; elle suit la chronologie du roman. Premier morceau : première scène. Les deux derniers morceaux : les deux dernières scènes…

Ne vous étonnez pas de découvrir des doublons. Certains titres m'ont été indispensables à plusieurs reprises.

Vous pouvez la retrouver sur *Spotify* et *Deezer*.

Je profite de ces quelques lignes pour remercier du plus profond de mon cœur tous ces grands artistes qui, sans le savoir, m'inspirent, nous soutiennent et nous accompagnent, mes personnages et moi.

« The Limit To Your Love », Feist, *The Reminder*
« Long Way Home », The Slow Show, *White Water*
« The Story Of the Impossible », Peter von Poehl, *Going To Where The Tea-Trees Are*
« The Sailor Song », Autoheart, *Punch*
« 52 Hertz Whale (Outro) », No Land, *Aramizda*
« Miss You », ComixXx, *The Great Escape*
« The Best Thing », Charlotte Adigéry, *The Best Thing*
« Good Thing », Serafyn, *Foam*
« Cornflake Girl », Tori Amos, *Under the Pink*

« This Is How I Let You Down », The Franklin Electric, *This Is How I Let You Down*

« Fu-Gee-La », Fugees, *The Score*

« Coming Home », Colour of Rice, *Oh Darling*

« You're Somebody Else », Flora Cash, *You're Somebody Else*

« No Surprises », Radiohead, *OK Computer*

« Chimera », Tample, *Summer Light*

« Caterpillar », Mountains of the Moon, *Caterpillar*

« True Love », Balthazar, *Thin Walls*

« Promise Not To Fall », Human Touch, *13 Reasons Why* (saison 2)

« Use Somebody », Kings of Leon, *Only By The Night*

« Closer », Kings of Leon, *Only By The Night*

« Cold Desert », Kings of Leon, *Only By The Night*

« Chasing Cars », Snow Patrol, *Eyes Open*

« Laura », Bat for Lashes, *The Haunted Man*

« How Dare You! », Steaming Satellites, *The Moustache Mozart Affaire*

« Poison & Wine », The Civil Wars, *Barton Hollow*

« Lost Me », Mary Komasa, *Mary Komasa*

« Empty Note », Ghostly Kisses, *What You See*

« Ocean's Brawl », Cœur de Pirate, *Roses* (Deluxe edition)

« Porz Goret », Yann Tiersen, *EUSA*

« Popular », Nada Surf, *High/Low*

« Twenty Years », Placebo, *Twenty Years*

« Secret », The Gardener & The Tree, *69591, LAXÅ*

« Song #6 », Placebo, *Life's What You Make It*

« Promises », The Cranberries, *Bury The Hatchet* (The complete sessions 1998-1999)

« Animal Instinct », The Cranberries, *Bury The Hatchet* (The complete sessions 1998-1999)

« Aerodynamic », Daft Punk, *Discovery*

« That Look You Give That Guy », Eels, *Hombre Lobo*

« Ironic », Alanis Morissette, *Jagged Little Pill* (2015 Remastered)

« I Swore », Denai Moore, *I Swore*

« It's Love », Get Well Soon, *LOVE*

« Fans », Kings Of Leon, *Because Of the Times*

« Lungs », I Have a Tribe, *No Countries*

« Lovely », Billie Eilish (with Khalid), *13 Reasons Why* (saison 2)

« Most Anything », Sage, *Paint Myself*

« A 1000 Times », Hamilton Leithauser + Rostam, *I Had a Dream That You Were Mine*

« Inside of Love », Nada Surf, *Let Go*

« Chemicals », Mud Flow, *A Life On Standby*

« The Night We Met », Lord Huron, *Strange Trails*

« La nuit je mens », Alain Bashung, *Fantaisie militaire*

« Electric Blue », The Cranberries, *To the Faithful Departed* (The complete sessions 1996-1997)

« Stonemilker (Live) », Björk, *Vulnicura Live*

« Forever For Now », LP, *Forever For Now* (Deluxe edition)

« Windows », Angel Olsen, *Burn Your Fire For No Witness* (Deluxe edition)

« Don't Say Hi If You Don't Have Time For a Nice Goodbye », Noiserv, *Everything Should Be Perfect If No One's There*

« Run », Snow Patrol, *Final Straw*

« Pillar of Truth », Lucy Dacus, *Historian*

« What's a Girl To Do ? », Bat for Lashes, *Fur and Gold*

« The Lakes », Rhodes, *Turning Back Around* (EP)

« Fake Plastic Trees », Radiohead, *The Bends*

« Joga », Björk, *Joga*

« Bacherolette », Björk, *Homogenic*

« Descent », Lawless, *Lawless*

« I Love You (Acoustic) », Woodkid, *Run Boy Run*

« Roads », Portishead, *Dummy* (non UK version)

« The Trellis », Nick Mulvey, *First Mind*

« Breathe Underwater (Slow) », Placebo, *A Place For Us To Dream*

« Every You Every Me », Placebo, *MTV Unplugged* (Live)

« Meds », Placebo, *MTV Unplugged* (Live)

« The Light », The Album Leaf, *Into the Blue Again*

« Meet Me There », Harrison Storm, *Change It All*

« If I Knew », Bat for Lashes, *The Bride*

« Switchblade », LP, *Lost On You* (Deluxe edition)

« Insomnia », IAMX, *Metanoia*

« Queen of Peace », Florence & the Machine, *How Big, How Blue, How Beautiful* (Deluxe edition)

« Tightrope », LP, *Lost on You*

« Empty Note », Ghostly Kisses, *What You See*

« Goodbye », Russ, *Pink Elephant*

« Mass », Phoria, *Mass (Re-Imagined)*

« Me And The Devil », Soap&Skin, *Sugarbread*

« Hex », Mt. Wolf, *Aetherlight*

« For You To Be There », Tom Rosenthal, *The Pleasant Trees* (vol. 2)

« Love & Hate », Michael Kiwanuka, *Love & Hate*

« The Night We Met », Lord Huron, *Strange Trails*

« Fly (Acoustic) », Meadowlark, *Postcards*

« Golden », Mt. Wolf (feat. St. South), *Golden*

« Fake Plastic Trees », Radiohead, *The Bends*

« Next to Me », Imagine Dragons, *Evolve*

« Maybe On the Moon », AaRON, *We Cut The Night*

« Our Love », Sharon Van Etten, *Are We There*

« Warm Foothills », alt-J, *This Is All Yours*

« Figures », Jessie Reyez, *Kiddo*

« Car Park », Fenne Lily, *On Hold*

« Carry You », Novo Amor, *Bathing Beach*

« Song 1 », Mud Flow, *A Life On Standby*

« It's Taking You », The Franklin Electric, *Blue Ceilings*

« Looking For Knives », DYAN, *Looking For Knives*

« Three Oh Nine », Fenne Lily, *On Hold*

« Another World », Pegase, *Another World*

« Remission », ÄTNA, *Ätna*

« Fire In the Water », Feist, *The Twilight Saga : Breaking Dawn-Part 2* (BO du film)

« Our Favourite Song », The Beach, *Our Favourite Song*

« Wandering Child », Wild Rivers, *Wild Rivers*

« Bloodflood pt. II », alt-J, *This is All Yours*

« Last Night Thoughts », AaRON, *Artificial Animals Riding On Neverland*

Peut-on être heureux quand on se ment à soi-même ?

« Une chaleureuse invitation au voyage intérieur et au bonheur. Et un rayon de soleil sous le ciel de Provence ! »

Marie Lechevalier – *LiRE*

Tous les grands succès d'AGNÈS MARTIN-LUGAND sont chez Pocket

Imprimé en au Canada
Dépôt légal : mars 2019
ISBN : 978-2-7499-3477-8
LAF : 2497